Mensenwerk

D0551761

Mensenwerk

Oriëntatie op doelgroepen in het sociaal werk

John Bassant & Marianne Bassant-Hensen (red.)

Wouter van Eekhout
Martha van Endt-Meijling
Ineke Heemskerk
Peter Herzberg
Thea van Kempen
Anita Pfauth
Gerrit Wolfswinkel

uitgeverij
coutinho | c

bussum 2010

© 2010 Uitgeverij Coutinho b.v.
Alle rechten voorbehouden.
Behoudens de in of krachtens de Auteurswet van 1912 gestelde uitzonderingen mag niets uit deze uitgave worden verveelvoudigd, opgeslagen in een geautomatiseerd gegevensbestand, of openbaar gemaakt, in enige vorm of op enige wijze, hetzij elektronisch, mechanisch, door fotokopieën, opnamen, of op enige andere manier, zonder voorafgaande schriftelijke toestemming van de uitgever.
Voor zover het maken van reprografische verveelvoudigingen uit deze uitgave is toegestaan op grond van artikel 16 h Auteurswet 1912 dient men de daarvoor wettelijk verschuldigde vergoedingen te voldoen aan Stichting Reprorecht (Postbus 3051, 2130 KB Hoofddorp, www.reprorecht.nl). Voor het overnemen van (een) gedeelte(n) uit deze uitgave in bloemlezingen, readers en andere compilatiewerken (artikel 16 Auteurswet 1912) kan men zich wenden tot Stichting PRO (Stichting Publicatie- en Reproductierechten Organisatie, Postbus 3060, 2130 KB Hoofddorp, www.cedar.nl/pro).

Eerste druk, tweede oplage 2010

Uitgeverij Coutinho
Postbus 333
1400 AH Bussum
info@coutinho.nl
www.coutinho.nl

Omslag: Het vlakke land, Rotterdam
Foto's omslag: iStockphoto, Fotolia en 123RF
Foto's: Bert Spiertz, Utrecht

Noot van de uitgever
Wij hebben alle moeite gedaan om rechthebbenden van copyright te achterhalen. Personen of instanties die aanspraak maken op bepaalde rechten, wordt vriendelijk verzocht contact op te nemen met de uitgever.

ISBN 978 90 469 0140 3
NUR 752

Voorwoord

Het sociaal werk of 'social work', de naam waarmee de hbo-opleidingen voor dit beroep gebundeld zijn, is zo breed en veelomvattend als het leven zelf. Het kent vele werksoorten en disciplines die zich allemaal bezighouden met mensen die om wat voor reden dan ook hulp en steun nodig hebben. Hulp en steun die hun kansen bieden om zich te handhaven, zich te ontwikkelen en een menswaardig bestaan te leiden in onze complexe samenleving. Van jongeren tot ouderen, van mensen met beperkingen tot mensen zonder thuis of een dak boven hun hoofd. Sociaal werkers richten zich naast de medische professionals, de gedragsdeskundigen en de verzorgenden vooral op de ondersteuning en soms op het herstel van een menswaardig bestaan, dus op het dagelijkse leven van deze mensen.

Mensenwerk beoogt dit veelzijdige werkgebied te ordenen en overzichtelijk te maken door de cliënten van het sociaal werk in te delen in zogenaamde doelgroepen. Aan iedere doelgroep is een werksoort gekoppeld, met een eigen geschiedenis en een eigen cultuur en organisatie. Deze werksoorten zijn historisch gegroeid en verschillen soms sterk van elkaar. Maar de mensen die deel uitmaken van de doelgroepen die in dit boek worden beschreven delen de behoefte aan steun in hun (dagelijkse) leven om zich te kunnen handhaven en ontwikkelen.

Sociaal werkers kunnen natuurlijk niet in al die werksoorten en met alle cliënten werken. Ze dienen op enig moment een keuze te maken. Dat kan alleen verantwoord gebeurden als ze voldoende kennis hebben van alle doelgroepen.

Dit boek biedt een eerste oriëntatie op de verschillende doelgroepen. Het is bestemd voor propedeusestudenten die hun eerste stappen gaan zetten in het sociaal werk. Iedere doelgroep heeft een 'eigen' hoofdstuk waarin zowel de doelgroep als de werksoort belicht wordt. Ook wordt nader ingegaan op de historische achtergrond.

We volgen de gebruikelijke indeling in doelgroepen: kinderen en jeugdigen, ouderen, mensen met psychiatrische problemen, verslaafden, daklozen, justitiabelen, mensen met lichamelijke beperkingen en chronisch zieken, mensen met een verstandelijke beperking en mensen uit etnische groepen. Er zijn ongetwijfeld andere indelingen mogelijk, maar deze sluit aan bij de praktijk van het sociaal werk.

Je kunt dit boek lezen als een reisgids waarin je je oriënteert op de algemene kenmerken, achtergronden, bijzonderheden en voorzieningen in een groot land dat je als reisdoel hebt gekozen. Het land is te omvangrijk om in zijn geheel te bezoeken, dus je moet keuzes maken en je oriënteren op de eerste reisbestemmingen die je kiest. Of die reisbestemmingen werkelijk aansluiten bij datgene waarnaar jij op zoek bent, aankunt en belangrijk vindt, dat kan alleen op de plaats van bestemming duidelijk worden. Dat valt buiten de invloedssfeer van een reisgids. Maak er een persoonlijke ontdekkingsreis van. Misschien voel je je op je eerst gekozen bestemming zo op je plek dat je wilt blijven. Maar het kan ook een voorlopig reisdoel blijken te zijn. Ook als je doorreist naar andere streken, binnen de grenzen die bepalend zijn voor dit boek, kan deze gids een handig hulpmiddel zijn.

Dit boek is het werk van verschillende auteurs, die alle hun sporen hebben verdiend in het sociaal werk en in het hbo. De auteurs delen het enthousiasme voor het sociaal werk en hebben hun bijdrage geleverd vanuit een sterke betrokkenheid bij de doelgroep die ze hebben beschreven en bij de opleidingen waar zij werk(t)en. Wij hopen dat *Mensenwerk*, als resultaat hiervan, door de gebruikers op prijs gesteld zal worden.

Dit boek kent een lange voorgeschiedenis. Begonnen als project van Anita Pfauth (destijds INHOLLAND Haarlem), overgenomen door Ineke Heemskerk (Avans Breda), Will van Genugten (destijds NVMW) en Rina Visser (INHOLLAND Den Haag) en toen verder uitgewerkt door docenten van Fontys Hogeschool Sociale Studies, was *Mensenwerk* er nooit gekomen zonder het enthousiasme en de taaie vasthoudendheid van Wouter Nalis van uitgeverij Coutinho.

Een boek als dit is nooit af. Ontwikkelingen gaan snel en vernieuwingen volgen elkaar op. Zowel het werkveld als de opleidingen zijn erg dynamisch. Net als bij reisgidsen vragen wij de gebruikers hulp om veranderingen in de situatie ter plaatse aan ons door te geven. We houden ons dan ook aanbevolen voor op- en aanmerkingen.

Voorlopig heb je gekozen voor een reis in een land waar de zon niet alle dagen schijnt en waar je met allerlei onverwachte uitdagingen en avonturen geconfronteerd zult worden. Als je op zoek bent naar iets wat er werkelijk toe doet, dan ben je met deze keuze op de goede weg.

John Bassant & Marianne Bassant-Hensen
December 2009

Inhoud

Inleiding

'Autonomie betekent niet dat iedereen hetzelfde begrijpt, maar dat je in anderen accepteert wat je van hen niet begrijpt.'
Bron: Richard Sennett, *Respect in een tijd van sociale ongelijkheid* (p. 255)

Mensenwerk

Sociaal werk is mensenwerk. Het is werk mét mensen, maar ook werk ván mensen. Dat maakt het boeiend en tegelijkertijd kwetsbaar. Sociaal werk is heel breed: ondersteuning van sociaal kwetsbare mensen, maar ook directe hulp bij problemen, bij herstel en bij het benutten van de eigen kracht. Van kortdurende dienstverlening tot soms levenslange hulpverlening. In principe op vrijwillige basis, maar soms ook met drang of dwang.

Mensen zijn niet zonder meer te veranderen, het zijn geen dingen. Dat geldt ook voor de cliënten van het sociaal werk: zij zijn net zo veelzijdig als het sociaal werk zelf.

Doelgroepen

Met de titel *Mensenwerk* willen we duidelijk maken dat sociaal werkers met mensen werken, niet met doelgroepen. Mensen zijn individuen: zelfstandig en met een eigen identiteit, wie of wat ze ook zijn. Niemand is hetzelfde, maar toch worden mensen veelal in allerlei hokjes ondergebracht. Het begrip 'doelgroep' verwijst naar hun overeenkomsten, we groeperen mensen rond één kenmerk: psychiatrische patiënten, mensen met een lichamelijke of verstandelijke beperking, dak- en thuislozen, jongeren, senioren. Maar mensen zijn veel meer dan dat ene kenmerk. Iemand met schizofrenie is meer dan zijn aandoening, net als iemand met het syndroom van Down. Groeperen rond een kenmerk maakt het makkelijker om te bedenken wat er met en voor die mensen gedaan kan worden. Een diagnose is noodzakelijk voor de verdere behandeling. Met enig voorbehoud is het indelen in doelgroepen dus wel te rechtvaardigen. Het gaat om problemen en beperkingen die in belangrijke mate het dagelijks leven van mensen bepalen en het hen moeilijk of zelfs onmogelijk maken zelfstandig aan het maatschappelijk leven deel te nemen. Hun beperkingen kunnen er gemakkelijk toe leiden dat ze buiten spel komen te staan. Een (soms flinke) steun in de rug zorgt ervoor dat ze 'erbij' kunnen blijven en liefst ook mee kunnen doen.

Moeilijker en controversiëler wordt het wanneer niet een kenmerk (zoals een diagnose), maar leeftijd als ordeningsprincipe wordt gebruikt. Dan worden de verschillen wel erg veronachtzaamd, met alle risico's van dien. Het leidt tot generalisaties als 'de jeugd van tegenwoordig', 'babyboomers' en 'bejaarden'. In dit boek zullen we dit soort generalisaties vermijden door veel werk te maken van de verschillen die er binnen iedere doelgroep zijn en door aandacht te geven aan de individualiteit van de betreffende mensen.

De indeling in doelgroepen in dit boek is vooral een praktische. Doelgroepen maken een ogenschijnlijk chaotische en ongeordende massa overzichtelijk en vooral hanteerbaar. Daar gaat het ons om. Eenzijdig nadruk leggen op de individualiteit zorgt ervoor dat je niets meer kunt zeggen over de invloed van een bepaalde stoornis of beperking, terwijl die het leven van bepaalde groepen mensen in belangrijke mate bepaalt. Onderzoek is pas bruikbaar als je de gegevens die het oplevert kunt generaliseren – met alle voordelen, maar dus ook alle risico's van dien. Kennis van de stoornis is voor de sociaal werker noodzakelijk, maar hij moet er rekening mee houden dat een stoornis voor de een heel anders kan uitpakken dan voor de ander en een scherp oog hebben voor de eigenheid van ieder individu.

Spannend werk

Sociaal werk is spannend in alle betekenissen van het woord. Het gaat om spanningen in de mens zelf, in de relaties tussen mensen en in de maatschappelijke verhoudingen. Om spanningen tussen zichzelf kunnen zijn en maatschappelijk aangepast zijn, tussen zorgbehoevend zijn en productief moeten zijn, tussen erbij (willen) horen en uitgesloten worden.

Tussen individu en samenleving

In de jaren zestig en zeventig van de vorige eeuw dacht men dat veel problemen werden veroorzaakt door 'de maatschappij' en dat die dus moest veranderen. De maatschappij was ziekmakend. Tegenwoordig is duidelijk dat het vooral gaat om een 'mismatch' tussen een individu en de samenleving. Dat maakt het veel gecompliceerder.

Sociaal werk wordt in dit spanningsveld uitgevoerd. Het richt zich nooit alleen op het individu. Sociaal werkers gaan uit van de samenhang tussen een cliënt en de mensen om hem heen (zijn sociale netwerk) en tussen een cliënt en de maatschappij. Eerbiedig je deze samenhang niet, dan loop je kans ongelukken te maken – bij de cliënt, zijn netwerk of de maatschappij en waarschijnlijk bij alle drie. Dat is het lastige en misschien zelfs tragische van het sociaal werk: wat je goed doet voor een individu kan anderen schaden. Maar als je de nadruk legt op het belang van de maatschappij, loop je het risico het individu tekort te doen.

Tussen ontwikkeling en disciplinering

In een samenleving waar 'keihard aanpakken' de eerste reactie lijkt te zijn op welke misstand dan ook, is het niet eenvoudig om bezinning te vragen en tijd te nemen voor een meer weloverwogen besluit. Met dat 'keihard aanpakken' valt het over het algemeen wel mee, maar beleidsmakers en politici lijken steeds weer gedwongen voor de korte termijn te kiezen. De vraag blijft wat er verder moet gebeuren. Keihard aanpakken blijkt vaak neer te komen op isoleren en buitensluiten. En van buitensluiten is geen samenleving beter geworden. Lange gevangenisstraffen of zelfs het uiterste, de doodstraf, blijken geen oplossing te bieden voor het probleem van de criminaliteit. Net zomin als het afzonderen van psychiatrische patiënten en mensen met een verstandelijke beperking in een rustige, landelijke omgeving een houdbare oplossing bleek. Aan de andere kant leidde de vermaatschappelijking, het terugbrengen van psychiatrische patiënten in de samenleving, ook weer tot flinke spanningen. Veel van de zwervers in onze steden hebben ernstige psychiatrische problemen en zijn zonder begeleiding of ondersteuning helemaal niet opgewassen tegen een zelfstandig bestaan.

Sociaal werkers zullen zich bewust moeten zijn van deze spanningen. Sociaal werk beweegt zich per definitie tussen disciplinering en individuele ontwikkeling (ook wel *empowerment* genoemd), tussen dwang of drang en individuele vrijheid, tussen het belang van de samenleving en het belang van het individu. Die polen liggen soms ver uit elkaar, en dikwijls krijgt de ene pool te veel nadruk ten koste van de andere. Dat is waarschijnlijk onvermijdelijk.

Tussen vrijwilligheid en dwang (drang)

Een poging om die tegenstelling op te heffen is de zogenoemde *bemoeizorg* voor dak- en thuislozen en psychiatrisch patiënten. Deze vorm van zorg is bedoeld voor 'zorgwekkende zorgmijders', mensen die zichzelf buiten het bereik van de hulpverlening houden, maar het zonder hulp en steun niet redden. Het zijn mensen met een zware psychiatrische problematiek, zoals schizofrenie en vaak ook een verslaving. Af en toe komen ze in het nieuws als er iets ernstigs gebeurt, zoals geweldpleging of zelfs moord. Maar het meest in het oog springen toch hun verregaande verwaarlozing en onaangepastheid, die bij velen afkeer en angst oproepen. Deze mensen raken buiten ieder maatschappelijk verband, lang niet altijd omdat ze dat willen, maar omdat ze door hun stoornis letterlijk 'de weg kwijt zijn' en daardoor buitengesloten raken. Als niemand zich met hen zou bemoeien, zouden ze reddeloos verloren zijn. Je ongevraagd bemoeien met een ander is in het welzijnswerk lange tijd taboe geweest, maar wordt de laatste tijd weer min of meer succesvol gedaan. In de 'bemoeizorg' worden de eerder genoemde polen met elkaar verbonden. Het individu krijgt de hulp en steun die hij nodig heeft, hoewel hij zich dat niet realiseert en daarom ook niet wil. De samenleving wordt verlost van de overlast die deze zorgmijders vaak met zich meebrengen. Bemoeizorg is niet alleen maar dwang en drang, maar ook zorg en behandeling. Het is nooit het eind van het verhaal, maar het begin: zo snel mogelijk reguliere zorg en behandeling toepassen, maar dan met instemming van de cliënt.

Sociaal werkers zijn er niet om mensen te isoleren of uit de samenleving te verwijderen, maar juist om ze 'erbij' te houden. Bijlsma en Janssen (2008) zien 'verheffen en verbinden' dan ook als de kern van het sociaal werk in Nederland van de afgelopen vijfhonderd jaar. Sociaal werkers zorgen ervoor dat mensen zich in de samenleving kunnen ontwikkelen en erbij gaan of blijven horen. Dat is de basis en dat is al heel lang zo.

Historisch overzicht: van armenzorg naar verzorgingsstaat

In de verschillende hoofdstukken van dit boek zullen de specifieke historische aspecten van het sociaal werk met een bepaalde doelgroep worden besproken. Hier volstaan we met de grote lijn van de geschiedenis van het sociaal werk in Nederland.

Armenzorg

Wat wij nu sociaal werk noemen, is niet van vandaag of gisteren. In onze streken werden de armen al in de late middeleeuwen materieel ondersteund. Zowel op het platteland als in de steden was sprake van armoede, wat regelmatig leidde tot onrust, bijvoorbeeld bij hongersnood of hoge voedselprijzen. Armoede verstoorde een ordelijke gang van zaken en was een bron van ellende en criminaliteit. De oorzaak ervan werd toen echter niet in de samenleving gezocht. Armoede hoorde bij de door God gegeven ordening van de maatschappij en moest (en kon) dus niet verholpen worden. Iedereen had zich daarin te schikken. De gevolgen ervan verzachten was echter een christenplicht. Daarom was het vanzelfsprekend dat de Kerk de zorg voor de armen organiseerde, doorgaans met behulp van giften van de rijken. Er bestond een uitgebreide voedselvoorziening voor de armen, zoals de Heilige Geestbanken, waar brood uitgedeeld werd. Deze voorzieningen bleven bestaan toen de kerken na de Hervorming voor het merendeel in handen van de protestanten waren gekomen.

De bedeling, zoals de steun aan armen genoemd werd, vond vooral plaats in de steden. Dat is niet verwonderlijk: naarmate de steden groeiden, werd de sociale samenhang kwetsbaarder en werd het gevaar van sociale onrust groter. De stedelijke overheden waren hier (net als nu trouwens) zeer beducht voor en deden alles om onrust te voorkomen. Daarom traden ze al heel vroeg regulerend op. Zij voerden het sociaal werk niet zelf uit, maar verplichtten de burgers ertoe middels voorschriften ('keuren') en hielden toezicht op de uitvoering. Vooral in de zeventiende eeuw, toen de steden snel groeiden en propvol raakten door een enorme toeloop van migranten uit alle windstreken, grepen de stedelijke overheden steeds meer in.

Zo werd burenhulp (die al langer als sociale verplichting bestond) een burgerplicht en buurtsgewijs georganiseerd, zoals bijvoorbeeld in Leiden, waar buren ervoor moesten zorgen dat een overledene netjes begraven werd en bemiddelend of corrigerend moesten optreden bij wangedrag of burenruzies. Niet voldoen aan deze verplichtingen kon bestraft worden. Dergelijke verplichtingen waren vaak een praktische noodzaak. Sociale onrust, dronkenschap en burenruzies veroorzaakten economische schade, en doden moesten uiteraard begraven worden. In de loop van de achttiende en negentiende eeuw werd deze verplichting overgenomen door begrafenisfondsen (of 'bussen', zoals ze ook wel genoemd werden).

Orde en rust: disciplinering

Zo was dit prille sociaal werk heel praktisch van aard. Het ging er vooral om dat de stedelijke samenleving ordelijk en rustig was, zodat nijverheid en handel konden gedijen. Welbegrepen eigenbelang van de rijken en overheden dus. Van volksverheffing was nog geen sprake, hoewel aan de armen wel eisen werden gesteld. Zij werden geacht deugdzaam te zijn, en drankmisbruik, gewelddadigheid of andere vormen van criminaliteit waren een reden om iemand uit te sluiten van de bedeling. Ook gescheiden vrouwen en zeker vrouwen die zich aan prostitutie schuldig maakten, konden bedeling vergeten. Bij katholieken werd zelfs nagegaan of ze aan hun kerkelijke verplichtingen voldeden (hun 'Pasen hielden', dat wil zeggen met Pasen biechtten en ter communie gingen, wat door de pastoors werd bijgehouden). Ook vreemdelingen kwamen niet in aanmerking voor bedeling. Hier was een financiële reden voor. De armenzorg zat regelmatig krap bij kas en de regenten, meestal rijke zakenmensen die zelf veel geld gaven en ook garant stonden voor eventuele verliezen, waren zuinig. En het waren moraalridders, geheel in overeenstemming met de opvattingen van hun klasse. Armen bleven toch een mindere soort mensen die streng maar rechtvaardig moesten worden aangepakt en vooral niet moesten worden beloond. De bedeling bestond dan ook uit slechts het hoogst noodzakelijke: te weinig om van te leven, te veel om van dood te gaan.

De stedelijke overheden hadden er belang bij dat de bedeling in de hand gehouden werd. Omdat de kerken alleen de eigen geloofsgenoten bedeelden, moest de stedelijke overheid degenen voor haar rekening nemen die door de kerk op religieuze of morele gronden waren afgewezen. Dat werd vanaf het eind van de zeventiende eeuw een probleem: de steden hadden het geld niet of ze hadden het er niet voor over. Vandaar dat van iedereen die zich in een stad wilde vestigen een zogenoemde Acte van Indemniteit of Cautie werd gevraagd. Daarin verklaarde de armenzorg van de plaats van herkomst dat de migrant in geval van armoede voor zijn rekening zou komen en dat de stad van vestiging niet zou opdraaien voor de kosten. Amsterdam, dat altijd behoefte bleef houden aan migranten, heeft deze regeling nooit toegepast.

In de achttiende eeuw, toen de armoede als gevolg van de economische neergang in de Nederlandse steden sterk toenam en steeds nijpender werd, moest in de winter soms meer dan de helft van de bevolking bedeeld worden. Dat bleek niet te doen. De kwaliteit van de bedeling, die zeker in moderne ogen toch al niet best was, liep sterk terug en in de eens relatief welvarende Republiek der Verenigde Nederlanden kwam het tot bittere armoede op grote schaal die tot ver in de negentiende eeuw zou blijven bestaan.

Verheffing en opvoeding

In de loop van achttiende eeuw veranderden de opvattingen over armoede onder invloed van de verlichting. Armoede werd niet meer als een door God gegeven toestand beschouwd, en men begon in te zien dat armoede niet vanzelfsprekend was. De armen verzorgen voorkwam wel dat zij van honger omkwamen, maar bood geen uitweg uit de armoede. Die werd nu vooral gezocht bij de armen zelf. Kennis en inzicht zouden een eind aan hun armoede kunnen maken. Niet door de armen te verzorgen maar door ze te verheffen zou de armoede bestreden kunnen worden. Dit verheffingsideaal werd in de tweede helft van de negentiende eeuw concreet en praktisch vormgegeven in allerlei voorzieningen die volksverheffing als doel hadden. De staat hield zich hierbij afzijdig, het ging om particuliere initiatieven van vermogende heren en vooral dames. Bekend voorbeeld is de oprichting van de volkshuizen naar het voorbeeld van de Toynbeehuizen in Engeland. Het ideaal van deze huizen komt treffend tot uiting in deze strofe van het 'Toynbeelied':

> In elken Mensch is een talent verborgen,
> En voor wie wil, dien brengt het zegen aan.
> Pak aan Uw werk, en zet opzij de zorgen
> Leer wat ge noodig hebt en 't zal wel gaan.

De volkshuizen boden cursussen aan op allerlei gebied (van talen tot sterrenkunde, van naaien tot koken, van nuttig tot ontspannend) en kenden een grote toeloop. Ze stonden meestal op slimme locaties aan de rand van de volkswijken.

De Toynbeehuizen hadden een nadrukkelijk neutraal en niet-politiek karakter. Typisch voor verzuild Nederland was dat de socialisten, gereformeerden en katholieken (de patronaten) hun eigen volkshuizen stichtten, met elk hun eigen accenten, maar steeds met hetzelfde doel: volksverheffing.

Ondanks hun gedeelde idealen bestreden deze voorzieningen elkaar geregeld. Het eerste volkshuis dat werd opgericht was van de radicale socialisten van Domela Nieuwenhuis: Constantia in de Amsterdamse Jordaan (1890). Het was de uitvalsbasis voor vele socialistische acties. Toen de burgerij even later op een steenworp afstand Ons Huis oprichtte, een volkshuis in de geest van Toynbee, probeerden de radicale socialisten het over te nemen. Dat lukte niet, maar wel kregen (gematigde) SDAP'ers het er weldra voor het zeggen.

De katholieke patronaten werden bolwerken van een strijdbaar katholicisme. Ze moesten de katholieke arbeiders beschermen tegen en afhouden van de zondige wereld en vooral van het verderfelijke socialisme.

Verheffing had dus direct te maken met emancipatie. Dat bleef zo tot de jaren zestig van de twintigste eeuw, toen er een snel einde kwam aan het verzuilde sociaal werk.

Het verbinden, die andere poot van het sociaal werk, werd vanaf toen niet meer het verbinden met de eigen zuil, maar met de samenleving als geheel. Daarmee werd het ideaal van de verlichte grondleggers van het sociaal werk pas echt gerealiseerd. Niet lang daarna concludeerde de overheid dat verbinden en verheffen vooral een zaak van persoonlijke verantwoordelijkheid waren en werd het sociaal-cultureel werk, zoals het inmiddels was gaan heten, nagenoeg weggebezuinigd. Maar ondertussen groeiden de andere loten aan de stam van het sociaal werk stevig door: het maatschappelijk werk en later de sociaalpedagogische hulpverlening.

Maatschappelijke hulp- en dienstverlening

Verheffen en verbinden verdwenen naar de achtergrond en het sociaal werk werd voor een belangrijk deel bepaald door de zich steeds verder specialiserende hulp- en dienstverlening. Het sociaal werk is inmiddels doorgedrongen in alle takken van de zorg en hulpverlening en is uitgegroeid tot een van de grootste werkgevers. Schertsend wordt wel eens opgemerkt dat de ene helft van Nederland in behandeling is bij de andere helft. Zo erg is het natuurlijk niet, maar het sociaal werk biedt veel Nederlanders werk.

De verzorgingsstaat

In onze maatschappij hoeft niemand van honger om te komen. We weten niet beter dan dat er voor zieken een dokter klaarstaat, er voor werklozen een uitkering is, de openbare bibliotheek iedereen van alle mogelijke boeken en cd's voorziet, ouderen AOW krijgen, er voor iedereen onderwijs naar keuze is en nog veel meer. Er is een heel scala van voorzieningen dat ervoor zorgt dat iedereen een menswaardig bestaan kan leiden en zich kan ontwikkelen naar zijn mogelijkheden. De staat speelt hierbij een belangrijke rol, en het geheel van voorzieningen heet dan ook de verzorgingsstaat. Moderne (vooral Europese) staten bieden hun burgers tot op zekere hoogte garanties voor een waardig bestaan en zorgen dat iedereen kan delen in de toenemende welvaart en dat ieders welzijn zo veel mogelijk verzekerd is. Aanvankelijk ging het daarbij vooral om beschermende wetten tegen onrecht, ernstige risico's en misbruik (bijvoorbeeld de Kinderwetten van Van Houten). Met die wetten kreeg de staat steeds meer direct te maken met het welzijn van de burgers.

Ging het dus aanvankelijk om sociale zekerheid, in de laatste fase van de ontwikkeling van de verzorgingsstaat kreeg ook het welzijn van de burgers steeds meer aandacht. Het was het sluitstuk van de ontwikkeling, en daarmee begonnen ook de problemen. Want in de jaren tachtig van de vorige eeuw werden steeds meer vragen gesteld bij de betaalbaarheid van dit stelsel en bij de solidariteit die nodig was om het in stand te houden. Immers, de financiering van dit alles ging naar draagkracht: 'de sterkste schouders moesten de zwaarste lasten dragen'. Hogere inkomens werden zwaarder belast dan lagere, en daarmee kwamen de grenzen van het stelsel in zicht. Langzamerhand vatte bij sommigen het idee post dat de ene helft van Nederland de andere helft moest onderhouden. Dat klopte natuurlijk niet, maar toch werd de vraag steeds sterker of het wel rechtvaardig is de ene mens te laten opdraaien voor de ellende van de andere mens.

Het hele bouwwerk kwam daarmee in opspraak, en de vanzelfsprekendheid van de verzorgingsstaat werd langzaam maar zeker aangetast. Moest de staat wel voor het geluk en het welzijn van haar burgers zorgen? Moesten ze dat niet zelf doen? Al die sociale wetten en zekerheden zouden maar tot afhankelijke en passieve burgers leiden. Eigenlijk kwamen precies dezelfde vragen terug die begin twintigste eeuw bij het begin van de verzorgingsstaat ook al gesteld werden. Afschaffing van de verzorgingsstaat was niet zozeer aan de orde, maar wel een verregaande versobering, een beperking tot het noodzakelijke. In Europa en zeker in Nederland mag, nee moet, de staat een vangnet creëren voor wie het echt nodig heeft, maar tegenwoordig worden daarvoor wel strenge criteria gehanteerd en wordt er streng gecontroleerd. De komst van vele immigranten uit vaak niet-westerse landen verscherpte – om niet te zeggen vergiftigde – deze discussie. Bij velen leefde en leeft het idee dat deze mensen onevenredig profiteerden van 'onze' regelingen.

De verzorgingsstaat onder druk

Oude vragen werden dus opnieuw gesteld en de versobering van de verzorgingsstaat werd voortgezet. Het doorslaggevende argument was van financiële aard: de sociale voorzieningen werden onbetaalbaar. Bezuinigingsronde na bezuinigingsronde liet zijn sporen na in de voorzieningen, waarbij sommigen spraken van modernisering en anderen van afbraak. De discussie hierover duurt nog steeds voort.

De verzorgingsstaat verzorgde en beschermde vooral het materiële en financiële welzijn, maar de overheid heeft nooit het geluk van mensen kunnen verzekeren. Geluk is immers niet te koop en wordt niet van staatswege verstrekt. Voor de moderne consument is dat soms wel even slikken, en de huidige discussie lijkt zich dan ook te hebben uitgebreid tot dit thema: heeft iedereen recht op geluk, zoals ieder mens recht heeft op onderwijs, op voedsel, op onderdak… ja waarop niet?

Dat is de sociaal-politieke context van het sociaal werk in deze tijd, en voor (toekomstige) sociaal werkers iets om zich mee bezig te houden. Sociaal werkers werken niet in een vacuüm, maar in het hart van de samenleving, en dat merken ze.

De sociaal werker

Sociaal werkers zijn optimistische professionals. Zij geloven in mensen. Dat wil niet zeggen dat je het naïeve optimisme van de vroege sociaal werkers moet delen waarvan het eerder geciteerde 'Toynbeelied' getuigt. Optimisme, het geloof in de eigen kracht van mensen, is erg belangrijk voor een sociaal werker, maar met alleen optimisme ben je er natuurlijk niet. Het werk is heel breed, veelzijdig en complex. En het is mensenwerk. Dat geeft het sociaal werk een heel eigen karakter, en maakt het boeiend en uitdagend. De sociaal werker is een bijzondere professional, met een aantal bijzondere kenmerken: professionaliteit, kunnen omgaan met diversiteit, bescheidenheid en respectvol en terughoudend kunnen omgaan met cliënten.

Professionaliteit

Het begrip 'professionaliteit' is al een paar keer aan de orde geweest. De vraag is wat de professionaliteit van sociaal werkers inhoudt. Daar zijn al hele boekenkasten over volgeschreven en daar zullen ongetwijfeld nog hele boekenkasten over vol geschreven worden! Sociaal werk is per definitie relationeel werk, en vindt dus altijd plaats samen met de cliënt (en niet vóór de cliënt).

Meer dan theorie

Heel lang is het sociaal werk niet als volwaardig professioneel werk beschouwd, omdat de wetenschappelijke onderbouwing ervan gebrekkig was. Inmiddels kent het sociaal werk enkele bijzondere hoogleraren en doen vooral de lectoraten aan de hogescholen hun best om een eigen invulling te geven aan de wetenschappelijke basis en de verdere ontwikkeling ervan. Dat lijkt het sluitstuk van de professionalisering van het sociaal werk na een lange en soms moeizame ontwikkeling. Na de Eerste Wereldoorlog is in de Verenigde Staten met het *Social Casework* de professionalisering op gang gekomen. Nederland volgde, maar de professionalisering begon hier pas goed na de Tweede Wereldoorlog. Toch werd al in 1899 de Opleidingsinrichting voor Sociale Arbeid in het leven geroepen, een van de verre voorgangers van de huidige Hogeschool van Amsterdam. In eerste instantie werd vooral gepoogd om het sociaal werk een wetenschappelijke grondslag te geven en de kennis op dit vlak te bundelen.

Er is (nog?) niet één samenhangende theorie van het sociaal werk. De pogingen om die te ontwikkelen (bijvoorbeeld met de andragogie in de jaren zeventig en tachtig van de vorige eeuw) zijn vooralsnog mislukt. Het sociaal werk is toch in de eerste plaats een praktijkvak. Over die praktijk valt natuurlijk wel te theoretiseren en dat wordt ook gedaan. De verschillende takken van het sociaal werk hebben allemaal een plaats veroverd op de universiteiten met bijzondere leerstoelen. Maar de wetenschappelijke input komt toch vooral van menswetenschappen als psychologie, sociologie en pedagogie, en er is geen wetenschap van het sociaal werk.

Kwaliteit

Dat wil niet zeggen dat sociaal werkers niet wetenschappelijk verantwoord zouden kunnen werken. Naar analogie van het *evidence based* werken in de gezondheidszorg ontwikkelt ook het sociaal werk manieren van werken en methoden waarvan bewezen is dat ze effectief zijn en die de toets van de wetenschappelijke kritiek kunnen doorstaan. Gestreefd wordt naar een *evidence based practice*. Werkwijzen en methoden worden in toenemende mate op effectiviteit onderzocht: men probeert vast te stellen of ermee bereikt wordt wat men beoogt.

Deze ontwikkeling voltrekt zich niet zonder slag of stoot. Veel sociaal werkers weten uit de praktijk maar al te goed dat elk resultaat betwistbaar is en dat soms zelfs niet helemaal duidelijk is wat het resultaat is. Veel van wat zij doen, is in de praktijk beproefd maar niet wetenschappelijk bewezen. Zouden ze ermee moeten ophouden omdat het wetenschappelijk keurmerk ontbreekt? Velen pleiten voor een ruimere opvatting van effectiviteit, die meer past bij de aard van het sociaal werk. Werken met mensen is vooral relationeel werk van lange adem. Relaties ontwikkelen zich, zijn dynamisch en veranderen. Daarmee kunnen ook de doelen gaandeweg veranderen en dan moeten sociaal werkers hun werkwijze aanpassen. Juist dit perspectief verdraagt zich slecht met de korte termijn van het evidence based werken.

Evidence based werken beoogt de verbetering van meetbare kwaliteit, en daar heeft het sociaal werk moeite mee. Zeker omdat bij veel sociaal werk in de psychiatrie, in de zorg voor mensen met een verstandelijke beperking, in de verslavingszorg, eigenlijk bij alle doelgroepen de relatie een doorslaggevende factor is. Relaties zijn moeilijk of niet in termen van haalbare doelen te vatten, maar ze bepalen wel in belangrijke mate succes of falen van een behandeling of een begeleiding. Dat zijn processen met ups en downs: de ene dag gaat het beter dan de andere. Meting op een slecht moment kan een hulpverlener dan ook totaal de verkeerde kant opsturen. Daarom is het misschien beter te zoeken naar een evidence based practice. Hierin wordt wetenschappelijke kennis gecombineerd met de werkervaringen van de professional en de ervaringen en bevindingen van de cliënt. Het gaat niet alleen om het overdragen van wetenschappelijke inzichten aan de praktijk, maar ook om het toevoegen van praktijkkennis aan wetenschappelijk kennis, een vorm van *practice based theory*. Sociaal werkers kunnen op die manier bijdragen aan een *body of knowledge*, die voor het sociaal werk behalve theorie ook beproefde praktijkkennis omvat.

Normatieve professionaliteit

De professionaliteit van de sociaal werker zit hem dus niet zozeer in het wetenschappelijk gehalte van zijn werk, maar vooral in de verantwoorde wijze waarop hij met cliënten omgaat, ze ondersteunt en helpt en in de wijze waarop hij de ervaringen die hij al werkend opdoet weet om te zetten in bruikbare kennis, die toegankelijk is voor collega-professionals en die controleerbaar en toetsbaar is.

Dit type professionaliteit wordt ook wel normatieve professionaliteit genoemd, een wat verwarrende term omdat je hierbij algauw denkt aan regels en normen. Bedoeld wordt een vorm van professionaliteit die kennis kan verbinden met ervaring.

Het gaat daarbij niet alleen om wát de sociaal werker doet, maar ook om hóe hij dat doet. Hij moet niet alleen het goede te doen, maar moet het goede ook goed doen. En het goede goed doen kan een sociaal werker alleen maar samen en in verbondenheid met de cliënt. Deze professionaliteit past uitstekend bij het vooral op de praktijk gerichte sociaal werk.

Diversiteit

Mensen verschillen in allerlei opzichten van elkaar. Vaak wordt het begrip 'diversiteit' gebruikt in de betekenis van etnische diversiteit, maar dat is te beperkt. Diversiteit is veel breder op te vatten. Mensen hebben verschillende rollen en posities, verschillende karakters en humeuren, verschillende culturele en religieuze achtergronden, verschillende scholing en werk, en ga zo maar door. Sociaal werkers moeten zich rekenschap geven van al deze verschillen en zich vooral realiseren dat ze zelf ook 'anders' zijn. Zo is het van belang je bewust te zijn van je Nederlandse achtergrond als je met Marokkaanse Nederlanders te maken krijgt of van het feit dat je net twintig bent als je met iemand van zeventig te maken krijgt. Als sociaal werker kun je hoger opgeleid en rijker zijn dan je cliënt, of niet religieus terwijl je cliënt streng gelovig is – of andersom. Cliënten zijn bovendien in veel opzichten afhankelijk van je. En ook dat is diversiteit.

Het is van belang na te denken over omgaan met diversiteit, maar het is nog belangrijker je (professioneel) handelen hierop af te stemmen. Kennis is niet voldoende, het komt op handelen aan.

Een sociaal werker moet vooral oog hebben voor de verschillen tussen mensen en zich hoeden voor generalisatie. Hij moet kunnen omgaan met diversiteit. Dat wil zeggen dat hij moet zien dat iedere psychiatrische patiënt een mens is met een eigen persoonlijkheid, autonomie en karakter. De patiënt is niet hetzelfde als zijn stoornis, of anders gezegd: hij is geen schizofreen, maar heeft schizofrenie, of hij is geen mongool, maar heeft het syndroom van Down. Dit is niet vergezocht of pietluttig, en het levert een wereld van verschil op, en vooral voor de sociaal werker is dat van groot belang. Voor een dokter kan het nuttig zijn zich te beperken tot de kwaal als zodanig, maar sociaal werkers hebben altijd te maken met een mens in een context. De toenemende rationalisatie van het sociaal werk maakt dat de mens gemakkelijk verdwijnt achter zijn diagnose of probleem en dat de relatie van het probleem met de omgeving niet meer gezien wordt. Of anders gezegd: dat de mens met een probleem gereduceerd wordt tot zijn probleem. Een sociaal werker is geen automonteur, hij is geen technicus, zelfs geen menskundig ingenieur. Begeleiden, ondersteunen en helpen omvatten veel meer dan een probleem oplossen. Sociaal werkers ondersteunen en helpen mensen bij het ontwikkelen en behouden van een menswaardig bestaan. Hoeveel cliënten van een sociaal werker nodig hebben wordt bepaald door wat er met hen aan de hand is en wat ze zelf kunnen, maar ook en vooral door wat ze zelf willen. Dat verschilt van mens tot mens. Niet iedere arme heeft meer geld nodig, niet iedere psychiatrische patiënt hoeft opgenomen te worden, niet iedereen met een verslaving moet van de straat, niet iedere oudere is hulpbehoevend en niet alle vaders en moeders zitten te wachten op opvoedingsondersteuning.

Acceptatie

Het valt niet mee om je steeds bewust te zijn van die verschillen en het is nog moeilijker om er rekening mee te houden. Waar trek je de grens in het contact met je cliënt, wat accepteer je en wat niet? Betekent het respecteren van een cliënt ook alles accepteren? Dat kan natuurlijk niet, maar wat dan? Is onvoorwaardelijke acceptatie wel mogelijk?

Hoe ga je om met een cliënt die normen en waarden praktiseert die haaks staan op de jouwe? Die zich laat leiden door de letter van de Koran of de Bijbel? Of die er voor jou bedenkelijke politieke ideeën op na houdt?

Het accepteren van mensen zoals ze zijn is een van basisregels van het sociaal werk. Voor een cliënt is dat ook moeilijk. Jij bent een vreemde voor hem, zeker in het begin, maar je verwacht dat hij je vertrouwt en accepteert. Lukt dat niet, dan wordt dat vaak aan de cliënt geweten, terwijl de sociaal werker zich ook zou moeten afvragen wat hij daar zelf aan heeft bijgedragen. Niet alleen de cliënt is anders, ook de sociaal werker is dat, in ieder geval ten opzichte van de cliënt.

Nuances

We zijn er zo langzamerhand wel achter dat de samenleving moeilijk of zelfs helemaal niet 'maakbaar' is. Dat geldt ook voor individuele mensen en zelfs voor kinderen. Mensen die denken dat ze in de opvoeding kinderen kunnen modelleren als een beeldje van klei, raken ongetwijfeld hevig teleurgesteld. Hoewel ouders dus maar betrekkelijke invloed kunnen uitoefenen op de ontwikkeling van hun kinderen, wordt er toch van ouders verwacht dat ze goede oppassende burgers van hen maken. Het samenspel tussen ouders en kinderen is ingewikkeld, vooral als kinderen ouder en zelfstandiger worden en meer invloeden verwerken. In discussies hierover zijn de nuances maar al te vaak zoek. De sociaal werker zal zich toch van deze nuances bewust moeten zijn. Zijn werkterrein, de moderne samenleving met zelfstandige burgers, is nu eenmaal niet eenduidig. Het is een wirwar van mensen en relaties en van instituties die daar enige richting aan proberen te geven.

Eigen kracht van cliënten

Het lijkt de impliciete opdracht aan de sociaal werker: zorg dat het met die mensen goed komt of dat ze zich beter gaan gedragen. Dat is een mooie opdracht, maar mensen verander je niet: dat zullen ze zelf moeten doen. De sociaal werker kan daar een belangrijke bijdrage aan leveren, niet meer en niet minder.

Natuurlijk, ouders hebben invloed op hun kinderen, zowel ten goede als ten kwade. Maar soms gaat het helemaal fout zonder dat ouders daar iets aan kunnen doen. En soms gaat het goed ondanks de ouders! Mensen, dus ook kinderen, hebben veel 'eigen kracht'. Hulpverleners en zeker beginnende hulpverleners zijn nogal eens geneigd die kracht te onderschatten of te veronachtzamen. Met de beste bedoelingen verhinderen ze dat cliënten hun eigen kracht gebruiken. In Nieuw-Zeeland is het een wettelijke verplichting eerst te proberen de eigen kracht van de familie aan te boren in een 'Eigen-Krachtconferentie' alvorens tot hulpverlening mag worden overgegaan. En dat blijkt te werken. Ook in Nederland zijn Eigen-Krachtconferenties in opkomst, maar hier zijn ze nog niet verplicht.

De drempel naar het welzijnswerk en vooral de hulpverlening moet om te voorkomen dat mensen zich eraan overleveren dus niet al te laag zijn. De filosoof Achterhuis liet al jaren geleden zien dat welzijnswerk mensen afhankelijk kan maken en steeds meer welzijnswerk (en hulpverlening) oproept. Het aanbod schept de vraag, met andere woorden. Zo zou het sociaal werk zichzelf in stand houden en steeds weer nieuwe problemen 'ontdekken' waaraan nodig iets gedaan moest worden (door het sociaal werk natuurlijk). Als gevolg hiervan zou een hele gesubsidieerde welzijns- en hulpverleningsindustrie zijn ontstaan.

Balanceren tussen ondersteunen en ingrijpen

Het is moeilijk om goed te bepalen wat cliënten zelf kunnen en wat sociaal werkers moeten doen. Sociaal werkers doen snel te veel, betuttelen en maken mensen afhankelijk, maar even snel doen ze te weinig en verwaarlozen ze mensen. De media bemoeien zich uitvoerig met het sociaal werk, wat aangeeft hoe groot de maatschappelijke betekenis van het sociaal werk is. Het heeft weinig zin daarover te klagen. De (vaak als negatief ervaren) aandacht hoort bij het werk. Hier goed mee omgaan is een professionele vaardigheid.

Sociaal werkers hebben de taak op zich genomen iets te doen voor en met mensen die hulp en steun nodig hebben om een volwaardig lid van de maatschappij te kunnen zijn. Maar als ze denken dat zij dat wel even zullen doen, komen ze meestal van een koude kermis thuis. Wat simpel lijkt, blijkt razend moeilijk. Mensen laten zich niet dwingen, ook niet in de goede richting. Succes is dan ook allerminst verzekerd. Sociaal werkers mogen blij zijn met kleine stapjes vooruit en zullen rekening moeten houden met stappen achteruit. Het proces van begeleiden en hulpverlenen gaat helaas zelden recht op het doel af, maar verloopt soms chaotisch en schijnbaar ongeordend. Er gebeurt veel dat niet voorzien was, en de sociaal werker heeft daar maar betrekkelijke invloed op. Het effect van zijn bijsturen, meedenken, stimuleren en ingrijpen is meestal niet onmiddellijk duidelijk. Ook is vaak niet goed te zien wat de sociaal werker nu precies aan een behaald resultaat bijgedragen heeft. Op het eerste gezicht althans. Daarbij komt dat hij in een maatschappelijk krachtenveld werkt waarin de harde hand de laatste jaren aan populariteit wint. Keihard ingrijpen is populair, maar niet bewezen effectief. Straffen lucht kennelijk op en streng straffen bevredigt het rechtsgevoel van velen. Maar het maakt mensen niet beter. Straffen zijn zelfs meestal contraproductief. Dat betekent dat de sociaal werker eens te meer ook de maatschappelijke discussie aan moet gaan. En dat veronderstelt een hoge graad van professionaliteit.

Bescheidenheid

Dit alles maant tot bescheidenheid. Zowel in doelen en verwachtingen als in eisen. Het valt niet mee de cliënt de eer te geven als je zelf zo veel hebt moeten doen. Maar het resultaat telt en als dat goed is weegt het proces dat ertoe leidde minder. Bescheidenheid is een noodzakelijke deugd voor de sociaal werker, maar het moet geen valse bescheidenheid zijn. De sociaal werker is geen grijze dienaar van de maatschappij die alle vervelende klusjes geruisloos opknapt, alle straatjes schoonhoudt en iedereen tevreden stelt. Hij is ook geen Superman die op het juiste moment aan komt vliegen om nooit falende hulp te bieden. Zijn grote kracht is dat hij het beste in een cliënt naar boven weet te halen.

Respect en terughoudendheid

Veel sociaal werk en zeker hulpverlening vinden plaats in het privédomein van de cliënten. Het is van belang je rekenschap te geven van het feit dat je als sociaal werker zo intensief in het dagelijks leven van cliënten doordringt. Naarmate je dit langer doet, krijgt het iets vanzelfsprekends. Dat geldt ook voor de cliënten, zeker als het goed gaat en zij iets hebben aan je aanwezigheid en je interventies. Het is echter verstandig en respectvol om altijd enige afstand te bewaren. Soms is dat lastig, soms ook verwarrend. Zeker bij het werken met kinderen is distantie vereist en je moet je realiseren dat je niet hun vader of moeder bent. Dit valt niet mee, zeker als het zo kwetsbare kind bedreigd is in zijn ontwikkeling of mishandeld wordt of als de ouders crimineel of ernstig verslaafd zijn of om andere redenen niet in staat zijn hun kind op te voeden. Hulpverleners zijn geneigd om dan de regie over te nemen. Zo gaat alles op de korte termijn sneller en kost het minder moeite, maar op langere termijn bevestigt het de afhankelijkheid van de cliënt, die zich daar steeds meer naar zal gedragen en gaandeweg passiever en hulpbehoevender wordt. Zo houdt de hulpverlening zichzelf gemakkelijk in stand, en dat kan toch niet de bedoeling zijn.

Sociaal werkers zouden zich moeten beschouwen als ondersteuners van de cliënt. Dit is jammer genoeg niet altijd mogelijk. Maar het geeft wel de positie van de hulpverlener aan. Het is de bedoeling dat de cliënt het (zo nodig met ondersteuning) zelf doet en zelf verantwoordelijk blijft of wordt.

Het is ook niet zonder gevaar cliënten in je eigen privésfeer toe te laten, hoezeer zij daar ook van kunnen genieten. Ook hier is enige afstand houden gewenst. Zo gauw werk- en privésfeer door elkaar gaan lopen, doemen er allerlei problemen op. Ze hebben bijna allemaal te maken met afhankelijkheid.

De organisatie

In het sociaal werk is de cliënt zelden de opdrachtgever. Hij komt meestal via instanties in contact met een sociaal werker, die veelal in dienst is van een organisatie. Die legt vaak een manier van werken op, met allerlei procedures en protocollen. Het is soms moeilijk te zien dat die in het belang van de cliënt zijn en niet slechts de organisatie dienen (administratie, verslagen, vergaderingen!). En het kan voorkomen dat je iets moet doen wat naar jouw mening niet in het belang van de cliënt is. Realiseer je bij alle ongemak dat je de organisatie nodig hebt om je werk te kunnen doen. En dat je de organisatie kunt beïnvloeden. Beschouw jezelf niet alleen als een uitvoerder van het beleid, maar ook als een professional die een bijdrage levert aan de cliëntgerichtheid van de organisatie. Dat geldt natuurlijk voor de meer ervaren sociaal werkers, maar het is goed daar van het begin af aan oog voor te hebben. Veel organisaties rekenen ook op een actieve bijdrage van hun professionals.

Werken in teamverband

Sociaal werk is bijna altijd teamwerk. Lid zijn van een team betekent dat je je werk niet in je eentje hoeft te doen. Het team is de basis van waaruit je werkt. In veel werksoorten, zoals daghulp en residentiële hulpverlening, neem je het werk steeds van elkaar over. Dat vergt een bijzondere manier van samenwerken.

Besluit

Sociaal werkers vind je in alle instellingen van de hulp- en dienstverlening en in het welzijnswerk. Ze werken meestal in dienst van een instelling, hoewel steeds meer zelfstandigen en onafhankelijke bureaus zich direct met de hulp- en dienstverlening en vooral indirect met coaching, begeleiding en na- en bijscholing van sociaal werkers bezighouden.

Sociaal werk is een veelzijdig beroep met vele functies. In de komende hoofdstukken wordt die veelzijdigheid concreet ingevuld. Elk hoofdstuk is op dezelfde manier opgebouwd en vormgegeven, zodat het werken met de verschillende doelgroepen goed te vergelijken is. Je zult veel overeenkomsten tegenkomen, maar ook veel verschillen. Je hebt gekozen voor een veelzijdig en boeiend, maar vooral noodzakelijk beroep. Cliënten en samenleving hebben je nodig.

Vragen en opdrachten

1 In deze inleiding wordt gesproken over professionaliteit. Wat wordt daaronder verstaan? En wat is normatieve professionaliteit?
2 Diversiteit is een lastig begrip. Kun je je vinden in de formuleringen in deze inleiding?
3 Wat versta jij onder respect en hoe verhoudt zich dat tot wat er in deze inleiding over gezegd wordt?
4 Wat wordt verstaan onder evidence based practice?
5 Wat zijn jouw overwegingen om voor deze opleiding en dit beroep te kiezen?

Literatuur

Bersselaar, V. van den (2009). *Bestaansethiek. Normatieve professionalisering en de ethiek van identiteits-, levens- en zingevingsvragen.* Amsterdam: SWP.

Bersselaar, V. van den (2003). *Wetenschapsfilosofie in veelvoud. Fundamenten voor onderzoek en professioneel handelen.* Bussum: Coutinho.

Kunneman, H. (2009). *Voorbij het dikke-ik.* Amsterdam: SWP.

LOO-SPH (2009). *De creatieve professional: met afstand het meest nabij. Opleidingsprofiel en opleidingskwalificaties Sociaal Pedagogische Hulpverlening.* Amsterdam: SWP.

Roos, S.R.L. de (2008). *Diagnostiek en planning in de hulpverlening. En dynamische cyclus.*Bussum: Coutinho.

Sectorraad Hoger Sociaal Agogisch Onderwijs (2008). *Vele takken, één stam. Kader voor de hogere sociaal-agogische opleidingen.* Amsterdam: SWP.

Sennett, R. (2003). *Respect in een tijd van sociale ongelijkheid.* Amsterdam: Byblos.

Spierts M. (2005). Een derde weg voor sociaal-culturele professionals. In G. van de Brink et al. (red.), *Beroepszeer. Waarom Nederland niet werkt.* Amsterdam: Boom.

Vries, S. de (2007). *Wat werkt? De kern en de kracht van het maatschappelijk werk.* Amsterdam: SWP.

1

Never a dull moment
Kinderen en jeugdigen

Uit het dagboek van Lynn van der Scheur, beginnend ambulant werker
Als ambulant werker mocht ik vandaag voor het eerst in de praktijk ervaren hoe het is om te werken in een gezin. Ik wist dat de hulpverlening met name gericht was op opvoedingsondersteuning en dat de hulp bij de gezinnen thuis plaatsvond, maar meer ook niet.

Daar ging ik dan. Met een gevoel van spanning in mijn buik vanwege de nieuwe uitdaging stond ik bij een gezin op de stoep. Mijn collega, die mij kennis liet maken met dit werk, drukte op de bel en zo stonden wij te wachten tot er opengedaan werd.

Het gezin was pas aangemeld bij Bureau Jeugdzorg en vandaag vond het startgesprek plaats. In dit gesprek wordt de vraag van de cliënt besproken en wordt aan de hand hiervan een hulpverleningsplan opgesteld en worden doelen geformuleerd. Een Afrikaanse moeder deed open en na een vriendelijke kennismaking zag ik haar zoontje vanuit de woonkamer nieuwsgierig naar ons kijken.

Dat de hulpverlening thuis plaatsvindt, is een groot voordeel. Behalve dat het voor het gezin laagdrempelig is, kan de hulpverlener direct de gezins- en woonsfeer proeven en voelen. Hij komt in direct contact met de opvoedingsstijlen en de cultuur in het gezin.

Wat ik niet had verwacht, was dat ik vooroordelen zou hebben over gezinssituaties en opvoedingsstijlen op basis van mijn eigen normen en waarden. Gelukkig realiseerde ik me snel dat dit niet professioneel en respectvol was. Doordat ik nu mijn oordelen in hypotheses plaats en door het leren kennen van diverse opvoedingsstijlen en culturen lukt het me om vanuit een respectvolle manier naar (gezins)problemen te kijken. Op deze manier ga ik opener en zonder vooroordelen bij gezinnen op bezoek.

1.1 Inleiding

Werken met jongeren en vooral met kinderen is aantrekkelijk. De opleidingen hebben dan ook geen klagen over de toeloop van studenten. Kinderen zijn vertederend en van jongeren valt tenminste nog wat te maken: zulke gedachten liggen waarschijnlijk ten grondslag aan deze beroepskeuze. Het besef dat er ook heel wat ellende met kinderen en jeugdigen te verwerken valt, komt later wel. Zo blijken kinderen niet alleen lief en schattig, maar soms ook erg vervelend en onaantrekkelijk, halen jongeren je af en toe het bloed onder de nagels vandaan en hebben ze dikwijls ook nog eens geen enkele boodschap aan je goede bedoelingen en inzet. Het gaat om kinderen en jongeren met wie het (soms tijdelijk) niet goed gaat of met wie het grondig mis is (net als met hun ouders), maar soms ook om jongeren die professionals nodig hebben voor een stevige steun in de rug, die ze in hun gezin of milieu niet of onvoldoende krijgen.

Jongeren hebben (meestal) ouders. Die kunnen ook terecht bij de jeugdzorg, bijvoorbeeld voor opvoedingsvragen en voorlichting bij opvoedbureaus, het Algemeen Maatschappelijk Werk of de Centra voor Jeugd en Gezin en als het om ernstiger problemen gaat bij de Bureaus Jeugdzorg. Is er meer nodig, dan zal Bureau Jeugdzorg een indicatie verzorgen voor specialistische hulp, zoals gezinsondersteuning of begeleiding van jongeren, of doorverwijzen naar de psychiatrie.

De hulp en ondersteuning zijn bij voorkeur ambulant en worden thuis in het gezin en soms in het netwerk (bijvoorbeeld de school) van het gezin gegeven. Dit moet voorkomen dat de jeugdige uit huis geplaatst wordt. Als het toch tot een uithuisplaatsing komt (al of niet met dwang), dan biedt de jeugdzorg residentiële hulpverlening. Dat kan crisisopvang zijn of behandeling in een leefgroep, pleegzorg of een vakinternaat en als er sprake is van criminele activiteiten ook gesloten opvang met of zonder behandeling (jeugdgevangenissen, gesloten opvoedingsinternaten). Er zijn inmiddels

Wat leer je in dit hoofdstuk?
Na bestudering van dit hoofdstuk weet je meer over:
- wat de jeugdzorg inhoudt en voor wie de jeugdzorg bestemd is;
- welke vormen van jeugdzorg er zijn;
- hoe de jeugdzorg georganiseerd is en welke mogelijkheden zij sociaal werkers biedt;
- welke kennis en vaardigheden je nodig hebt om kinderen en jeugdigen en hun ouders te kunnen ondersteunen en helpen.

Waarover zet dit hoofdstuk je aan het denken?
Na bestudering van dit hoofdstuk besef je:
- wat je eigen ideeën zijn over kinderen en jongeren;
- wat je eigen mogelijkheden zijn voor het werken in de jeugdzorg;
- hoe je zelf tegenover de kritiek staat die de jeugdzorg steeds opnieuw ten deel valt en wat je van die kritiek vindt.

veel tussenvormen tussen ambulante en residentiële zorg, of combinaties van beide vormen van hulp.

Het gaat in de jeugdzorg overigens niet alleen om hulpverlening. Het (wijkgebonden) jeugd- en jongerenwerk heeft een belangrijke rol bij opvang en preventie. Dit lijkt weer terug van weggeweest, zeker in de grote steden. Ook nieuwe initiatieven als straatcoaches en buurtvaders behoren daartoe. Overlastpreventie- en bestrijding zijn daarbij een belangrijk doel, maar deze vormen van jeugdzorg zijn zeker ook pedagogisch: ze willen jongeren niet alleen van het slechte pad afhouden of afhelpen, maar ze ook ontwikkelkansen bieden en verheffen – een aloud doel van het buurthuiswerk.

Er zijn veel vloeiende overgangen tussen buurtwerk en hulpverlening, die zich dikwijls op straat afspelen. De werker wacht niet meer op de jongere, maar zoekt hem op. Het streetcornerwerk met al zijn varianten is er een goed voorbeeld van.

Om al in een vroeg stadium de problemen te signaleren, heeft de overheid besloten om in gemeenten en regio's Centra voor Jeugd en Gezin op te zetten. Daar kunnen ouders terecht voor opvoedingsvoorlichting en lichte hulp. Ook consultatiebureaus met kinderartsen en verpleegkundigen zullen er hun werk gaan doen. Deze Centra voor Jeugd en Gezin komen later in dit hoofdstuk nog uitvoeriger aan de orde.

1.2 De doelgroep: wat zijn kinderen en jeugdigen?

Het sociaal werk biedt veel mogelijkheden voor het werken met kinderen en jongeren. Jeugdzorg is bedoeld voor kinderen tot achttien jaar met ernstige opvoed- en opgroeiproblemen en voor hun ouders en opvoeders. Het gaat daarbij om kinderen en jongeren die om verschillende redenen professionele steun en hulp kunnen gebruiken of zelfs hard nodig hebben, zoals kinderen uit probleemgezinnen of pubers die zoals dat heet 'de weg kwijt zijn' en een criminele carrière tegemoet lijken te gaan. Jeugdzorg is daarnaast bedoeld voor kinderen die om allerlei redenen niet de kansen krijgen die leeftijdgenoten wel krijgen of die in hun ontwikkeling bedreigd worden, zoals kinderen in achterstandswijken of kinderen met ouders die de opvoeding om wat voor reden dan ook (tijdelijk) niet aankunnen. Maar ook voor jongeren die hun heil buitenshuis zoeken bij leeftijdgenoten en (vaak bij gebrek aan behoorlijke voorzieningen) de buurt onveilig maken of erger.

Het gaat hier dus om gewone kinderen die opgroei- of opvoedproblemen hebben of die dreigen te krijgen door de omstandigheden of de omgeving waarin ze leven en daarvoor hulp, ondersteuning of bescherming nodig hebben.

Kinderen en jeugdigen met heel specifieke beperkingen en problemen, zoals een verstandelijke beperking, een psychiatrische stoornis of een somatische aandoening, komen in andere hoofdstukken aan orde.

1.3 Historisch overzicht

Van armenzorg naar jeugdzorg

De jeugdzorg heeft een lange geschiedenis en was van oudsher vooral zorg voor (arme) wezen. Deze viel onder de armenzorg en was in handen van de kerken soms ook van de (plaatselijke) overheid. Vanaf de zeventiende eeuw kwamen er weeshuizen, die vaak ook onvermogende ouderen herbergden. In de late achttiende eeuw kwam er meer pedagogische aandacht voor verwaarloosde en criminele jongeren. Waren tot dan toe disciplinering en straf (het tuchthuis) de enige antwoorden op afwijkend gedrag, nu vonden meer verlichte ideeën over jeugd en jongeren ingang. Alleen straffen zou niet helpen en het werd beter gevonden jongeren – ook als ze niet wilden deugen – op te voeden tot oppassende burgers, waar de samenleving nog wat aan kon hebben. Disciplinering en opvoeding dienden hand in hand te gaan. Met dit doel werden in de negentiende eeuw rijksopvoedingsgestichten en particuliere jeugdinrichtingen in het leven geroepen. De particuliere instellingen hadden doorgaans een christelijke grondslag: dominees als Heldring en Pierson en katholieke kloosterorden speelden een belangrijke rol.

De rol van de ouders bij de opvoeding kreeg in de late negentiende eeuw meer aandacht. Zo werd de oorzaak van crimineel gedrag niet meer uitsluitend gezocht bij de jongere, maar gezien als gevolg van verwaarlozing of slechte opvoeding door de ouders.

Sinds het begin van de twintigste eeuw is de overheid zich steeds meer gaan bezighouden met de opvoeding en vooral de heropvoeding. Deze overheidsbemoeienis, die niet onomstreden was en is, vond zijn weerslag in uitvoerige wetgeving. De eerste wetten op dit gebied dateren van het begin van twintigste eeuw: de Kinderwetten van 1901, de eerste wetgeving waarin de overheid zich nadrukkelijk met opvoeding ging bezighouden. Het waren overigens niet de eerste wetten voor kinderen: het beroemde kinderwetje van Van Houten van 1874 verbood fabrieksarbeid voor kinderen onder de twaalf jaar en de Leerplichtwet van 1900 stelde onderwijs voor kinderen verplicht. Deze wetten betekenden al een zekere inperking van de ouderlijke rechten, maar de Kinderwetten van 1901 gingen veel verder. De ouders – in feite de vader, want de moeder had nog geen zelfstandige juridische macht – hadden nu niet alleen rechten, maar ook plichten. Ze hadden de plicht om hun kinderen te verzorgen en op te voeden. Dat had tot gevolg dat ze uit de ouderlijke macht gezet konden worden als ze hun kinderen ernstig verwaarloosden. Vanaf nu was de bescherming van kinderen wettelijk gewaarborgd.

De Kinderwetten luidden een ingrijpende verandering in de jeugdzorg in. Was deze (buiten rijksinrichtingen) eerst vooral een zaak van het particuliere initiatief, dat zelf voor de financiering zorgde en vorm en inhoud van de zorg kon bepalen, na de Kinderwetten bepaalde de overheid het beleid meer en meer. Tegenwoordig bepaalt zij het beleid helemaal: zowel de inhoud als de verdeling van taken, verantwoordelijkheden en bevoegdheden. De opvoeding moet aan door haar bepaalde en gecontroleerde criteria voldoen en de overheid komt 'achter de voordeur'. Wie zijn kinderen niet behoorlijk opvoedt en verwaarloost, krijgt te maken met ondertoezichtstelling, ontzetting en ontheffing. Het proces van toenemende staatsinvloed lijkt nog niet voltooid. De minister van Jeugd en Gezin (een nieuw fenomeen) moet deze invloed, die nu verdeeld is over meerdere departementen (Justitie en vws), bundelen en effectiever maken. Opvoeding lijkt een publieke zaak te zijn geworden.
In de loop van de twintigste eeuw ontstond een gedifferentieerd netwerk voor jongeren die op de een of andere manier hulp nodig hadden. Volgens het ministerie van vws waren er in 2002 bijna 105.000 jongeren die gebruikmaakten van de jeugdhulpverlening. Het aantal instellingen voor jeugdhulp bedroeg in dat jaar 1507 en er waren 22.600 personen in werkzaam.

Tot ver na de Tweede Wereldoorlog overheerste de gedachte dat kinderen als dat nodig was beschermd moesten worden. Jeugdzorg was lang jeugdbescherming. In de jaren zestig vond er een omslag plaats. Er kwam kritiek op de zienswijze dat kinderen 'objecten' zijn van zorg, dat er voor hun eigen bestwil over hen beslist moet worden en dat ze zelf geen inbreng hebben. Er werd duidelijk afstand genomen van de bevoogdende houding die tot dan toe gangbaar was. Vanaf de jaren zeventig zijn emancipatie, mondigheid en eigen verantwoordelijkheid leidende begrippen in de samenleving en dus ook in de jeugdzorg.

Wet op de jeugdzorg

De Wet op de jeugdhulpverlening, die in 1992 werd ingevoerd, bracht niet waar men aanvankelijk op had gehoopt, namelijk dat de voorzieningen intensief met elkaar zouden gaan samenwerken. Van die samenwerking kwam niets terecht en de verkokering in de jeugdhulpverlening, de jeugdbescherming en de geestelijke jeugdgezondheidszorg bleef bestaan. Het stelsel was nog te veel aanbodgericht en de toegang tot de jeugdzorg bleef onduidelijk. De Wet op de jeugdzorg van 2005 wil voor al die knelpunten een oplossing bieden. Hierbij heeft Bureau Jeugdzorg een wettelijke basis gekregen. Ook het feit dat de jeugdigen en ouders recht hebben op jeugdzorg is nieuw. Bureau Jeugdzorg heeft een centrale plek in deze wet. De belangrijkste doelstelling is dat er één centrale, onafhankelijke toegang tot de jeugdzorg wordt gerealiseerd. Voor jeugdigen, ouders en verwijzers ontstaat zo een herkenbaar en bekend loket. De zorgaanbieder zal conform de wet verplicht zijn een hulpverleningsplan in samenspraak met de cliënt op te stellen. De cliënt blijft steeds betrokken bij de uitvoering van het hulpverleningsplan en zal steeds instemming moeten geven over de geboden hulp. In de geest van de wet worden zorgaanbieders verplicht een cliëntenraad in te stellen.

Bureau Jeugdzorg heeft de taak de hulpvrager door te verwijzen naar de juiste zorg en kan ook zelf contact opnemen met een gezin als er signalen zijn dat er daarbinnen een voor een jeugdige bedreigende situatie bestaat. Jeugdzorg moet dan zorgen voor een doorverwijzing naar een zorgaanbieder. Verder voert Bureau Jeugdzorg taken uit van voogdij en ondertoezichtstellingen en jeugdreclassering en fungeert het als adviespunt en meldpunt kindermishandeling (AMK).

In 2007 heeft de regering voorstellen gedaan die een nog grotere bemoeienis van de overheid met de jeugd- en jongerenproblematiek mogelijk maakt. Zij stelde voor Centra voor Jeugd en Gezin op te richten die opvoedingsondersteuning aanbieden, zo nodig verplicht. Verder moet van elk kind een Elektronisch Kind Dossier aangelegd worden, waarin informatie wordt opgeslagen zoals medische gegevens, de resultaten van de verplichte taaltest en een risicoanalyse die van elke ouder gemaakt wordt. Naast dit dossier wordt ook een Verwijzingsindex ingevoerd waarmee vroegtijdige problemen kunnen worden gesignaleerd. In 2011 moeten de Centra voor Jeugd en Gezin in het gehele land gerealiseerd zijn.

Deze plannen kunnen niet rekenen op algemene instemming. De een vindt dat ze goede instrumenten leveren om voortvarend de problemen aan te pakken, voor de ander komen ze neer op te ver gaande bevoogding en betutteling door de overheid. In ieder geval passen deze plannen in een ontwikkeling die al met Kinderwetten van 1901 is ingezet.

1.4 Wat houdt de jeugdzorg in?

Tegenwoordig dient de zorg zich vooral thuis bij de jongere en zijn gezin af te spelen. Dat is altijd de eerste keus. Mocht dit niet kunnen, bijvoorbeeld vanwege de ernst van de problemen of omwille van de veiligheid van het kind, dan kan er gekozen worden voor dagbehandeling of residentiële behandeling (in die volgorde van voorkeur). Er zijn inmiddels ook enkele vormen ontwikkeld die (deeltijd)behandeling van een jongere in een leefgroep combineren met ambulante ondersteuning van de ouders en eventueel het hele gezin, zoals Beter met Thuis.

Residentiële hulpverlening

Residentiële hulpverlening is de oudste vorm van jeugdzorg. Dit is hulp waarbij een jeugdige voor dag en nacht wordt opgenomen in een tehuis of in een pleeggezin. Opvoeding in een tehuis of internaat heette lang *gestichtopvoeding*. Gestichten werden gezien als een noodzakelijk kwaad. Hoewel de intentie met de plaatsing was het kind op te voeden, lukte dat maar matig, onder meer doordat het personeel niet of onvoldoende was opgeleid en vooral door idealisme of religieuze motieven gedreven werd. Alleen de directeur was meestal redelijk tot goed geschoold. Dat gold voor de particuliere tehuizen van meestal confessionele (katholieke of protestantse) snit, maar evenzeer voor de Rijksgestichten. Ook na de professionalisering van personeel na de Tweede Wereldoorlog (opleidingen Kinderbescherming A en B en later hbo Inrichtingswerk) en de invoering van methodischer werken kwam de residentiële hulpverlening meer en meer onder druk. Net als in de psychiatrie stapte men af van het idee dat de beste omgeving voor kinderen en jongeren met problemen een rustige, bosrijke streek zou zijn, ver weg van de grote stad. Gezinsopvoeding kreeg nu de voorkeur. De opvatting dat kinderen het best af zijn in een gezin met ouders wordt nog steeds breed gedragen en is al heel lang het onbetwiste uitgangspunt van het overheidsbeleid.

Tot de gestichten die wij hier bespreken, behoorden overigens niet de vele kostscholen en internaten waar ouders van 'de betere stand', maar ook bijvoorbeeld schippers hun kinderen heen stuurden voor een degelijke en beschermde opvoeding en goed onderwijs. Voor de kinderen waren deze kostscholen meestal geen pretje, maar ze waren niet te vergelijken met de opvoedingsgestichten. Internaten bestaan nog steeds en ze mogen zich in een groeiende belangstelling verheugen.

Ambulante jeugdzorg

Ambulante jeugdzorg houdt het gezin intact en realiseert de zorg aan huis of in de instelling waar de jeugdigen met of zonder ouders naartoe gaan voor bijvoorbeeld gesprekken of trainingen. Een groot deel van deze zorg is vrij toegankelijk, een indicatie van Bureau Jeugdzorg is niet nodig. Voor de GGZ en de gezinsvoogdij is wel een verwijzing nodig. De Centra voor Jeugd en Gezin zijn hierin een belangrijke schakel.

De ambulante zorg heeft een enorme groei doorgemaakt en is binnen de jeugdzorg tegenwoordig de meest dominante aanpak. In de ambulante jeugdzorg is een onderscheid te maken tussen de hulpverlening aan jonge kinderen en aan oudere jeugd. De hulpverlening aan jongere kinderen richt zich in eerste instantie op ondersteuning van bestaande pedagogische relaties tussen kind en gezin.

De lichtste vorm van hulp en steun is adviseren en informeren (bijvoorbeeld de kindertelefoon), zwaardere en soms langdurige vormen zijn coaching (begeleid wonen) en gezinsgerichte benaderingen. De gezinsgerichte benadering heeft de afgelopen decennia een grote bloei gekend en is een alternatief voor de individueel gerichte aanpak, die ervan uitging dat de jongere het probleem was. De gezinsgerichte aanpak gaat ervan uit dat afwijkend gedrag en stoornissen niet (alleen) aan het individu liggen, maar ook aan de relaties en interactie in het gezin. Problematisch gedrag kan in deze benadering dan ook alleen succesvol behandeld worden binnen de context van het gezin.

Voorbeelden van gezinsgerichte benaderingen in de ambulante jeugdzorg zijn Families First, Video-hometraining (VHT), Intensieve Orthopedagogische Gezinsbehandeling (IOG), Praktische Pedagogische Gezinsbegeleiding (PPG), Hulp in de Eigen Omgeving (HEO) en Intensieve Ambulante Gezinsbegeleiding (IAG).

Dagbehandeling

Bij dagbehandeling woont de jeugdige thuis, maar wordt hij gedurende een aantal uren per dag behandeld of begeleid in een voorziening voor dagbehandeling. Richt de ambulante hulp zich op het kind ín het gezin, dagbehandeling richt zich op het kind én het gezin. Het gezin is ook hier erg belangrijk, maar er wordt meer aandacht gegeven aan het kind. Dat leert in de dagbehandeling onder meer deel te nemen aan groepsactiviteiten. Be-

langrijk zijn verder de structurering van de leefomgeving en het aanleren van een dagritme. Een bekend voorbeeld van dagbehandeling zijn de al meer dan honderd jaar oude maar nog springlevende Boddaertcentra.

1.5 Werken in de jeugdzorg

Professionele jeugdwerkers kom je tegen in veel functies in diverse instellingen en werksoorten. In dit hoofdstuk gaat het over de functies die een hbo vereisen. Wel is het zo dat veel hbo'ers werken in functies op mbo-niveau.

Als casemanager (coördinator van hulp) heb je te maken met ambulante gezinsopvoeders die in de gezinnen zelf werken, jongerenbegeleiders die de jeugdige intensief begeleiden en groepsbegeleiders in residentiële opvang. Je kunt ook gaan werken met pleeggezinnen waar jongeren verblijven omdat ze voorlopig niet thuis kunnen wonen.

Er zijn jongerenwerkers die in het streetcornerwerk, in buurthuizen en als straatcoaches jeugdigen begeleiden. Ze werken daarbij samen met de politie en de buurtregisseurs. Overlastpreventie en -bestrijding zijn hierbij belangrijke doelen. Op scholen werken zorgcoördinatoren en de schoolmaatschappelijk werkers.

Hoewel de grenzen tussen de CMV, MWD en SPH vervagen en veel functies openstaan voor alle sociaal werkers, zijn er voor de verschillende disciplines nog wel accenten te leggen. Zo zijn groepsleiders in de residentiële jeugdzorg meestal SPH'ers en voogden in de kinderbescherming meestal MWD'ers. Maar de opleidingseisen zijn ruimer, zodat de verwachting is dat in alle functies mensen met een diverse opleidingsachtergrond komen te werken. In de huidige situatie zijn de accenten als volgt te leggen.

MWD

Als maatschappelijk werker en dienstverlener heb je een belangrijke plek binnen de jeugdhulpverlening. Jeugdigen die bedreigd worden in hun ontwikkeling en veiligheid hebben ondersteuning en bescherming nodig. Daarvoor bestaan veel mogelijkheden. In gezinnen steun je ouders en pleegouders bij de opvoeding, begeleid je jongeren naar zelfstandigheid en leer je ze sociale vaardigheden. In de jeugdbescherming houd je toezicht op de veiligheid en ontwikkeling van kinderen en jongeren en zal je soms met dwang en drang ingrijpende keuzes en beslissingen moeten nemen ten behoeve van de jongere.

Op scholen maak je deel uit van een multidisciplinair team waar je als maatschappelijk werker de schakel vormt tussen docenten en ouders als jongeren zorgleerlingen dreigen te worden. Je begeleidt zowel de ouders en de jongere als de leerkrachten als er gezocht moet worden naar oplossingen om bepaalde problematiek uit de wereld te helpen. Verder ben je verantwoordelijk voor een goede begeleiding naar behandelinstellingen voor ouders en jongere zoals de GGZ, Bureau Jeugdzorg of de LVG.

SPH

Was een SPH'er vroeger vooral groepsleider in residentiële voorzieningen, tegenwoordig werkt hij in veel meer functies. Wel blijft zijn belangrijkste werkterrein de woon- en leefsituatie van de jongere, tegenwoordig allang niet meer de 'inrichting', maar ook de dagopvang en in toenemende mate het ouderlijk huis. Uitgangspunt van het werk is de jongere helpen zelfstandig en volwassen te worden. In bijzondere gevallen neem je als hulpverlener die verantwoordelijkheid tijdelijk over. Je signaleert of observeert de problemen om vervolgens met collega's en de jongere te zoeken naar een oplossing. Daarvoor kijk je eerst naar mogelijkheden in het eigen netwerk en je ondersteunt de jongere met voorlichting en adviezen.

Maar als de problemen te groot zijn voor de eigen omgeving, moet de jongere korte of langere tijd uit huis worden geplaatst.

Zo kun je als sph'er te maken krijgen met een gezin waar de ouders problemen hebben met opvoeden. Je biedt ze dan opvoedondersteuning aan. Als de situatie ernstig en bedreigend is voor het gezin, kun je in overleg met de ouders besluiten tot tijdelijke uithuisplaatsing. Het gemeenschappelijk kenmerk van de problematiek is dat de jeugdigen zodanig in hun ontwikkeling of bestaan worden bedreigd of voor anderen een bedreiging vormen dat er hulp en zorg geboden moeten worden.

Het werkveld verandert voortdurend onder invloed van allerlei maatschappelijke ontwikkelingen. De sph'er zal daar zijn weg in moeten vinden: kansen genoeg. sph'ers zijn er in alle werkgebieden van de jeugdhulpverlening, zoals opvangcentra voor (zwerf)jongeren, begeleide kamerbewoning, crisisopvang en ambulante opvoedingsondersteuning binnen gezinnen.

CMV

De taken van een cmv'er zijn zeer gevarieerd. Je brengt mensen bij elkaar en je daagt ze uit. Je begeleidt mensen in hun ontwikkeling en bij het opkomen voor hun belangen. Je organiseert activiteiten en maakt programma's. Je stimuleert mensen om maatschappelijk betrokken te zijn en deel te nemen aan het culturele en sociale leven. Het komt er in het kort op neer dat je combinaties maakt van spelen (recreatie), leren (educatie), ontdekken (kunst en cultuur) en samen doen (inzetten voor de opbouw van de samenleving). Je biedt dienstverlening aan mensen in hun vrije tijd. Je bent een culturele en maatschappelijke ondernemer, omdat je vooral beleidsmatig en bedrijfsmatig werkt. Je geeft leiding, organiseert, analyseert en plant de werkzaamheden. Daarvoor moet je beschikken over goede contactuele eigenschappen en nieuwsgierig, actief, flexibel en positief kritisch zijn.

Je verzorgt bijvoorbeeld de programmering voor jongeren in een wijkcentrum, organiseert een festival of andere evenementen, bemiddelt tussen buurtbewoners en de gemeente, begeleidt jongeren die vrijwilligerswerk doen of leidt ze naar geschikt werk of een opleiding. Ook kun je de samenwerking tussen onderwijs en welzijnswerk in de buurt tot stand brengen.

Samengevat kun je met de genoemde opleidingen in diverse werksoorten van de jeugdhulpverlening aan de slag:

Maatschappelijk werk en dienstverlening	Bureau Jeugdzorg, Centrum voor Jeugd en Gezin, ambulante gezinsbegeleiding, pleegzorg, (gezins)voogdij en schoolmaatschappelijk werk
Sociaalpedagogische hulpverlening	Bureau Jeugdzorg, begeleide kamerbewoning, leefgroepen, behandelingscentra, crisisopvang, opvang zwerfjongeren en jeugdgevangenissen
Culturele en maatschappelijke vorming	Wijkcentra, buurthuizen, opbouwwerk, jeugd- en jongerenwerk, buurtpreventie, zelfhulporganisaties en trajectbegeleiding voor jongeren

Problemen bij het opvoeden en opgroeien staan niet op zichzelf. Een kind of jongere maakt deel uit van een gezin en een gezin maakt deel uit van de maatschappij, en op al deze niveaus manifesteren zich de problemen.

Vroeger waren er veel organisaties in de jeugdzorg, met elk een eigen opdracht. Tegenwoordig is dat niet meer zo. Om de hulp te bieden die kinderen en jongeren nodig hebben, moeten we dichter bij hen staan. En dat betekent dat de hulpverlening meer samen moet werken met de directe omgeving van de jeugdige. Zo dienen school, maatschappelijk werk, kinder- en jeugdpsychiatrie en de zorg voor licht verstandelijke gehandicapten (LVG) hun werkzaamheden meer op elkaar af te stemmen.

Nieuwe hulpverleningsvormen worden ontwikkeld in samenwerking tussen diverse instanties uit de samenleving zoals gemeenten, universiteiten, kennisinstituten, justitie en politie.

Voorbeelden zijn Nieuwe Perspectieven, gericht op jongeren die dreigen in het criminele circuit terecht te komen, Beter met Thuis (www.spirit.nl) en de Deltamethode voor de pleegzorg. Triple P (Positive Parenting Program, www.triplep-nederland.nl) is een nieuw gevarieerd opvoedingsprogramma, bedoeld voor ouders met kinderen van nul tot twaalf jaar, dat opvoeden makkelijker en plezieriger moet maken.

Zo zijn er diverse hulpverleningsmogelijkheden die aansluiten bij de vraag van de jeugdigen en hun familie. Sommigen hebben genoeg aan kortdurende hulp. Zij kunnen dan verder zonder vervolghulp, maar met een vangnet voor als het minder gaat.

Als er sprake is van ernstiger problematiek dan moet er een hulpaanbod zijn van langere duur. Dat vraagt soms om gevarieerde vervolghulp, door meerdere hulpverleningsinstellingen als het Algemeen Maatschappelijk Werk, Jeugdpsychiatrie en Gezinsbehandeling.

Tegenwoordig vormen preventie en veiligheid een belangrijk aandachtspunt in de jeugdhulpverlening en maken deel uit van de taken van de Centra voor Jeugd en Gezin. Daarin moeten consultatiebureauartsen, maatschappelijk werkers en opvoedondersteuners zorgen dat problemen met jeugdigen eerder worden gesignaleerd en voorkomen dat ze groter worden.

Ook wordt gestreefd naar een andere leeftijdsgrens. Die ligt nu op achttien jaar, maar veel jongeren van die leeftijd zijn nog niet in staat op eigen benen te staan. Tussen 18 en 23 jaar zijn er nog volop ontwikkelingsmogelijkheden, en de jeugdhulpverlening kan voor deze leeftijdsgroep nog veel betekenen. Er wordt gezocht naar passende programma's en hulpverleningsvormen.

Verder is het een dringende noodzaak dat alle organisaties die zich met jeugd bezighouden beter gaan samenwerken, want daar ontbreekt het dikwijls aan. Nu is het te vaak zo dat moeilijke cliënten tussen de (kinder- en jeugd)psychiatrie en de jeugdzorg heen en weer geschoven worden, met alle ernstige gevolgen van dien. De drempels tussen de jeugdzorg en de psychiatrie zijn veel te hoog en het blijken nog steeds volstrekt gescheiden werelden, waarin men weinig kennis van elkaar heeft en veel vooroordelen over elkaar koestert.

Hulpverlening kan vrijwillig zijn of opgelegd. De Wet op de jeugdzorg geeft als definitie voor de zorg: 'ondersteuning van en hulp aan jeugdigen, hun ouders, stiefouders of anderen die de jeugdige als behorende tot hun gezin verzorgen en opvoeden, bij opgroei- of opvoedingsproblemen en dreigende zodanige problemen.'

Voordat de Wet op de jeugdzorg werd ingevoerd, hadden de hulpverleningsinstellingen allemaal een eigen aanbod. De wet neemt echter de hulpvraag van de cliënt als uitgangspunt: de geboden hulp moet passen bij de behoefte van de jeugdige.

Bob misdraagt zich

Als ouders zelf om hulp vragen, zoals de ouders van de zestienjarige Bob, die zich thuis ernstig misdraagt en zijn school laat versloffen, wordt er ondersteuning gegeven aan de ouders en krijgt de jongere zelf ook begeleiding. Geprobeerd wordt te voorkomen dat Bob uit huis geplaatst moet worden.

Door de samenwerking met de school te zoeken, de leerplicht te benutten, de ouders opvoedondersteuning aan te bieden en Bob psychologisch te onderzoeken en te begeleiden slaagde de hulpverlening erin Bob duidelijk te maken hoe lastig hij is voor zijn omgeving en dat hij zichzelf daarmee tekortdoet. Bob is ervan geschrokken hoe de leerplichtambtenaar hem confronteerde met de gevolgen van zijn gedrag op school. De situatie thuis is behoorlijk verbeterd.

Richard spijbelt

Richard heeft weer andere problemen. Hij redt het niet op school en spijbelt. Zijn ouders vinden het behalen van een diploma belangrijk en zo ontstaan er veel spanningen thuis. Richard gedraagt zich nonchalant en buiten op straat komt hij meermalen in aanraking met de politie. De kinderrechter legt hem op advies van de Raad voor de Kinderscherming een OTS op (een ondertoezichtstelling) en wijst een gezinsvoogd toe. Deze bepaalt in naam van de kinderrechter samen met de ouders wat er nodig is voor Richard.
Richard dient nu een aantal aanwijzingen van de gezinsvoogd op te volgen, zoals wat betreft een verplicht persoonlijkheidsonderzoek dat duidelijk moet maken wat er met hem aan de hand is. Vervolgens kan er gerichte ondersteuning gezocht wordt. Werken ouders en Richard niet mee, dan kan er een uithuisplaatsing volgen.

Bureau Jeugdzorg

Bureau Jeugdzorg heeft de taak om de hulpverlening te coördineren. Het beoordeelt de vraag om hulp en stelt een indicatie voor passende hulp. Bureau Jeugdzorg is niet alleen verantwoordelijk voor de vrijwillige jeugdhulp, maar ook voor beschermende jeugdzorgmaatregelen. Dat houdt in dat de (gezins)voogdij, jeugdreclassering en het Algemene Meldpunt Kindermishandeling (AMK) ook onder Bureau Jeugdzorg vallen.

De belangrijkste taak van Bureau Jeugdzorg blijft de indicatiestelling. Het moet ervoor zorgen dat ouders en jeugdigen op tijd de juiste hulp op de juiste plaats krijgen.

Als mensen zelf niet om hulp vragen en er wel signalen over problemen zijn uit de omgeving (buren, scholen), komt Bureau Jeugdzorg in actie. Medewerkers doen onderzoek en gaan praten met het gezin. Als de ouders en de jeugdige hier niet voor openstaan en de situatie is ernstig genoeg, dan kan de Raad voor de Kinderbescherming ingeschakeld worden.

Op advies van de Raad kan de kinderrechter besluiten om een maatregel in te voeren. Er is dan sprake van gedwongen hulpverlening.

In het vrijwillige kader kunnen jeugdigen en hun ouders gebruikmaken van een breed palet van ondersteuning. Ouders kunnen opvoedingsondersteuning krijgen van spoedhulp of het ambulante opvoedingsteam; de jongere zelf krijgt dan een ambulante begeleider.

Bij uithuisplaatsing zijn er crisisopvang, behandelingsgroepen en vormen van pleegzorg.

Maar heel vaak is dit allemaal niet nodig en kan een gericht advies al voldoende zijn om een probleem op te lossen.

Voor de scholen zijn er een zorgcoördinator en een schoolmaatschappelijk werker, die al vroeg kunnen signaleren dat er met een leerling iets aan de hand kan zijn en ouders en jeugdigen kunnen adviseren om hulp te zoeken. Ook kunnen zij Bureau Jeugdzorg informeren over mogelijk ernstige problematiek bij jeugdigen.

1.6   Feiten en cijfers

De Landelijke Jeugdmonitor biedt een overvloed aan cijfermateriaal over de jeugd in het algemeen. Daaronder zijn ook veel cijfers over de jeugdzorg, maar die zijn lang niet altijd duidelijk en ze worden vaak betwist. Zo was de uitkomst van een onderzoek in de regio Rotterdam naar het aantal cliënten van de jeugdzorg zóveel minder dan verwacht, dat de juistheid van de cijfers onmiddellijk betwijfeld werd. Ook de cijfers over de wachtlijsten in de jeugdzorg zijn niet duidelijk en leiden steeds tot uiteenlopende interpretaties.

Voor een deel komt dit doordat het politiek gevoelige informatie betreft, maar het komt ook doordat er geen landelijk uniforme afspraken over zijn. Dat geeft versplinterde resultaten, die onderling niet of moeilijk vergelijkbaar zijn. Hier kunnen we dus ook geen harde, eenduidige cijfers geven, maar er zijn wel trends zichtbaar. Zo neemt de behoefte aan jeugdzorg nog steeds toe en nemen de wachtlijsten niet of onvoldoende af.

Hulpverlening aan kinderen en jeugdigen

De capaciteit voor dagbehandeling en residentieel verblijf in de jeugdhulpverlening daalde over het geheel genomen de afgelopen jaren. Volgens berekeningen van het Trimbos-instituut bedroeg de gemiddelde groei voor dagbehandeling -2,1 procent en voor residentieel verblijf -2,3 procent. De capaciteit voor pleegzorg nam tussen 1998 en 2002 juist toe met 8,2 procent.

Door schaalvergroting nam volgens het Trimbos-instituut het aantal organisaties voor jeugdzorg tussen 1998 en 2001 af met 9 procent. Het aantal 'zorgeenheden' bleef echter vrijwel gelijk. De jeugdhulpverlening kende de afgelopen jaren een groei van het aantal arbeidsplaatsen, maar zag het totaal aantal werknemers afnemen.

	1998	2002	Groei
Arbeidsplaatsen	12.525	13.044	16,6%
Werknemers	18.450	18.067	-1,0%

Jeugdbescherming

In november 2001 waren er 22 opvanginrichtingen met verscheidene vestigingen. Daarnaast kocht het ministerie van Justitie bij zeven andere instellingen opvangcapaciteit in. Verder waren er in die periode elf behandelinrichtingen. Behandelinrichtingen moeten een programma aanbieden dat in uren even intensief is als de programma's in de opvanginrichtingen.

Over de capaciteit van de residentiële voorzieningen in de jeugdbescherming doen uiteenlopende cijfers de ronde. Een reden voor de discrepantie is het verschil tussen het aantal theoretische en het aantal daadwerkelijk beschikbare plaatsen in een instelling. Welke invalshoek ook wordt gekozen, de getallen laten zonder uitzondering een forse groei zien: een gemiddelde jaarlijkse groei van 10,6 procent.

Over de toename of afname van personeel in deze sector van de jeugdzorg zijn geen duidelijke cijfers te krijgen. Op www.rivm.nl vind je er gegevens over.

1.7 Nieuwe ontwikkelingen

Centra voor Jeugd en Gezin

De overheid wil meer greep krijgen op de ontwikkeling van jeugdigen in de samenleving, om hun veiligheid en opgroeien sneller in beeld te krijgen en eventueel sneller problemen te kunnen signaleren en in te grijpen. In alle gemeentes komen daartoe Centra voor Jeugd en Gezin (CJG). Ouders, kinderen, jongeren tot 23 jaar en professionals kunnen hier terecht met hun vragen over opvoeden en opgroeien. De CJG's bieden advies, ondersteuning en hulp op maat en zijn straks een herkenbaar inlooppunt in de buurt.

De basisfuncties van een CJG zijn:
- een inloop bieden voor vragen van ouders en jongeren over opvoeden en opgroeien;
- laagdrempelig advies en ondersteuning geven, zodat gezinnen zichzelf kunnen redden;
- jeugdigen en gezinnen met risico's en problemen in beeld brengen;
- op tijd hulp bieden aan gezinnen om het ontstaan (of het uit de hand lopen) van problemen te voorkomen;
- de zorg aan een gezin coördineren volgens het principe 'één gezin, één plan': als meer leden van één gezin hulp (nodig) hebben, moeten de verschillende vormen van zorg op elkaar afgestemd zijn.

Bij zwaardere problemen of een meer ingewikkelde hulpvraag hebben CJG's een coördinerende taak. De gemeenten voeren de regie over de centra en krijgen een grote vrijheid in het realiseren ervan. De CJG's hebben allemaal dezelfde basistaken, maar verder mogen ze onderling verschillen. De gemeenten zijn vrij om het aanbod aan diensten in een CJG uit te breiden. In 2011 moet er een landelijk dekkend netwerk zijn van CJG's. Elke gemeente heeft straks minimaal één centrum, en in grote steden komen komen er meer.

Methoden

Tot in de jaren zestig van de twintigste eeuw werd er over het algemeen in de jeugdzorg gewerkt zonder methodiek, opvoedingsplannen, diagnostiek of orthopedagogische behandeling. Men bleef gericht op disciplinering en het leren van een vak: aanpassen was de boodschap. We noemen dit *moral based* werken. De idealen van de maatschappij van oppassende, hardwerkende en voor zichzelf zorgende burgers waren de basis. Men had het idee (en dat is nog lang niet verdwenen) dat hard aanpakken en disciplineren van onaangepaste jongeren (en hun ouders niet te vergeten) de enige manier was om dit ideaal te verwezenlijken.

In de woelige jaren zeventig werd in de jeugdhulpverlening, net zoals in de gehandicaptenzorg, de psychiatrie en het maatschappelijk werk, krachtig geageerd tegen de bestaande orde. De kritische kinderbeschermers vonden dat je altijd de kant van de jongere moest kiezen. Problemen van jongeren werden volgens hen veroorzaakt door onderdrukkende ouders en de repressieve samenleving. In 1970 werd het JAC (Jongeren Advies Centrum) opgezet als een nieuw systeem van alternatieve hulpverlening. Hier konden jongeren terecht als ze weggelopen waren van huis of uit een tehuis en als ze vragen hadden over drugs en seks. Naast het JAC kwamen er andere vormen van alternatieve hulpverlening op. De meeste hielden het niet lang vol en verdwenen weer of werden overgenomen door de reguliere jeugdzorg.

De critici van de bestaande jeugdhulpverlening deelden de ijver om jongeren te emanciperen en de eis dat jongeren gerespecteerd moesten worden in hun experimenterende zoektocht naar een eigen identiteit. Ze vonden ook dat jongeren die in aanraking kwamen met de kinderbescherming mee moesten kunnen beslissen over hun lot en dat jongeren in internaten meer te zeggen moesten krijgen over hun eigen leven en met meer respect bejegend dienden te worden.

De gehoopte revolutie bleef uit, maar de boodschap werd wel serieus genomen. De wetgeving werd aangepast en de jeugdige werd van een *object* van zorg een cliënt die *subject* is van de zorg, een partner in het hulpverleningsproces. De jeugdzorg werd vraaggericht (*client based*).

Een direct gevolg van alle kritiek op de jeugdzorg was onder meer een andere visie op de tehuisopvoeding. Opvoeding thuis of in een pleeggezin werd beter geacht dan opvoeding in een internaat. Er kwamen steeds grotere aarzelingen om jongeren uit huis te plaatsen en het aantal ondertoezichtstellingen halveerde tussen 1960 en 1978. De tehuisplaatsingen daalden met de helft, evenals het aantal voogdijgevallen. Parallel aan deze veranderingen was de sterke groei van de ambulante hulpverlening en de dagbehandeling. Veel tehuizen moesten sluiten of fuseerden met andere instellingen en ontwikkelden een breder aanbod.

Deze omslag vond zijn uitdrukking in de Wet op de jeugdzorg van 1988 en is bekrachtigd in de Wet op de jeugdzorg van 2005. De achterliggende gedachte was dat het beleid te ver afstond van de jeugdige en zijn omgeving. De hulpverlening moest zo kort mogelijk, zo licht mogelijk en zo dichtbij mogelijk zijn en zo snel mogelijk plaatsvinden – het zozozozo-beleid werd dat genoemd. Gevolg was meer aandacht voor preventie en een voorkeur voor ambulante hulpverlening boven (semi-)residentiele hulpverlening en voor pleegzorg boven plaatsing in tehuizen. Tevens koos men voor regionalisering (plaatsingsbeleid, spreiding en herschikking van voorzieningen), opdat de hulp zo dicht mogelijk bij de thuissituatie kon worden gegeven. In de wet van 2005 werd ook weer ruimte gemaakt voor sneller overheidsingrijpen.

Naast de grotere cliëntgerichtheid is ook het evidence based werken tegenwoordig van belang. Meer en meer wordt de noodzaak gevoeld om efficiënt en effectief te werken. Dat wordt afgedwongen met financiële

prikkels: alleen middelen en werkwijzen waarvan door wetenschappelijk onderzoek is komen vast te staan dat ze werken komen nog in aanmerking voor financiering. De overheid en de zorgverzekeraars zijn geen 'blinde' subsidiegevers meer, maar willen precies weten wat er met hun geld gebeurt. Alles en iedereen moet zich verantwoorden voor wat ze van overheden of andere subsidiegevers 'krijgen'.

Verandering van attitude in de jeugdzorg

Ook in de jeugdzorg is er sprake van een onstuitbare professionalisering. De nadruk verschuift daarmee van de persoon van de hulpverlener naar zijn werkwijze. Dat wil overigens niet zeggen dat de hulpverlener zelf er niet meer toe doet. De basis van sociaal werk blijft de relatie met de cliënt. Als die niet goed is, komt er ook van de meest beproefde methode niets terecht. Maar de hulpverlener, of hij nu dokter is of groepsleider, is van zijn positie boven de cliënt afgedaald naar een positie naast de cliënt. De werkers in de jeugdzorg hebben in betrekkelijk korte tijd een lange weg afgelegd om daar te komen.

De Wet op de jeugdzorg schrijft voor dat hulpverleningsorganisaties zich meer moeten richten op de vraag van de cliënt. Instellingen kunnen niet langer volstaan met hun eigen hulpverleningsaanbod ('wij weten wat goed voor u is'), maar zullen cliënten moeten betrekken bij het samenstellen van het aanbod. Tot ver in de twintigste eeuw was de jeugdzorg *moral based*. De jeugdigen hadden niets te vertellen en moesten leren voldoen aan allerlei maatschappelijke eisen. En ze kregen de waarden en normen van de 'beschaafde stand' opgelegd en soms ingestampt. De bedoeling was vooral van wie eerst niet wilde deugen een oppassende en bruikbare burger te maken die het verder zonder controle of steun van instanties kon redden. De opvoeders waren streng en rechtvaardig, maar soms ook hard en meedogenloos. En dus weinig pedagogisch. Tegenwoordig wordt van de sociaal werker veel meer gevraagd. Hij moet op zoek naar de eigen kracht van de jeugdige en diens familie. Dat betekent dat hij minder van hen zal overnemen.

Maar het is moeilijk ouders vertrouwen te geven die het zo duidelijk niet aankonden of geen verantwoordelijkheidsgevoel leken te hebben en tekortschoten. Of soms zelfs een gevaar zijn voor hun kinderen. En hoe moet je jongeren vertrouwen geven die er op alle gebied een zooitje van maken en zich nergens iets van aan lijken te trekken? Repressie, hard aanpakken kan nodig zijn, maar alleen tijdelijk. Mensen en dus ook jongeren leren er niet van: de gevangenis is een ideale leerschool voor criminaliteit. Professionele opvoeders moeten geen 'softies' zijn, maar ook niet alleen maar hard. Ze moeten goed weten wat jeugdigen en hun ouders beweegt, ze moeten dus goed kunnen kijken en luisteren en hun interventies goed kunnen timen en afstemmen op individuen (*tunen*). Niet de hulpverlener staat centraal maar de cliënt – de jeugdige dus en zijn ouders. Dat is ondertussen ook in de wet vastgelegd. Hulpvragers bepalen mede de inhoud van de hulp. Dit wil niet zeggen dat de cliënt de baas is (hij is geen klant in de commerciële betekenis van het woord), maar dat hij betrokken wordt bij het beleid van de instelling.

Daarnaast zal de professionele opvoeder ook meer gaan moeten werken met middelen en methoden waarvan bewezen is dat ze werken (evidence based, eventueel practise based). Dit kan soms op gespannen voet staan met het cliëntgerichte werken (client based). Hulpverleners en cliënten kunnen niet meer zelf bedenken hoe ze te werk zullen gaan, de keuzemogelijkheden nemen af.

Elke hulpverleningsorganisatie moet cliëntenparticipatie organiseren. Bijvoorbeeld door in een klankbordgroep van cliënten (ouders en jongeren) het hulpverleningsbeleid van de instelling te bespreken en plannen te maken om het aanbod beter te laten aansluiten op de doelgroep. Medewerkers moeten in overleg met de cliënt vastleggen wat zij gaan doen en wat zij willen bereiken. In de startfase van de hulpverlening worden de geïndiceerde doelen met ouders en jeugdigen doorgenomen. Voordeel van deze aanpak is dat zowel ouders als hulpverleners verantwoordelijk zijn voor de opzet van de hulpverlening. Zij tekenen dan ook samen een hulpverleningscontract, dat om de drie maanden wordt geëvalueerd en eventueel bijgesteld.

Het nieuwe evidence based werken is veel werkers niet op het lijf geschreven, en er is dan ook veel verzet tegen. De door wetenschappers ontwikkelde Deltamethode bijvoorbeeld, die in de pleegzorg op grote schaal wordt ingevoerd, stuit bij een deel van het personeel op verzet, niet in het minst door de bergen administratief werk die erbij horen.

1.8   Dilemma's

Veiligheid

Hulpverleners zijn regelmatig slachtoffer van geweld. Veiligheid is dan ook een belangrijk thema. Logischerwijs wordt er na elk incident naar maatregelen gezocht die de risico's moeten verminderen. Maar veiligheidsmaatregelen maken het de hulpverleners niet makkelijker: ze zetten bijvoorbeeld niet zelden de vertrouwensrelatie met de cliënten onder druk. Welke risico's zijn nog aanvaardbaar en welke niet? Met elk incident wordt het lastiger daar een goed antwoord op te vinden. Een werker kan zich niet in zijn kantoor verschansen achter detectiepoortjes of omringd door veiligheidsmensen. Zo valt er niet te werken. Maar waar ligt de grens?

De veiligheid van kinderen is uiteraard belangrijk. Na enkele gruwelijke incidenten als 'Savannah' en 'het maasmeisje' lijken organisaties van jeugdbescherming geneigd om geen enkel risico meer te nemen met de veiligheid van kinderen en jeugdigen, mede onder politieke druk.

Dwang en drang

Het aantal uithuisplaatsingen neemt toe. Ouders met een kind onder toezicht zijn bang dat hun kind uit huis wordt gehaald. Dwang en drang vinden steeds meer ingang in de jeugdhulpverlening. Als ouders en jeugdigen niet meer willen meewerken in het vrijwillig kader en de veiligheid van de jeugdige of jongere in het geding is, dan zal Bureau Jeugdzorg een dossier opbouwen om te kunnen ingrijpen. Hulpverlening kan ondanks de beste bedoelingen door kinderen en zeker door ouders als een bedreiging ervaren worden. Dat legt een zware hypotheek op de hulpverleners en vraagt van hen een bijna onmogelijk balanceervermogen.

Afstand en nabijheid

In de wisselwerking tussen hulpverlener en ouders en jeugdigen kan het traumatische verleden van jongeren heftig naar buiten komen. Ouders zijn wanhopig en jongeren tonen hun pijn door extreem en buitensporig lastig gedrag. Toch moeten er soms beslissingen genomen worden ten koste van de ouders, zoals ondertoezichtstelling, of de jongere, zoals bij uithuisplaatsing het geval kan zijn. Het is voor de jeugdhulpverlener buitengewoon lastig om dan het vertrouwen van beide partijen te behouden.

Ook de strakke protocollering van het hulpverleningsaanbod en vooral de beperkte tijd maken het moeilijk resultaten te boeken die zowel voor ouders als voor de jeugdige acceptabel zijn.

1.9 Wat vraagt werken in de jeugdzorg van je en wat levert het op?

Sociaal werkers doen hun werk met jongeren en ouders over het algemeen graag. De instellingen geven veel aandacht aan hun professionele ontwikkeling, en zij worden geschoold in de methoden die de instelling hanteert. Werkers krijgen allerlei trainingen, en collegiale ondersteuning door middel van intervisie en werkbegeleiding.

Met deze deskundigheidsbevordering kan de werker de basis van professionaliteit, die in de opleiding is gelegd, verder uitbreiden en verfijnen. Ervaring doet de rest. Zo raakt de werker nooit uitgeleerd. Dat is een aantrekkelijke kant van het werk: je leert steeds bij en dat houdt, als het goed is, niet meer op.

Als sociaal werker in de jeugdzorg moet je wel tegen een stootje kunnen en je idealisme zal regelmatig op de proef gesteld worden. Je krijgt te maken met veel frustraties, schoolverzuim, agressie en machteloosheid van cliënten, maar als je goed voorbereid hulp kan bieden aan ouders en jeugdigen zul je ook genieten van de successen die er zeker te boeken zijn.

Je leert flexibel te zijn, krijgt mogelijkheden om je deskundigheid te gebruiken en leert andere culturen kennen. Dat zal je levenservaring een extra dimensie geven.

Casus: Enrique zit in de problemen

Enrique is een jongen van veertien jaar met een Antilliaanse en Indische achtergrond. Zijn Antilliaanse vader heeft het ouderlijk huis kort na zijn geboorte verlaten. Hij is door zijn moeder opgevoed en heeft twee broers van 20 en 23 jaar, die al zelfstandig wonen.

De laatste maanden gaat het niet echt goed met Enrique. Op school doet hij weinig en moet hij de brugklas misschien overdoen. Alleen wil de school hem niet terug, omdat hij vanwege zijn leeftijd in een veel te jonge klas terecht zal komen en dat zal hem niet stimuleren. Hij krijgt daarom het advies om van het vwo naar het vmbo te gaan, waar hij in een hogere klas kan beginnen.

Enrique is regelmatig betrapt op blowen en de politie heeft hem 's nachts thuisgebracht toen hij samen met een vriend via de snelweg naar huis liep.

Door een zorgmelding van de politie bij Bureau Jeugdzorg komt de ambulante jeugdhulp in het gezin. Moeder heeft een drukke baan en ziet haar zoon alleen 's ochtends, bij het avondeten en in het weekend. Zij merkt ook dat zij geen zicht meer heeft op zijn doen en laten.

Samen met moeder en Enrique wordt geïnventariseerd wat de problemen zijn, maar wordt ook gekeken naar de sterke punten van het gezin. Al gauw wordt duidelijk dat Enrique veel e-mailt met de familie van zijn vader in Curaçao. Hij wil graag zijn familie daar bezoeken, het liefst samen met zijn vader, die hij graag wil ontmoeten en beter wil leren kennen.

Moeder wil minder gaan werken om meer thuis te zijn voor Enrique, en de hulpverlener zoekt contact met de vader. Die is niet erg enthousiast, want hij heeft een nieuw gezin en wil liever geen contact met de moeder van Enrique. Maar hij zegt niet meteen nee. Hij vindt het goed dat Enrique hem een brief schrijft en wil thuis met zijn vrouw overleggen. Enrique is blij dat zijn vader niet meteen afwijzend is en stuurt hem een kaartje. Het feit dat zijn moeder hierachter staat en ook meer thuis is, stimuleert hem op school harder te gaan werken. Hij is vrolijker en hoewel de ontmoeting met zijn vader en de reis naar Curaçao nog niet geregeld zijn, ziet Enrique toch meer perspectief. Hij is weer gaan basketballen bij een club en is ook vaker thuis. De hulpverlener heeft voor het gezin door de problematiek met hen door te nemen alles weer in perspectief gebracht en duidelijk gemaakt wat er mogelijk is ten aanzien van zijn familie in Curaçao. Enrique kan openlijk praten over zijn vader en er wordt naar hem geluisterd. Dat geeft hem veel lucht.

1.10 Besluit

In dit hoofdstuk is de zorg aan kinderen en jeugdigen omschreven. Je weet nu wat het voor jou kan betekenen en misschien ben je zo enthousiast geworden dat je voor dit boeiende werk kiest. Jeugdigen zijn de toekomst van de samenleving, en investeren in hen loont altijd.

Vragen en opdrachten

1 Geef in eigen woorden weer wat verstaan wordt onder moral based, client based en evidence based werken. Geef van elk voorbeelden.
2 Wat zijn de basistaken van een Centrum voor Jeugd en Gezin?
3 Wat doet een Bureau Jeugdzorg?
4 Wat houdt het zo-zo-zo-zo-beleid in de jeugdzorg in?
5 Geef een paar voorbeelden van de manier waarop de overheid de regie voert over de jeugdzorg.
6 In dit hoofdstuk worden verschillende vormen van hulpverlening besproken. Beschrijf wat je het meeste aanspreekt in de volgende vormen van jeugdhulpverlening en waarom:
   • werken met jongeren;
   • werken met jongere kinderen;
   • werken met het gezinssysteem;
   • omgaan met groepen pubers.
7 Er is sprake van drie werksoorten: ambulant, semiresidentieel (daghulp) en residentieel. Tot welke van de drie voel je je het meest aangetrokken? Waarom? Of voel je meer voor mengvormen?
8 Naast jeugdzorg is er ook jeugdwerk. Geef de verschillen aan. Welke van de twee heeft je voorkeur? Waarom?
9 Vraaggericht werken staat in de jeugdhulpverlening niet ter discussie. Denk je dat vraaggericht werken op alle onderdelen van jeugdhulpverlening mogelijk is? En hoe verhoudt vraaggericht of cliëntgericht werken zich tot de toenemende noodzaak om evidence based te werken?
10 Wat is jouw mening over het toepassen van dwang en drang in de jeugdhulpverlening? En wat voor dilemma's roept dat op voor de verhouding tussen hulpverlener, ouders en jeugdige?

Literatuur

Bijlsma J. & H. Janssen (2008). *Sociaal werk in Nederland. Vijfhonderd jaar verheffen en verbinden.* Bussum: Coutinho.

Faas, M. (2009). *Meten is weten? Bouwen aan een wetenschappelijke en effectieve jeugdzorg.* Amsterdam: SWP.

Ginkel, F. van (2006). *Jongerenwerk in Nederland.* Amsterdam: SWP.

Harderen, A. et al. (2006). *Residentiële jeugdzorg in beeld.* Amsterdam: SWP.

Hek, H. van 't (2006). *Kinderen eerst… kijken, zien en waarnemen in de wereld van kindermishandeling, jeugdzorg en kinderbescherming.* Assen: Van Gorcum.

Gemeente Rotterdam (2006). *Ieder kind wint. Visiedocument.*

Hermanns, J., C. van Nijnatten & F. Verhey (2005). *Handboek jeugdzorg, deel 1 en 2.* Houten: Bohn Stafleu van Loghum.

Lieshout, M. (2006). *Raad en daad. De vele gezichten van Bureau Jeugdzorg.* Amsterdam: SWP.

Montfoort, A.J. van & C.P.G. Tilanus (2007). *Jeugdzorg en jeugdbeleid.* Amsterdam: SWP.

NVMW (2009). *Gewoon professioneel. Positieve verhalen uit de sector jeugdzorg.* Utrecht: NVMW.

Steege, M. van der (2003). *Gewoon goed hulpverlenen. Over de cliënt centraal, vraaggericht werken en cliëntenparticipatie in de jeugdhulpverlening.* Utrecht: NIZW.

Vaesen, G. (2009). *Begeleiden van multiprobleemgezinnen in de jeugdzorg.* Antwerpen/Apeldoorn: Garant.

Yperen, T. van, M. van der Steege & S. Batelaan (2006). *Voor het goede doel: werken met hulpverleningsdoelen in de jeugdzorg.* Utrecht: NIZW/Amsterdam: SWP.

Zwikker, N. et al. (2009). *Jeugdzorgwerker.* Amsterdam: SWP.

Websites

- www.ajk.nl
- www.bureaujeugdzorg.nl
- www.iederkindwint.nl
- www.jeugdengezin.nl
- www.jeugdmonitor.cbs.nl
- www.jeugdzorg.nl
- www.lcfj.nl
- www.minvws.nl
- www.mogroep.nl
- www.nji.nl
- www.pleegzorg.nl

2

Leven is ouder worden
Ouderen

Uit het dagboek van Peter, ouderenadviseur

Vandaag was ik bij een man die een alarmtoestel had aangevraagd. Hij was net ontslagen uit het ziekenhuis en wist dat hij niet lang meer te leven had. Zijn vrouw was vorig jaar overleden. Maar waar hij zich in het gesprek enorm druk over maakte was zijn nieuwe woning waar van alles mis mee was: de centrale verwarming deed het niet goed, de kraan in de badkamer bleef druppelen, de voordeur klemde. Eigenlijk betrekkelijk kleine dingetjes, die gemakkelijk te verhelpen zijn. Ik had de neiging om bij hem door te vragen, want ik had het idee dat hij al zijn verdriet en zorg wegstopte en op dit soort concrete ongemakken projecteerde. Maar toen ik daarover begon, hield hij de boot af. Ik heb hem het telefoonnummer gegeven van een collega die een gespreksgroep over rouwverwerking begeleidt. Ook vroeg ik of hij er bezwaar tegen had dat een maatschappelijk werker hem eens zou bellen. Dat vond hij goed. Soms moet je mensen een zetje geven, ze willen niet graag als een zeurpiet gezien worden. Flink zijn is de boodschap die veel ouderen van jongs af aan hebben meegekregen, maar bij sommige dingen heb je gewoon hulp nodig.

2.1   Inleiding

Dit hoofdstuk gaat over ouderen en ouder worden. Het woord 'ouderen' kan van alles bij je oproepen: mensen van een bepaalde leeftijd, met een bepaalde achtergrond, met hun eigen geschiedenis, opvattingen, maatschappelijke rollen, posities, betekenis, gezondheid, perspectieven, enzovoort. Kortom, een grote diversiteit van mensen.

Aan deze aspecten zal in dit hoofdstuk aandacht worden besteed met daaraan gekoppeld de vraag wat ze betekenen voor inhouden, doelen en methoden bij het werken met ouderen. De onderwerpen die daarbij aan de orde komen zijn onder meer:

Wat leer je in dit hoofdstuk?
Na bestudering van dit hoofdstuk weet je meer over:
- de feitelijke aspecten die met het ouder worden te maken hebben;
- de diversiteit van ouderen;
- waar je ouderen beroepsmatig kunt tegenkomen en welke competenties je daarbij nodig hebt.

Waarover zet dit hoofdstuk je aan het denken?
Na bestudering van dit hoofdstuk besef je:
- welk beeld jij zelf van ouderen hebt;
- wat de leuke en lastige kanten van het werken met ouderen zijn.

- levensloop;
- beeldvorming en maatschappelijke positie;
- algemene en specifieke vormen van zorg- en dienstverlening;
- effecten van ziekten en handicaps.

Waar relevant wordt ook aandacht besteed aan hiermee samenhangende seksespecifieke en culturele aspecten. Daarbij wordt geen volledigheid gepretendeerd; afgezien van het feit dat volledigheid op dit gebied niet kan bestaan, gaat het in dit hoofdstuk vooral om een kennismaking met verschillende facetten van dit onderwerp.

2.2 De doelgroep: wat zijn ouderen?

Enige jaren geleden had Benny Lévy een interview met Jean-Paul Sartre, die toen zeventig jaar was. Lévy was al geruime tijd medewerker van Sartre en had diens eerdere werk goed bestudeerd.

Regelmatig confronteerde hij Sartre met vroegere opvattingen. Toen vroeg hij: 'Verandert je denken mede onder invloed van de ervaringen van je ouderdom?'

Sartre antwoordde: 'Nee. Iedereen maakt me uit voor een oude man. Ik moet erom lachen. Waarom? Omdat een oude man zich nooit een oude man voelt. Afgaande op de reactie van anderen begrijp ik wat het oud zijn impliceert voor degene die er van buitenaf naar kijkt, maar ik voel mijn ouderdom niet. Mijn ouderdom is dus niet iets wat mij op zichzelf iets nieuws zegt. Wat me wel iets leert, dat is de houding van de anderen tegenover mij. Het feit dat ik voor een ander oud ben, betekent dat ik door en door oud ben. Oud zijn, dat is een werkelijkheid die bij mij hoort en die door de anderen wordt gevoeld. Ze zien me en zeggen "dat oude mannetje", en ze zijn vriendelijk omdat ik gauw dood zal gaan, en ze behandelen me ook met eerbied, enzovoort; de anderen zijn mijn ouderdom.'

Bron: Benny Lévy (1980), Jean-Paul Sartre, de rustige wanhoop van een oude man. *Vrij Nederland*, bijlage, 5 april, opgenomen in de bundel *Hoezo te oud? Over ouder worden en zingeving* (1984). Amersfoort: De Horstink.

Ouder worden is een ander woord voor leven. Toch denken we bij het begrip 'ouder worden' eerder aan de laatste periode van het leven, die veelal wordt beschouwd als een periode van verlies: verlies van gezondheid, van vrienden en familie, van werk en soms zelfs van menselijke waardigheid. Er is in onze cultuur, die erg gefixeerd is op groei, vaak geen oog voor de positieve waarden van het ouder worden. De laatste levensfase (die we 'de ouderdom' noemen) kan echter niet eenduidig als positief of negatief gedefinieerd worden. Factoren als leeftijd, gezondheid, cultuur, scholing en sociale omstandigheden, maar ook sekse en etniciteit kunnen mede van invloed zijn op de manier waarop iemand zijn ouderdom beleeft. Maar zelfs dat is geen constante: iemand kan zich de ene dag beter voelen dan de andere, kan lichamelijk allerlei problemen hebben en daarnaast veel interesse en plezier in het leven.

Uiteindelijk gaat het erom of 'het leven' nog voldoende positiefs te bieden heeft. Dat is sterk persoonsgebonden en hangt samen met iemands achtergronden, omstandigheden en perspectieven. Om daarover iets te kunnen zeggen, is de leeftijd als zodanig een onbruikbaar criterium. Dit betekent dat er geen enkele principiële grond is om ouderen anders te zien of te benaderen dan welke andere leeftijdsgroep dan ook. Kun je bij kinderen vanuit pedagogisch oogpunt pleiten voor een specifieke benadering, bij ouderen kan daarvan geen sprake zijn; het gaat immers om volwassenen die geleerd hebben hun verantwoordelijkheid voor het bestaan vorm te geven en daarbij past geen betutteling of bevoogding.

Ouderen vormen in deze zin ook geen *doelgroep*. Je kunt hoogstens vaststellen dat ze historisch gezien min of meer in dezelfde periode leven en geleefd hebben. Maar zelfs een ingrijpende gebeurtenis als bijvoorbeeld de Tweede Wereldoorlog levert op individueel niveau al enorme verschillen op. Het maakte nogal uit of je van Joodse afkomst was of niet, in het verzet zat, collaboreerde of zoals de meeste Nederlanders er maar het beste van trachtte te maken. Ouderen zijn volwassenen met elk hun eigen levensgeschiedenis die hen tot unieke individuen heeft gevormd.

Er zijn wel enkele gemeenschappelijkheden: iedere levensperiode heeft haar eigen ontwikkelingsopdrachten, dat geldt voor de puberteit net zozeer als voor de ouderdom. De maatschappelijke functie is anders doordat de verplichte arbeids- en opvoedingstaken veelal voltooid zijn. Ook op lichamelijk en geestelijk gebied vinden er veranderingen plaats die hun effecten kunnen hebben op sociaal en maatschappelijk gebied.

Beeldvorming

Het beeld van het ouder worden wordt vaak bepaald door problemen: een achteruitgaande lichamelijke en geestelijke conditie, een afnemende zelfredzaamheid, financiële problemen, een ongeschikte woning en eenzaamheid.

Natuurlijk kunnen deze problemen optreden, maar het is op zijn minst een eenzijdig vertekend beeld. Oud zijn is ook kunnen genieten van kinderen en kleinkinderen, reizen maken, vrijwilligerswerk doen, hobby's beoefenen, lezen, naar muziek luisteren, televisiekijken, winkelen, tijd hebben voor vrienden en vriendinnen of gewoon wat mijmeren. Bovendien wil slechter kunnen lopen niet zeggen dat het leven daardoor minder de moeite waard zou zijn.

De dichter Bert Schierbeek had op gegeven moment iets aan zijn heup of been, waardoor hij slecht liep en een stok nodig had. 'Word je nou niet chagrijnig van zo'n stok?' vroeg een vriend hem. 'Welnee,' zei Schierbeek, 'dan ben je ook nog chagrijnig.'
Bron: *NRC-Handelsblad*, 17 augustus 1996.

Je kunt zelfs stellen dat een aantal 'problemen' die aan de ouderdom gekoppeld worden niet zozeer te maken hebben met het ouder worden als zodanig, maar met de ordening van onze samenleving. Een samenleving waarin geen tijd meer is om rustig met één ding tegelijk bezig te zijn, waarin de agenda regeert en waarin alle activiteiten worden afgemeten naar economisch of consumptief nut.

We moeten af van het beeld dat ouderen alleen maar geld kosten en meer oog krijgen voor wat zij ons te zeggen hebben. Dat is niet alleen goed voor het zelfbeeld van ouderen, maar ook heel leerzaam voor de samenleving als geheel.

2.3   Historisch overzicht

Het categoriseren van mensen in termen als ouderen of bejaarden (net als pubers of jongvolwassenen) gebeurt nog niet zo lang. Voor zover mensen vroeger oud werden, leefden ze gewoon door als daarvoor. Bij ziekte werden ze opgenomen in gasthuizen, maar zolang het kon bleven ze aan het werk totdat ze er soms letterlijk bij neervielen. Meergeneratiegezinnen waren gebruikelijk, vooral in het boerenbedrijf. In de steden werden er door vermogende burgers soms hofjes gesticht, in het bijzonder voor oudere vrouwen, vanuit de kerk (als je tenminste lidmaat was en je netjes gedroeg) kregen arme ouderen soms wat materiële ondersteuning, maar veel stelde het allemaal niet voor. Ouderen kregen soms van de autoriteiten een bedelvergunning als er geen familie was om voor ze te zorgen en voor de rest moesten ze zich maar zien te redden.

Met de ontwikkeling van de verzorgingsstaat en de invoering van de AOW in 1957 en de daaraan gekoppelde wet- en regelgeving 'ontstond' een herkenbare groep ouderen met een categoriaal voorzieningenpakket, waartoe bijvoorbeeld verzorgingshuizen behoorden. De grondgedachte hierbij was dat ouderen aan het einde van hun arbeidzame leven recht hadden op rust. Dat ze de gelegenheid moesten krijgen om te genieten van het resultaat van de inspanningen die zij zich hadden getroost en zich vrij van dagelijkse zorgen moesten kunnen voorbereiden op hun naderende levenseinde. Daarbij had men het idee dat ouderen zich onder elkaar het prettigste voelden. Uit die jaren stamt ook de term 'rusthuis'. Deze visie op de ouderdom wordt wel de *disengagementtheorie* (losmaking) genoemd.

Dat klinkt mooi en hoewel aan de goede bedoelingen niet hoeft te worden getwijfeld, ontstond deze theorie niet toevallig in die tijd, maar viel samen met andere maatschappelijke ontwikkelingen en belangen. Na de oorlog was er een groot woningtekort voor jonge gezinnen (geboortegolf!) en het was natuurlijk wel handig als alleenwonende ouderen naar een 'rusthuis' zouden kunnen gaan. Zo werden er twee vliegen in één klap geslagen: de oudere laat een gezinswoning achter en kan in alle rust – meestal in een parkachtige omgeving aan de rand van de stad – genieten van de natuur. De gemeenten konden hiermee hun sociale gezicht tonen. Vertegenwoordigers van wat later het 'maatschappelijke middenveld' is gaan heten, konden zich uitleven in de stichting van vele tehuizen, die dan ook in de jaren vijftig en zestig als paddenstoelen uit de grond schoten. De welvaart was nog niet zo groot als tegenwoordig en vele ouderen waren blij en dankbaar voor alles 'wat er voor hen gedaan werd'.

Kentering in het beleid

In de jaren zestig ontstond er in verschillende opzichten een sociaal-maatschappelijke kentering. In economisch opzicht ging het steeds beter, waardoor ook de lonen in de zorg konden stijgen. De rol van de autoriteit (dominee, leraar, politieman) werd aangetast en de bevoogdende invloed van de kerken op het maatschappelijk leven verdween goeddeels. Allerlei groepen eisen hun rechten op: vrouwen, homo's, etnische groepen en ook ouderen.

Deze ontwikkelingen maakten de samenleving enerzijds vrijer, geëmancipeerder, maar ook minder overzichtelijk en minder vanzelfsprekend. Financieel kregen ouderen door de AOW en betere pensioenen meer armslag. De huidige generaties ouderen beschikken daardoor gemiddeld over een redelijke koopkracht en kunnen dus ook eisen stellen. Daar staat tegenover dat door de toename van het aantal ouderen de kosten voor de gezondheidszorg sterk stijgen. Bij het zoeken naar wegen om de begroting sluitend te krijgen, wordt daarom bijvoorbeeld de AOW-leeftijd opnieuw ter discussie gesteld.

De relatie tussen vraag en aanbod

Tot in de jaren tachtig was het verzorgingshuis vrijwel het enige alternatief voor ouderen die het thuis niet meer konden redden. Sindsdien is er een scala aan mogelijkheden ontwikkeld om aan de individuele woonbehoeften van ouderen tegemoet te komen. Onder het motto *zorg op maat* is dit later een begrip geworden.

Daarbij is het uitgangspunt dat de oudere zo lang mogelijk in de eigen woning blijft en dat de verhuizing naar het verzorgings- of verpleeghuis zo lang mogelijk wordt uitgesteld, of – als het kan – helemaal niet plaatsvindt. Om dit mogelijk te maken, is er zowel in de sfeer van woningaanpassing als in allerlei vormen van zorg- en dienstverlening een gevarieerd aanbod ontstaan. Daarnaast wordt er ook nadrukkelijk een beroep op de sociale omgeving van ouderen gedaan: partner, familie en buren bieden de zogenoemde *mantelzorg*. Ook vrijwilligerswerk wordt sterk gepromoot. Er wordt gestreefd naar een sluitende keten van voorzieningen op het gebied van wonen, dienstverlening en zorg. Kenmerk is: zo veel als nodig en zo lang als noodzakelijk.

2.4 Kenmerken

In de ouderdom zijn mensen kwetsbaarder voor ziekte en lichamelijke ongemakken. Met medicijnen, behandeling, verpleging, zorg en ondersteuning wordt geprobeerd de oudere in staat te stellen om het leven zo veel mogelijk volgens eigen gewoonten en inzichten voort te zetten.

Technologische ontwikkelingen kunnen hierbij een belangrijke rol spelen: alarmeringssystemen, hulpmiddelen als een rollator of een traplift, een aangepaste woning, communicatie via internet en dergelijke. Hierbij moet wel bedacht worden dat techniek nooit in de plaats kan komen van warme, menselijke zorg, maar in bepaalde situaties wel extra zekerheid en veiligheid kan bieden.

Ouderdomsziekten

Als je een hoge leeftijd hebt bereikt, is dat een bewijs dat je bepaalde risico's om te overlijden hebt overleefd. Je zou dat een positief gegeven kunnen noemen. Maar het moment dat je alsnog te maken zult krijgen met een fatale ziekte of aandoening is onontkoombaar: je moet immers ergens aan doodgaan. Dat levert de schijnbare paradox op dat naarmate mensen ouder worden – een teken van gezondheid – ze op dat punt steeds meer problemen krijgen. Hoe ouder hoe sterker, maar ook hoe ouder hoe meer kans op ziekte. Toch is dat logisch: als je op je twintigste overlijdt aan een verkeersongeluk krijg je geen kans om op latere leeftijd dement te worden.

We onderscheiden ziekten en aandoeningen naar hun aard:
*   *somatisch* (lichamelijke ziekten zoals hart- en vaatziekten of kanker);
*   *psychisch* (bijvoorbeeld trauma's, depressie);
*   *psychogeriatrisch* (vormen van dementie).

Het gaat hier om een theoretisch onderscheid. In de praktijk is er natuurlijk sprake van een sterke wisselwerking tussen deze gebieden. Wanneer bij iemand bijvoorbeeld kanker wordt vastgesteld, heeft dat invloed op zijn stemming. Bepaalde medicijnen kunnen ook wanen veroorzaken. En iemand die lijdt aan de ziekte van Parkinson heeft vaak te maken met dementieverschijnselen en depressieve stemmingen. Bovendien is het zo dat het bij ouderen meestal niet om één ziekte gaat, maar om meerdere tegelijkertijd. De geriatrie houdt zich daarom niet alleen bezig met de ziekten die in het bijzonder bij ouderen voorkomen, maar juist ook met de verbanden daartussen en de wederzijdse beïnvloeding.
Hieronder volgen in het kort een aantal van de meest voorkomende ziektebeelden bij ouderen en de effecten daarvan op hun leven en welbevinden.

Somatische ziekten
Belangrijke somatische ziekten zijn:
*   kanker;
*   hart- en vaatziekten;
*   neurologische aandoeningen (bijvoorbeeld de ziekte van Parkinson);

65

- longziekten;
- diabetus mellitus type II ('ouderdomssuiker');
- osteoporose (botontkalking);
- hersenschade (CVA, een hersenbloeding of vaatverstopping, in de volksmond ook wel beroerte genoemd).

Ook kunnen op hogere leeftijd de gevolgen van roken, overmatig drankgebruik en overgewicht leiden tot gezondheidsproblemen.

Zoals hiervoor al is gezegd hebben ouderen – vooral mensen van boven de tachtig jaar – vaak te maken met meer dan één chronische ziekte. Dit betekent dat ze meerdere medicijnen moeten slikken, met het risico dat dit weer tot complicaties leidt. Een ander probleem kan zijn dat een oudere voor zijn hartproblemen op de afdeling cardiologie behandeld wordt, maar dat ze daar niet ingesteld zijn op zijn gedragsproblemen.

Psychische ziekten
Tot de meest voorkomende psychische problemen onder ouderen behoren de stemmingsstoornissen. Nogal wat ouderen verkeren in een sociaal isolement, wat kan leiden tot depressie en wanen. Als je een groot deel van de dag alleen bent doordat belangrijke personen uit je leven verdwenen zijn door overlijden, verhuizing of immobiliteit, wordt de vraag naar de zin van het leven – al zal die niet altijd zo concreet worden geformuleerd – lastig te beantwoorden. Ook eerder opgedane traumatische er-

varingen (oorlog, scheiding, verlies van dierbaren) of het opspelen van schuldgevoelens kunnen tot grote psychische problemen leiden.

Psychogeriatrische ziekten
Als er één ziekte is die geassocieerd wordt met de ouderdom is het wel dementie (letterlijk: ontgeesting). Dementie komt vooral tot uitdrukking in de geheugenfunctie. Deze heeft vooral betrekking op het besef van:
- tijd (in welk jaar leven we?);
- plaats (waar ben ik nu?);
- persoon (wie is die meneer met die hoed?).

In zijn uiterste vorm kan dit leiden tot een haast vegetatief bestaan, waarin men zich niet meer bewust is van zijn omgeving.

Dementie uit zich niet alleen in een afnemend geheugen. Ook het verrichten van routinehandelingen, zoals koffiezetten of zich aankleden, kan een probleem worden. Een ander effect van dementie is zichtbaar in het gedrag: iemand weet bijvoorbeeld niet meer hoe hij zich in gezelschap moet gedragen of zich moet uitdrukken. Dit kan leiden tot pijnlijke situaties.

Er zijn verschillende soorten dementie: de meest voorkomende (60 tot 70 procent) en bekende vorm is de *ziekte van Alzheimer*. Daarbij krimpt de hersenmassa geleidelijk en verdwijnen er steeds meer geheugenfuncties. Het tempo waarin dat verloopt kan verschillen. Opvallend is dat vaak de oudste herinneringen het langste bewaard blijven.

De kans op dementie neemt toe naarmate je ouder bent. Momenteel zijn er in ons land ongeveer 230.000 alzheimerpatiënten en de verwachting is dat dit aantal de komende decennia nog zal verdubbelen.

Beleving

We kennen allemaal het gezegde 'ouderdom komt met gebreken' en uit het voorgaande blijkt de feitelijke juistheid daarvan. Het is echter belangrijk onderscheid te maken tussen de *feitelijke* gezondheidssituatie en de *beleving* daarvan. Uit onderzoek blijkt dat het lijden aan een ziekte wordt verlicht of zelfs teniet wordt gedaan door enerzijds de sociale steun van de partner, familie en vrienden en anderzijds de persoonlijke hulpbronnen (*coping resources*). Met andere woorden: er is verschil tussen de feitelijke gezondheidstoestand en de subjectieve beleving daarvan.

Voor die subjectieve beleving gebruiken we (bij gebrek aan beter) het begrip 'welzijn'. Welzijn heeft betrekking op het hele complex van lichamelijke, geestelijke en sociale factoren dat uiteindelijk de uitkomst bepaalt van de vraag: heeft het leven mij nog genoeg te bieden als ik alle positieve en negatieve factoren tegen elkaar afweeg? Die vraag kan op verschillende manieren beantwoord worden, afhankelijk van de persoon, het moment, de situatie en het perspectief. Er blijft dus niets anders over dan elke keer opnieuw deze complexiteit zo goed mogelijk te benoemen en vervolgens naar beste kunnen te handelen.

Waar bemoeien ze zich toch mee?

'Vanmorgen kwam er weer iemand anders van de thuiszorg om me mijn medicijnen te geven. Ze denken dat ik het zelf niet meer kan, dus komt er twee keer per dag iemand voor mijn pilletjes. 's Morgens heb ik wel negen verschillende medicijnen en 's avonds ook nog een stuk vier van die tabletjes. Het vervelende is dat de een al om negen uur komt en de ander pas tegen halftwaalf. Die nieuwe snapte weer eens niet precies wat ik moest hebben. Ze zat in dat logboek te kijken wat ze precies moest doen en op gegeven moment vroeg ze aan me: "Gebruikt u die antibiotica nog?" Ja mens, dacht ik, dat moet jij weten. Ik mag me er toch niet meer mee bemoeien? Ze belde toen maar even met het kantoor en na veel vijven en zessen was ze eruit.

"Drinkt u wel genoeg?" vroeg ze, "u weet toch dat het belangrijk is dat u regelmatig vocht binnenkrijgt?" Dat zeggen ze allemaal, maar ik moet er zo ontzettend van plassen, ik kan wel op de wc blijven zitten met die zwakke blaas van mij.

"Hebt u voor vanavond al eten in huis?" Waar bemoeit iedereen zich toch mee? Ik heb mijn leven lang voor mezelf gezorgd en dan komt er zo'n snotneus die mij wel even zal vertellen wat ik moet doen.

"Zorg goed voor uzelf, hoor," zei ze nog toen ze eindelijk de deur uitstapte. En ik dacht: Zo, dat hebben we ook weer gehad. Wat is er op de tv?'

2.5 Cijfers

De ontwikkelingen op het gebied van de *gezondheidszorg* hebben geleid tot een sterke stijging van de gemiddelde leeftijd. De afgelopen vijftig jaar is in Nederland de levensverwachting van mannen toegenomen tot ruim 78 jaar en van vrouwen steeg deze tot ruim 82 jaar. We hebben het hier over *gemiddelde* leeftijden; in absolute zin worden we ook ouder, maar de winst zit vooral in het terugdringen van kindersterfte en verbeterde behandelingsmethoden van ziekten als tbc, kanker, hart- en vaatziekten.

Opvallend is verder het verschil tussen de verschillende bevolkingsgroepen op het punt van gezondheid en levensverwachting. Mannen met alleen lager onderwijs leven gemiddeld vijf jaar korter dan mannen met een hbo- of universitaire opleiding. Bij vrouwen is dit verschil 2,5 jaar. Nog grotere verschillen bestaan in de 'gezonde levensverwachting'. Hiermee wordt de periode bedoeld die men leeft zonder chronische aandoening. Voor lager opgeleide mannen is deze tien jaar korter dan voor hoger opgeleiden. Bij vrouwen is het verschil 5,5 jaar. Met andere woorden: mannen met alleen lagere school hebben perspectief op gemiddeld 49 gezonde jaren en op 24 jaren met een chronische ziekte. Hoogopgeleide mannen leven gemiddeld ruim 61 jaar zonder en ruim 14 jaar met een chronische ziekte.

Onderzoekers stellen dat dit verschil verkleind zou moeten worden, en ze geven daarvoor als aanbeveling onder meer een verbetering van woon- en werkomstandigheden en leefgewoonten in de lagere klassen.

Kostenontwikkeling

Bijna een tiende van ons nationaal inkomen gaat naar de gezondheidszorg, en toch staat de begroting voor volksgezondheid nog steeds onder druk. De medische technologie ontwikkelt zich in een sneltreinvaart met een autonome dynamiek. In onderzoeken naar wat mensen belangrijk vinden, scoort een goede gezondheid zeer hoog en we worden gefascineerd door wat er allemaal mogelijk is. Toch zal de samenleving als geheel uiteindelijk moeten bepalen welke mogelijkheden wél en welke niet verder worden ontwikkeld, want het zijn niet alleen economische grenzen waar we tegen aanlopen: ook ethische dilemma's stellen ons voor heel principiële keuzen.

Marktwerking en concurrentie worden in de politiek wel gezien als natuurlijke reguleringsmiddelen voor de economische kant van het probleem: de reële vraag bepaalt dan welke ontwikkelingen wel of geen voortgang zullen vinden. De laatste tijd wordt echter ook steeds duidelijker dat een teveel aan marktwerking in de gezondheidszorg ertoe kan leiden dat marginale groepen in de samenleving in de verdrukking kunnen komen. In het blad *Leeftijd* werd daar in 1993 al voor gewaarschuwd: 'Want er is natuurlijk geen markt voor zwakzinnigheid en dementie. (...) Er kan een moment komen dat de samenleving zegt dat ze het geld liever aan andere zaken uitgeeft. Het is makkelijk om mensen die zich minder goed kunnen verweren de zwartepiet toe te spelen en te zeggen: sorry, het budget voor de bejaardenoorden is op, ga maar met z'n vieren op een kamer zitten.'

2.6   Werken in de ouderenzorg

Sylvia: vakantiewerk als kennismaking met werken in een verpleeghuis

'Ik had vorig jaar een vakantiebaantje in een verpleeghuis. Ik moest daar helpen met koffie schenken, broodmaaltijden serveren, mensen begeleiden naar therapie, dat soort dingen. De bewoners waren allemaal dement, de een wat erger dan de ander. Toen ik daar begon wist ik niet wat ik meemaakte. Een groot deel zat te slapen in zijn stoel, er reed een mevrouw rond in haar rolstoel, voortdurend liedjes zingend, en een ander maakte soms zomaar heel harde geluiden, zoals een pauw of een papegaai. Verder gebeurde er niet veel.

Plotseling hadden er twee mensen een ontzettende ruzie met elkaar, waar het om ging was niet duidelijk, maar ze gingen elkaar bijna te lijf. Een verzorgster snelde toe en begon de zaak te sussen. Ze deed dat op een geweldige manier. Het heeft in zo'n situatie weinig zin om de zaak uit te willen praten, want ook die mensen wisten waarschijnlijk niet eens meer waardoor de ruzie was ontstaan. De verzorgster sprak op een heel rustige toon tegen ze. Daarbij hield ze hun hand vast. Wat ze precies zei kon ik niet goed horen, maar het kalmeerde de mensen wel. Vooral die aanraking werkte goed. Toen de eerste commotie voorbij was reed ze de ene vrouw in haar rolstoel naar de tafel en schonk een kopje thee voor haar in. Ook pakte ze haar nog eens lekker vast en zei geruststellende dingen tegen haar. Dat deed ze vervolgens ook bij de andere vrouw en de rust keerde weer.

Wat ik aan haar ingreep zo knap vond, was die combinatie van rust, doortastendheid, respect en vooral ook de warme betrokkenheid die ze toonde. Ik heb er met bewondering naar staan kijken.'

De wijze waarop we ouderen in onze beroepspraktijk tegenkomen, kan zeer uiteenlopen, afhankelijk van de situatie en de behoeften van de cliënt:
- *incidenteel* (bijvoorbeeld huisvesting, indicatie, informatie);
- *tijdelijk* (rouwverwerking, financiële of juridische problemen);
- *langdurig* (gezondheid, eenzaamheid of relatieproblematiek).

Wat betreft het *type cliënt* zijn vooral het inkomen en de sociale positie bepalend. Mensen met een laag inkomen en een lage sociale status (opleiding, klasse) zullen eerder hulp of begeleiding nodig hebben dan mensen met een hoger inkomen en een betere opleiding.

Concreet gaat het dan vooral om:

- vrouwen die geen eigen pensioen hebben kunnen opbouwen;
- mensen die geen 'normaal' beroepsleven hebben gehad (WAO/WIA, werkloosheid);
- mensen die te kampen hebben met gezondheidsproblemen (ziekten, diëten, handicaps);
- allochtone ouderen die geen behoorlijk pensioen hebben kunnen opbouwen, hun spaargeld naar familie in het land van herkomst stuurden, over het algemeen nauwelijks gebruikmaken van voorzieningen en voor hulp en ondersteuning afhankelijk zijn van familie.

Kortom, de bekende potentieel kwetsbare groepen in de samenleving zijn dat op hun oude dag nog in versterkte mate. Het sociaalagogisch werk zal zich dan ook in eerste instantie op deze groepen richten.

Wat betreft de oudere allochtonen doet zich daarbij ook nog een belangrijke *vorm- en methodiekvraag* voor: de situatie is redelijk nieuw en zowel hulpverleners als de betrokkenen zelf zijn nog op zoek naar de meest geschikte antwoorden op de hulpvragen van deze groep. De laatste jaren zijn er overigens al veel experimenten geweest en langzamerhand beginnen zich nieuwe vormen van zorgverlening af te tekenen. Het sociaalagogisch werk kan daarin een initiërende, informerende, ordenende, ondersteunende en evaluerende rol spelen.

Mantelzorg

Naast de kwetsbare oudere zelf verdient de *mantelzorger* aandacht. Deze wordt in het beleid vaak over het hoofd gezien, terwijl hij voor de thuiswonende oudere bepalend is voor de vraag of de leefsituatie nog draaglijk is of niet. De mantelzorger (levenspartner, dochter/zoon of ander familielid, buren) is soms zelf ook oud. Zeker waar het de levenspartner betreft is de zorg voor de afhankelijke ander vaak zwaar en uitzichtloos. Mantelzorg is geen rol waarvoor je kiest. Je komt er eenvoudig voor te staan. Vaak is dit een heel geleidelijk verlopend proces, waarbij de zorgzwaarte toeneemt. Voor mantelzorgers is te weinig aandacht en de omgeving accepteert hun inzet vaak als vanzelfsprekend, zonder te vragen wat het ze kost aan psychische en fysieke inspanning. Het gevolg kan zijn dat mantelzorgers op een gegeven moment onder de last bezwijken en dat er plotseling ingegrepen moet worden. Uit onderzoek blijkt dat bijna één op de vijf mantelzorgers overbelast is.

Hopelijk brengt de invoering van de Wet maatschappelijke ondersteuning (WMO) ook meer actieve aandacht en ondersteuning voor de mantelzorger met zich mee. Maar dan zal eerst nog wel de kloof tussen beleid
en uitvoering overbrugd moeten worden.

Verschuivingen in de hulpverlening

Gezien het beleid om ouderen zo lang mogelijk in hun eigen huis te laten
en de zorg- en dienstverlening waar nodig ambulant aan te bieden, zou
het sociaalagogisch werk om te beginnen *signalerende, belangenbeharti-
gende* en *preventieve kerntaken* moeten vervullen. Wetenschappelijke onderzoeken laten zien dat ouderen voldoende inkomen willen, goed ver-
voer, voorzieningen in de buurt en hulp als het nodig is. Het is de taak
van welzijnswerkers om uit te zoeken wat de belangen en hulpvragen van
individuele ouderen in hun wijk zijn. Daaruit vloeien dan vanzelf taken
op het gebied van materiële en psychosociale hulpverlening voort. Rapportage, informatie en visieontwikkeling zijn zeker ook gezien de huidige
eisen vanzelfsprekend van belang.

Ambulante zorg en ondersteuning

Het beleid is er sterk op gericht dat ouderen zo lang mogelijk in hun eigen omgeving blijven wonen, zo nodig ondersteund door thuiszorg voor
huishoudelijk werk en ambulante medische zorg. Veel ouderen wonen alleen of samen met een zorgbehoevende partner. Zij kunnen behoefte hebben aan informatie en ondersteuning op het gebied van zorg, financiën,
woonaanpassing, doorverwijzing, enzovoort. Soms zijn er ook vragen op
het psychosociale vlak, zoals rouwverwerking, perspectief en zingeving.

Hier ligt een belangrijke taak voor de hulpverlening, die daar actief
naar op zoek moet gaan, want veel ouderen zullen niet gemakkelijk uit
zichzelf om hulp komen vragen. Het grote belang van coördinatie en afstemming bij de interdisciplinaire samenwerking tussen arts, thuiszorg,
maatschappelijk werk, cultureel werk, de wijkagent, intramurale zorginstellingen en vrijwilligersorganisaties is al eerder benadrukt. De maatschappelijk werker kan daarbij de rol van *casemanager* vervullen.

2.7 Mogelijke functies in de ouderenzorg

Maatschappelijk werker bij het CIZ (Centrum Indicatiestelling Zorg)

Het CIZ is een onafhankelijke organisatie die aanvragen voor zorg, wonen of welzijn beoordeelt in het kader van de Algemene wet bijzondere ziektekosten (AWBZ). De AWBZ geldt voor alle leeftijden, maar een groot deel van de cliënten behoort tot de ouderen. Degene die de indicatie vaststelt is meestal een maatschappelijk werker. De AWBZ onderscheidt vijf soorten zorg:

- *persoonlijke verzorging* (hulp bij douchen, aankleden, medicijngebruik en dergelijke);
- *verpleging* (wondverzorging, injecties);
- *begeleiding* (ondersteuning bij de organisatie van het dagelijks leven);
- *verblijf* (tijdelijk of permanent verblijf in een zorginstelling);
- *behandeling* (revalidatie, (val)preventie, verbeteren van vaardigheden en gedrag).

De indicatie vindt in de regel plaats op basis van de aanwezige schriftelijke informatie en een onderzoek. Dat kan soms telefonisch, maar vaak vindt er ook nog een persoonlijk gesprek plaats. Daarbij wordt gekeken naar wat iemand zelf kan en waarbij hulp nodig is, hoe de woonomstandigheden zijn, welke hulp al aanwezig is en wat de ideeën van de betrokkene zelf zijn. Soms wordt er ook nog nadere informatie ingewonnen bij de huisarts of specialist.

Als alle gegevens compleet zijn, wordt het indicatiebesluit genomen en wordt de *zorgzwaarte* bepaald. Hóe die zorg daadwerkelijk verleend wordt en door wie, wordt niet door het CIZ geregeld.

Het besluit over de zorgzwaarte wordt naar de betrokkene gestuurd en naar het zorgkantoor (de zorgverzekeraar). Die regelt dat de benodigde zorg wordt verleend, rekening houdend met de wensen van de betrokkene. De zorg kan worden verleend als thuiszorg of in een verzorgings- of verpleeghuis of een instelling voor begeleid wonen, maar er kan bijvoorbeeld ook gekozen worden voor een persoonsgebonden budget (PGB), waarbij de cliënt zelf de zorgverlening organiseert.

Sociaal-cultureel werk en voorlichting in de buurt

Bij het ontwikkelen en opzetten van projecten of activiteiten voor ouderen is het in de eerste plaats de vraag of er voor een categoriale of een algemene aanpak moet worden gekozen. Zoals eerder aangegeven vormen ouderen niet vanzelfsprekend een groep en kan een categoriale benadering stigmatiserend werken, waar juist integratie doel zou moeten zijn. Anderzijds kan een leeftijdsgebonden aanbod drempelverlagend werken en zijn sommige activiteiten heel specifiek gericht op ouderen.

Buurtactiviteiten waarbij leeftijd geen rol speelt, zijn bijvoorbeeld gezamenlijke eetprojecten, waaraan zowel bijvoorbeeld studenten als alleenstaanden en ouderen kunnen deelnemen. Ook andere activiteiten, zoals het opknappen van de buurt, huiswerkbegeleiding, veiligheid op straat, het levend houden van de buurtgeschiedenis, (begeleiden bij) sport en spel, informatieavonden over plannen met de buurt zijn niet gebonden aan bepaalde leeftijden. Zo nodig kun je ouderen hiervoor specifiek uitnodigen. Houd er dan rekening mee dat sommige ouderen liever niet 's avonds laat nog over straat gaan. Eventueel kunnen mensen die moeilijk ter been zijn opgehaald worden.

Bij het aanbieden van computercursussen is het soms wel zinvol om een apart senioraanbod te doen, omdat sommige ouderen zich op dit gebied erg onzeker voelen en de drempel tot deelname anders te hoog zou worden.

Specifiek leeftijdsgebonden thema's kunnen zijn:
- valpreventie;
- themabijeenkomsten voor dementerende ouderen en hun partners;
- meer bewegen voor ouderen;
- opzetten en onderhouden van telefooncirkels en dergelijke.

Bij dit alles is het ook belangrijk om in het aanbod rekening te houden met sekse en etnische achtergrond. Liggen daar mogelijk drempels of specifieke aandachtspunten?

Ouderenadviseur

Veel ouderen wonen alleen of met een zorgafhankelijke partner. Zij kunnen behoefte hebben aan informatie en ondersteuning op gebieden als zorg, financiën, woonaanpassing, doorverwijzing, enzovoort. Dikwijls neemt de ouderenadviseur zelf het initiatief voor een gesprek, want veel ouderen zullen niet gemakkelijk uit zichzelf om hulp komen vragen of kennen gewoon de mogelijkheden niet.

Een ouderenadviseur kun je tegenkomen in buurtcentra, maar ook bij welzijns- en adviesorganisaties (vroeger vaak Stichtingen Welzijn Ouderen geheten) en het algemeen maatschappelijk werk. Het gaat daarbij om drie grote gebieden:
* ouderenadvies;
* psychosociale hulpverlening;
* maatschappelijke ondersteuning.

Ouderenadvies: de ouderenconsulent kan hulp en advies geven bij het aanvragen van alarmering, assisteren bij het invullen van formulieren, informeren en adviseren over vragen op het gebied van financiën, wonen, welzijn en zorg.

Psychosociale hulpverlening: veel ouderen krijgen te maken met verlieservaringen doordat dierbaren uit hun omgeving overlijden, hun sociale netwerk krimpt en zij lichamelijk en geestelijk achteruitgaan en minder mobiel worden. Dit kan leiden tot eenzaamheidsgevoelens, angsten en een depressieve stemming. Praten daarover helpt vaak, eventueel kan ook doorverwijzing noodzakelijk zijn.

Maatschappelijke ondersteuning: hierbij gaat het om allerlei culturele, sportieve en (re)creatieve activiteiten voor ouderen, maaltijdprojecten, belastingspreekuur en dergelijke.

Bij dit alles is er weer de noodzaak van interdisciplinaire samenwerking met de thuiszorg, het maatschappelijk werk, cultureel werk, de wijkagent, intramurale zorginstellingen en vrijwilligersorganisaties.

Sociaalpedagogisch werk en ouderen

Ouderen kom je tegen in allerlei vormen van intramurale zorg en opvang: algemene en psychiatrische ziekenhuizen, instellingen voor verstandelijk

gehandicapten, somatische en psychogeriatrische verpleeghuizen, revalidatiecentra, verzorgingshuizen en de dak- en thuislozenopvang. Naast
de individuele begeleidingstaak worden daar vaak ook groepsactiviteiten
georganiseerd, gericht op rehabilitatie, revalidatie, beweging en ontspanning.

Het aantal ouderen in instellingen voor mensen met een verstandelijke handicap is de laatste tijd sterk gegroeid. Dit heeft te maken met
de ontwikkelingen op medisch gebied. Mensen met het syndroom van
Down werden vroeger meestal niet ouder dan ongeveer veertig jaar; nu
ligt de gemiddelde leeftijd een stuk hoger, maar velen van hen krijgen op
betrekkelijk jonge leeftijd te maken met de ziekte van Alzheimer. Dit gegeven heeft gevolgen voor het woon- en leefklimaat binnen de instelling
en voor de taakinhoud en deskundigheid van het personeel. Ook binnen de psychiatrie komen er steeds meer oudere patiënten. Daarbij kan
nog onderscheid gemaakt worden tussen chronische psychiatrische pati-
enten, die al een groot deel van hun leven binnen een instelling hebben
gewoond, en mensen die op latere leeftijd worden opgenomen.

Binnen deze werksetting kunnen mensen met een sph-opleiding belangrijk werk doen, zowel waar het gaat om groepsactiviteiten als om
meer individuele begeleidingstaken.

Belangrijk is ook het *contact met familieleden*. Zeker waar deze vóór de
opname kortere of langere tijd mantelzorgtaken hebben vervuld, is het
noodzakelijk hen te betrekken bij de zorg binnen de instelling. Op welke
wijze en op welke schaal dat gebeurt is natuurlijk per situatie verschillend, maar degenen die 'achterblijven' hebben vaak de behoefte om nog
een bepaalde rol te vervullen. Ook kunnen zij last hebben van schuldgevoelens en het gevoel tekort te zijn geschoten tegenover hun partner of
verwant. Het is goed daaraan vanuit de instelling aandacht te besteden;
als de overgang naar het tehuis voor beide partijen goed verloopt, is dat
in ieders belang.

Methoden in het ouderenwerk

Principieel kun je stellen dat het werken met ouderen geen aparte, eigen methodiek kent. Ouderen zijn gewoon volwassenen, vormen geen
groep en voelen zich geen groep. Wel kun je zeggen dat er bepaalde aandachtspunten zijn in de omgang met ouderen. Die hebben te maken met
cultuur, zoals aanspreekvorm en kleding, met handicaps, zoals slechter
kunnen horen of geen kleine lettertjes kunnen lezen, met tempo, met omgevingsfactoren, met interesses, normen en waarden en met perspectief.

Maar al deze factoren zijn ook relevant voor andere doelgroepen, alleen liggen daar andere accenten. Elke poging om een 'methodiek van het ouderenwerk' te formuleren loopt uiteindelijk vast op ofwel stereotypering ofwel een zodanig ruime formulering dat deze ook op andere categorieën toegepast kan worden.

Voor bepaalde problemen of ziekten, bijvoorbeeld de ziekte van Alzheimer, zijn er wel bepaalde omgangsmethodieken, maar de benadering van een alzheimerpatiënt van 45 jaar is in principe niet anders dan die voor een patiënt van 82. Wel verschillen in een dergelijke situatie natuurlijk de omgevingsfactoren en het perspectief.

Methodisch werken: reminiscentie als voorbeeld

Een voorbeeld van een methode die heel goed te gebruiken is in het werken met ouderen is *reminiscentie*. Deze methode kan ook uitstekend aangepast worden aan de specifieke situatie van het individu of de groep.

Reminiscentie betekent herinnering, bijvoorbeeld aan school, de buurt waarin je opgroeide of bijzondere gebeurtenissen die je bij zijn gebleven omdat ze zo leuk, gek of soms ook zo verdrietig waren. Het doel van reminiscentie kan een gezellig groepsgesprek zijn over de schooltijd en hoe anders die tegenwoordig is, maar kan ook helpen om met iemand te praten over zijn jong overleden moeder of een heel angstige ervaring. Je moet er als sociaal werker wel goed op bedacht zijn dat herinneringen soms heftige emoties kunnen oproepen. Een gesprek over de Tweede Wereldoorlog zou bijvoorbeeld kunnen leiden tot pijnlijke confrontaties tussen mensen die in het verzet hebben gezeten en mensen die 'fout' zijn geweest.

Goede hulpmiddelen bij zo'n gesprek kunnen oude foto's zijn, voorwerpen uit die tijd (een kolenkit, een rijwielplaatje uit de jaren dertig, een korset), geuren (teer, levertraan) of een film uit die tijd. In de woon-zorginstelling Akropolis van Humanitas in Rotterdam is zelfs een reminiscentiemuseum.

Voor de semi- en intramurale hulpverleningstaken is samenwerking met andere disciplines van wezenlijke betekenis. Om goed te kunnen samenwerken is niet alleen een duidelijke kijk op het eigen vak van belang (en dit in de discussies ook kunnen verwoorden), maar vooral ook het kennen van cultuur, taalgebruik en domein van de andere disciplines. Het beroepsprofiel van de verschillende sociaalagogische beroepen heeft een positieve werking waar het de bescherming en duidelijkheid van beroepen dient. Wanneer dit echter doorschiet naar verstarde protocollen en terreinafbakeningen kan dit de onderlinge samenwerking behoorlijk frustreren.

2.8   Wat vraagt werken met ouderen van je en wat levert het op?

Voor veel jongeren is het werken met ouderen geen voor de hand liggende keuze. Het leeftijdsverschil is aanzienlijk en de belevingswereld en het levensperspectief van iemand van twintig wijken nogal af van die van een tachtigjarige. Vaak overheerst ook het idee dat er aan ouderen weinig eer te behalen valt: de achteruitgang is immers niet tegen te houden. Ook de negatieve beeldvorming die bij velen bestaat (niet van deze tijd, zeurderig, krakkemikkig) nodigt niet erg uit.

Dat beeld is echter niet alleen nogal stereotiep, het is ook onjuist. Ouderen zijn net zo verschillend als mensen van een andere leeftijdsgroep. Er zijn interessante en saaie ouderen, vrolijke en chagrijnige, lieve en nare. Interessant aan ouderen is om erachter te komen wat het leven met hen gedaan heeft, waarom ze geworden zijn zoals ze nu zijn.

Wat betekent het om kinderen te krijgen tijdens de oorlog, om ontslagen te worden, je kind te verliezen? Ouderen vormen een levend geschiedenisboek en zijn ook jong geweest, hebben hun dromen gehad, successen en teleurstellingen beleefd, verdriet en vreugde gekend. Als je daar oog voor hebt, vormen ouderen een rijke groep om mee te werken en zul je regelmatig versteld staan wat iemand allemaal heeft meegemaakt en hoe hij hiermee is omgegaan. Daar kun je soms veel van leren, maar je moet er wel open voor staan.

Werken met ouderen is in veel opzichten niet anders dan werken met jongeren. Ieder mens, oud of jong, heeft behoefte aan belangstelling, warmte, respect en veiligheid. Speciale aandachtspunten in de omgang met ouderen hebben vooral te maken met (omgangs)vormen, tempo, bejegening, geduld en acceptatie. Oudere mensen zijn minder kneedbaar dan kinderen. Je kunt dat star noemen, maar de vele ervaringen die zij in hun leven hebben opgedaan hebben hen nu eenmaal zo gevormd, soms in positieve zin, soms ook in negatieve zin. Daarmee zul je het moeten doen.

Ook zul je moeten accepteren dat de achteruitgang soms niet te stoppen is. Dat de ruzie met die ene zoon waar een oudere dame zo verdrietig over is niet wordt bijgelegd; dat iemand bang is voor de dood. Daar staat echter tegenover dat veel ouderen je dikwijls heel dankbaar zijn voor datgene wat je voor ze doet en voor je aandacht en begrip.

Werken met ouderen gaat vaak over heel elementaire zaken: leven en dood, ziekte en gezondheid, geluk en verdriet. In onze vaak snelle en oppervlakkige wereld, waar vorm soms belangrijker is dan inhoud, kan het contact met ouderen je helpen te relativeren, je terug te brengen tot de kern waar het in het leven om draait.

2.9   Besluit

Het dagboekfragment waarmee dit hoofdstuk opende, is een voorbeeld van wat je tegen kunt komen in het werken met ouderen. Wat de cliënt hier naar voren brengt, is volgens de inschatting van de ouderenadviseur niet waar het echt om gaat, al kan het geluid van een druppelende kraan behoorlijk irriteren. Hij voelt dat het ongenoegen en de kwaadheid een dieperliggende oorzaak hebben. Daar zit verdriet bij en onzekerheid over hoe het nu verder moet, angst voor de dood misschien. Kun jij je in zo iemand verplaatsen, iemand die zo weinig lijkt op jou zelf of de meeste mensen in je omgeving?

Is er wel een oplossing voor het probleem van deze cliënt en zou jij daarbij een rol kunnen spelen? Roept een dergelijke situatie bij jou vooral onmacht of afstand op? Of zie je nog wel mogelijkheden om iets voor deze man te betekenen en op welke manier dan?

Je zou ervoor kunnen kiezen de huismeester in te schakelen om iets te doen aan die lekkende kraan, die klemmende deur en die kapotte centrale verwarming. Dan doe je wat deze cliënt vraagt en dat is natuurlijk goed, hoewel je weet dat daar zijn zorg eigenlijk niet ligt. Maar je weet ook dat als je doorvraagt er van alles naar boven kan komen en dat je volgende afspraak misschien in het gedrang komt, omdat je het gesprek dan niet zomaar kunt beëindigen.

Hoe zou je deze situatie kunnen aanpakken? Zou je volstaan met het geven van een telefoonnummer en het verder aan de cliënt overlaten? Ga je deze kwestie bespreken met een collega, draag je dit probleem liever over aan een ander of ga je toch zelf aan de slag? De man kent je nu, je hebt iets gedaan aan zijn klachten en dat geeft vertrouwen. Je hebt daardoor in ieder geval een ingang bij hem. Ga je ook naar binnen?

Vragen en opdrachten

1 Wat lijkt jou het ergste van de ouderdomsfase? En wat het leukste?
2 Voer een gesprek met een oudere over de vraag hoe hij/zij omgaat met beperkingen die het gevolg zijn van lichamelijke of geestelijke achteruitgang. Welke invloed hebben deze op het dagelijks leven en hoe gaat betrokkene daarmee om?
3 Voer een gesprek met een mantelzorger. Hoe ervaart deze zijn taak en verantwoordelijkheid? Waar liggen er problemen of knelpunten? Op welke wijze zou je als sociaal werker de mantelzorger kunnen ondersteunen?
4 Geef vijf motieven om te kiezen voor het werken met ouderen en vijf motieven om niét met ouderen te willen werken.
5 Wanneer wordt zorg betutteling? Hoe ga je in de hulpverlening om met het grote leeftijdsverschil tussen jou en de cliënt?

Literatuur

Becker, H.M. (2006). *Levenskunst op leeftijd. Gelukbevorderende zorg in een vergrijzende wereld.* Delft: Eburon.

Bleeksma, M. (2001). *Begeleiding van oudere cliënten met een handicap.* Baarn: Nelissen.

Buijssen, H.P.J. (red.) (1999/2000). *Psychologische hulpverlening aan ouderen (deel 1 en 2).* Nijkerk: Intro.

Buijssen, H.P.J. (2000). *De heldere eenvoud van dementie. Een gids voor de familie.* Tilburg: Tred.

Mercken, C. (2002). *Een buurt vol verhalen. Integratie van generaties en culturen door buurtreminiscentie.* Utrecht: NIZW.

Oostelaar, D. & G. Wolfswinkel (2006). *Ouderen in de samenleving. Basisboek voor hulp- en dienstverleners.* Bussum: Coutinho.

Steen, M. van der (2002). *De geraniums voorbij. Diversiteit en maatschappelijke betekenis van 65-85 jarigen.* Utrecht: LBL.

Wagemakers, A., J. Ubachs-Moust & L. Christ (red.) (2005). *Tijd van leven, tijd van zorgen. Essays over leeftijd, levensloop, gezondheid en zorg.* Utrecht: Expertisecentrum LEEFtijd.

Websites

- www.cbs.nl
- www.kenniscentrum-ouderen.nl
- www.minvws.nl
- www.scp.nl

3

Morgen is er weer een dag
Mensen met psychiatrische aandoeningen

Uit het dagboek van Zainab, ambulant woonbegeleider/rehabilitatie-werker

Dinsdag

Bij de heer B. kan ik altijd vroeg terecht. Hij woont zelfstandig en werkt overdag op een houtwerkplaats. Ik ondersteun hem met zijn administratie, financiën, post, hygiëne, huishouden, dieet, voedselbank, huisarts, enzovoort. Zijn diagnose is schizofrenie, maar daar is hij het zelf niet mee eens. Hij is al lange tijd goed ingesteld op medicatie en zijn toestand is stabiel. Hij zegt zelf dat de medicatie voor rugklachten is. Tijdens mijn bezoek hebben we het dus niet over zijn ziekte, maar over andere dingen.

Meneer B. bewaart zijn post ongeopend voor mij. Post beangstigt hem en maakt hem onzeker. Ik kom één keer per week bij hem, soms vaker. Dat hangt af van hoe het met hem gaat en of hij zelf aangeeft extra hulp nodig te hebben. Als ik verontrustende veranderingen in zijn houding of gedrag signaleer, dan kan ik rechtstreeks contact met de behandelaar opnemen.

Bij mijn vertrek vraagt hij me op de drempel van de voordeur opeens of ik hem geen Frans kan leren. Als ik hem verrast aankijk, vertelt hij dat hij nieuwe buren heeft die alleen maar Frans kunnen spreken. Hij wil wel eens een praatje met ze maken. Ik leg uit dat ik hem geen Frans kan leren, maar dat er daarvoor allerlei andere mogelijkheden zijn. We maken een aparte afspraak om over dit onderwerp eens rustig door te praten. Bij het afscheid roept hij me met een grote grijns achterna: 'Au revoir!' Hij houdt wel van een grapje.

Mijn volgende bezoek is bij mevrouw G. Meestal accepteert ze mijn woonbegeleiding wel, maar soms ook niet. Dan vindt ze me een bemoeial en doet de deur niet open: 'Ik heb de bel niet gehoord, ik sliep' of 'Ik was er niet…'

Vandaag heeft ze een slechte bui. Mannen op het dak hebben haar wakker gehouden en ze is boos dat ik de politie nog niet heb gebeld. 'Dat is toch jouw taak, nu heb ik je eens nodig en dan doe je niets.' Ik ga niet op haar uitdaging in en laat haar wat meer vertellen over wat haar heeft wakker gehouden. 'Er zitten Marokkanen op het dak. Ze zijn coke aan het dealen en willen mijn huis gebruiken als schuilplaats. De laatste weken hebben ze beeldjes en eten uit mijn huis gejat.'

Haar verhaal klinkt licht psychotisch en ik probeer na te gaan of mijn indruk klopt. Op dit soort momenten toets ik de feiten en haar waarneming. Gebruikt ze haar medicatie nog, hoe slaapt ze, eet ze genoeg, wat ziet en hoort ze precies?

Ik neem haar verhaal serieus. We bellen bij de buren aan om te vragen of zij ook geluiden hebben gehoord. Dit blijkt niet het geval. Mevrouw G. wil toch ergens anders logeren, want de mannen op het dak hebben het op haar gemunt. Samen bellen we haar dochter, waar ze vannacht mag logeren. We waarschuwen ook de behandelaar, die haar bij haar dochter zal bezoeken om de ernst van haar symptomen in te schatten.

's Middags op kantoor wachten allerlei administratieve klussen: het bijhouden van de rapportage en de dossiers van mijn cliënten. Verder nog wat telefoongesprekken en een intakegesprek dat ik samen met een collega voer. En ik bereid mijn inbreng voor onze teamvergadering van morgen voor. Het contact met mijn collega's, het onderling overleg en de steun die we elkaar kunnen bieden zijn voor mij erg belangrijk.

Op weg naar huis denk ik nog na over de wens van meneer B. Verrassend dat hij hiermee kwam! Wij werken vanuit de rehabilitatiebenadering. Dat betekent dat ik als rehabilitatiewerker nu met hem ga onderzoeken of we samen zijn wens in doelen kunnen omzetten (ontwikkelingsgericht werken).

Mijn werk gaat bijna altijd over veel geduld en het maken van erg kleine stappen, maar die kunnen voor de betrokken cliënt van enorme betekenis zijn. Soms lijken mensen nauwelijks in beweging te krijgen en moet je veel energie steken in het voorkomen en opvangen van narigheid. Maar ook dat kan van grote betekenis zijn voor mijn cliënten en hun omgeving. Het geeft me voldoening dat ik daaraan kan bijdragen.

3.1 Inleiding

Bij mensen met psychische of (wanneer vastgesteld door een psychiater) psychiatrische aandoeningen wordt meestal gesproken van een afwijkend psychisch functioneren (Vandereycken & Deth, 2004). Dat wil zeggen dat zij anders denken, voelen, waarnemen en handelen dan andere mensen in de samenleving.

Daarbij raak je direct al aan een belangrijk dilemma. Want wat is afwijkend? Waar ligt de grens tussen normaal en abnormaal? Er kunnen in de samenleving allerlei 'vreemde vogels' rondlopen, maar dat maakt nog niet dat we daar het etiket 'gestoord' op kunnen plakken. Ieder mens is anders en we hebben allemaal zo onze eigenaardigheden. Die eigenaardigheden bepalen ons karakter en maken deel uit van onze persoonlijkheid. De een is eigenzinniger, actiever, angstiger, dominanter, dwangmatiger, somberder of onaangepaster dan de ander. Maar dat duidt meestal niet op een psychische stoornis. De grens tussen normaal en gestoord kan bovendien flinterdun zijn.

De nadruk op het afwijkende karakter van het psychisch functioneren kan de indruk wekken dat mensen met psychische aandoeningen een afwijkende mensensoort vormen. Zij denken, voelen, waarnemen en handelen immers anders dan 'gewone' mensen? Op deze manier wordt gemakkelijk een beeld gecreëerd dat ze er eigenlijk niet helemaal bij horen en dat je ze dus maar beter een beetje op een afstand kunt houden.

De Braziliaanse schrijver Machado de Assis koos dit als thema voor zijn novelle *De psychiater* (1984). De hoofdpersoon, een zeer getalenteerde psychiater, blinkt zo uit in het stellen van diagnoses dat alle inwoners van zijn stadje spoedig in de inrichting belanden. Wanneer hij zich uiteindelijk realiseert wat hij heeft aangericht, ontslaat hij alle 'patiënten' en neemt zichzelf op.

Wat veel te weinig naar voren komt, is dat veel mensen met psychiatrische aandoeningen verrassend 'gewoon' zijn. Zij lijden weliswaar aan een psychiatrische aandoening, maar vallen daar niet mee samen. Bovendien kunnen hun psychische beperkingen samengaan met allerlei talenten en mogelijkheden. Zo leed de Amerikaanse president Abraham Lincoln aan depressief-melancholische aanvallen, de Italiaanse beeldhouwer, schilder, architect en dichter Michelangelo aan hevige stemmingsstoornissen en de schilder, graficus en tekenaar Vincent van Gogh aan psychoses en depressies. Om maar enkele van de vele voorbeelden te noemen.

Wat in de samenleving als afwijkend wordt beschouwd, wordt in hoge mate bepaald door de normen en waarden die er als maatgevend en richtinggevend worden gezien. Dat is geen statische toestand, maar een dynamisch geheel dat wordt bepaald door culturele invloeden en maatschappelijke en economische ontwikkelingen. In de loop der tijd zijn er dan ook diagnoses gekomen en gegaan. Diagnoses als hysterie, homofilie of neurose zijn nu niet meer opgenomen in het classificatiesysteem (DSM-IV), dat psychiaters gebruiken bij het stellen van diagnoses. Maar ze hebben er wel in gestaan, en dat is nog niet eens zo heel lang geleden.

Wat leer je in dit hoofdstuk?

Na bestudering van dit hoofdstuk weet je meer over:

- de verschillende aspecten die een rol spelen bij wat wij 'normaal' of 'abnormaal' vinden;
- de geschiedenis van de omgang met mensen met psychiatrische aandoeningen;
- de kenmerken en de betekenis van het DSM-IV-classificatiesysteem en het Dynamische Stress-Kwetsbaarheidsmodel (DSK-model);
- het belang van het bestrijden van stigmatisering van mensen met psychiatrische aandoeningen en de gevaren en maatschappelijke kosten van uitsluitingsprocessen;
- de belangrijkste kenmerken van de structuur, financiering en het werkveld van de GGZ;
- de betekenis van *vermaatschappelijking* van de GGZ en kenmerken van rehabilitatie en herstel;
- belangrijke aspecten van de bejegening van mensen met psychiatrische aandoeningen;
- voorbeelden van functies en specialisaties waarop je je als (toekomstig) sociaal werker kunt oriënteren.

Waarover zet dit hoofdstuk je aan het denken?

Na bestudering van dit hoofdstuk besef je:

- hoe je zelf omgaat met wat als normaal of abnormaal wordt gezien;
- wat je eigen geneigdheid is tot stigmatisering van mensen met psychiatrische aandoeningen;
- wat de gevolgen zijn van maatschappelijke uitsluitingsprocessen en hoe je daar een positieve wending aan kunt geven;
- wat de mogelijkheden zijn om als sociaal werker in deze sector voor de betrokkenen 'het verschil te maken'.

Om te beginnen is het van belang om onderscheid te maken tussen psychische problemen en een psychische stoornis. Van *psychische problemen* spreken we wanneer iemand in het dagelijks leven ernstige last ondervindt van zijn gevoelens of onbedoelde handelingen: angsten, sombere gedachten, onwillekeurige onaangepaste gedragingen, enzovoort. Van een *psychische stoornis* spreken we wanneer dergelijke problemen iemands hele gedrag en soms zelfs zijn hele leven bepalen, niet te beheersen zijn en 'normaal' functioneren zo goed als onmogelijk maken (Festen & Verburg, 2007).

Naar de oorzaak van psychische stoornissen is al veel onderzoek gedaan. Toch kan de psychiatrie beschouwd worden als een jonge wetenschap. Zij wordt nog steeds gekenmerkt door allerlei uiteenlopende opvattingen over de diagnosticering, behandeling en omgang met mensen met psychische beperkingen. De mensvisie van de betreffende wetenschapper en het vakgebied van waaruit hij werkt – medisch-biologisch, neurologisch, psychologisch of (sociaal) psychiatrisch – zijn daarbij zeer bepalend. Is een psychiatrische aandoening een ziekte die genezen kan worden, waarbij het vooral gaat om de ontwikkeling van steeds effectievere medicijnen? Of gaat het in de eerste plaats om 'het persoonlijke verhaal van de cliënt' en kunnen we meer verwachten van een psychosociale en maatschappelijke benadering? Pillen of praten? Deze vragen bestonden al lang voordat de psychiatrie werd uitgevonden. De betekenis van zowel pillen als praten wordt tegenwoordig onderkend en vaak wordt voor een combinatie van beide gekozen.

3.2 De doelgroep: wat zijn mensen met psychiatrische aandoeningen?

Psychiatrische aandoeningen kun je vanuit veel gezichtshoeken bekijken. Een gecompliceerde beenbreuk mag dan wel complex zijn, maar de diagnose is snel gesteld. Een bekwame arts weet hierbij wat hem te doen staat en kan met behulp van allerlei ijzerwerk de reparatie verrichten en het genezingsproces ondersteunen.

In de psychiatrie gaan oorzaken en gevolgen, diagnoses en behandelingen met veel meer onzekerheden gepaard. Een psychische aandoening grijpt diep in het persoonlijk leven in en veroorzaakt ernstig psychisch lijden. Dit lijden beperkt zich niet tot de betrokkene, maar kan een zware last betekenen voor een partner, ouders, kinderen en andere familieleden en vrienden. Ook de maatschappelijke positie van mensen met een psychische aandoening kan grote schade oplopen, wat kan leiden tot arbeidsongeschiktheid, voortijdig afgebroken opleidingen, het verlies van een eigen woonruimte en een steeds schraler wordend sociaal netwerk.

Het beschrijven van kenmerken van psychiatrische problematiek strekt dan ook veel verder dan het beschrijven van soorten van diagnoses, symptomen en behandelingen. We beperken ons daarom niet tot het algemeen gebruikte DSM-IV classificatiesysteem als diagnostisch instrument in de psychiatrie, maar beschrijven hier ook enkele belangrijke kenmerken van het Dynamische Stress-Kwetsbaarheidsmodel (DSK-model).

DSM-IV als diagnostisch instrument volgens medisch model

Een wijdverbreid wetenschappelijk kader om psychiatrische aandoeningen te beschrijven en te ordenen is de Amerikaanse DSM-IV (Diagnostic and Statistical Manual of Mental Disorders). Het is een classificatie van psychiatrische stoornissen, waarbij diagnostische criteria worden geleverd die de betrouwbaarheid van de diagnose moeten vergroten. De DSM is ontwikkeld voor gebruik bij hulpverlening, opleiding en onderzoek. Het systeem is bedoeld om een internationale consensus te bereiken over de kenmerken en diagnoses van psychische aandoeningen en zo orde te scheppen in de chaos die daarin was ontstaan. De DSM is beschrijvend van aard en doet geen uitspraken over oorzaken of behandelingen.

Omdat er zo weinig over de oorzaken van psychische stoornissen viel te zeggen, werd er besloten om alleen op basis van symptomen te diagnosticeren. In de geneeskunde betekent een symptoom een 'teken van ziekte'; in de psychiatrie betekent het een uiting, signaal of kenmerk van een psychiatrische stoornis of *syndroom* (een groep of samenhangend geheel van symptomen). We spreken dus over een psychiatrische stoornis wanneer er een diagnose is gesteld. De psychiater is de enige die daartoe bevoegd is. Zolang er geen diagnose is gesteld, kunnen we over een psychische stoornis spreken.

Mensen met een psychische of psychiatrische stoornis kampen met storende afwijkingen in hun functioneren. Dit kunnen afwijkingen zijn in hun denken en geheugen, waarneming, stemmingen en beleving, bewustzijn of gedrag en voorkomen.

Volgens de huidige kennis en inzichten kunnen oorzaken genetisch, psychologisch of sociaalmaatschappelijk van aard zijn. Ook bepaalde somatische ziekten kunnen tot psychische stoornissen leiden (zie verder Vandereycken & Deth, 2004).

De DSM-IV onderscheidt naast de bekende aandoeningen als schizofrenie en stemmings-, angst-, eet-, slaap-, aanpassings-, persoonlijkheids- en seksuele stoornissen nog tal van andere aandoeningen. In totaal zijn het er 297 en het valt op dat het aantal met iedere editie toeneemt. Bijlsma en Janssen (2008) beschrijven hoe ook de criteria voor bepaalde diagnoses telkens worden verruimd: 'Zo zijn in de DSM-III de criteria voor depressie enorm verruimd. Wie op 5 van de 9 positief scoort is depressief. Daarbij houdt men echter geen rekening met de omstandigheden... Somberheid, verdriet en angst horen bij het leven en zijn natuurlijke reacties op allerlei vormen van tegenslag. Met haar antidepressiva richt de farmaceutische industrie zich welbewust op deze kwalen, waardoor ze eraan meewerkt het verschil tussen verdriet en depressie te verdoezelen. Op deze manier worden heel normale reacties "gepathologiseerd".' (Bijlsma & Janssen, 2008, p. 165). Ook de GGZ of belangengroepen van patiënten kunnen belang hebben bij het oprekken van criteria voor diagnoses.

De complexiteit van psychiatrische aandoeningen blijkt wel uit het feit dat er onophoudelijk discussie over bestaat. De eerste DSM stamt uit 1948 en de meest recente, de DSM-IV, verscheen in 1994. Intussen is er weer een nieuwe internationale commissie van deskundigen gevormd die de opdracht heeft de DSM-IV aan te passen aan nieuwe inzichten en ontwikkelingen.

Het Dynamische Stress-Kwetsbaarheidsmodel

Een andere, meer dynamische manier om te kijken naar de complexiteit en het verloop van psychische aandoeningen biedt het *Dynamische Stress-Kwetsbaarheidsmodel* (DSK-model). Dit model geeft aan hoe persoon, omgeving en ervaringen en gedrag elkaar en het risico van psychische ongezondheid beïnvloeden. Net als bij somatische functies, zoals bloeddrukregulatie en ademhaling, bestaat er ook bij psychische gezondheid een karakteristiek individueel niveau. In de tijd fluctueert dit rond een gemiddelde. In het DSK-model wordt psychische (on)gezondheid over een langere tijd in beeld gebracht als een *dynamisch evenwicht*.

Dit model biedt een overzicht van de factoren die van invloed zijn op de psychische (on)gezondheid en brengt de onderlinge wisselwerking in beeld. De volgende factoren spelen daarbij een rol:
- persoonsgebonden (psychobiologische) factoren;
- omgevingsgebonden factoren (sociale of fysieke kwetsbaarheid);
- gebeurtenissen in iemands leven en de manier van reageren daarop (betekenisverlening en *coping*) (Maas & Jansen, 2000).

Mensen verschillen niet alleen in hun gemiddelde niveau van psychische gezondheid, maar ook in de mate waarin dit fluctueert als reactie op gebeurtenissen. De *psychobiologische kwetsbaarheid* wordt bepaald door factoren die iemands weerbaarheid en veerkracht kenmerken. Zo kunnen genetische factoren de aanleg of kwetsbaarheid voor een bepaalde psychische stoornis veroorzaken, evenals persoonlijkheidskenmerken en lichamelijke gezondheid.

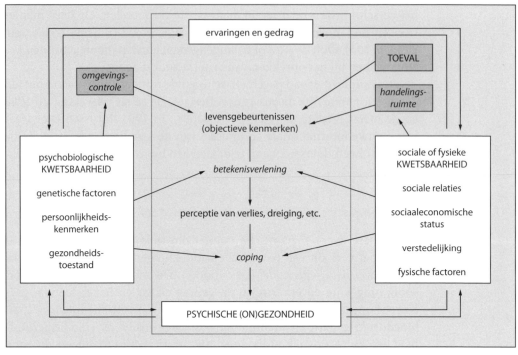

Dynamische Stress-Kwetsbaarheidsmodel
Bron: Ormel, Neeleman & Wiersma (2001)

De *fysieke of sociale kwetsbaarheid* wordt bepaald door de kenmerken van de 'bredere' sociale en fysieke omgeving van een individu. Daarbij gaat het om:

- de sociale steun die iemand krijgt en ervaart;
- iemands sociaaleconomische status;
- de kwaliteit van iemands directe woon- en leefsituatie (stad/platteland, klimaat, hoeveelheid licht en geluid, enzovoort).

Ingrijpende levensgebeurtenissen als het verlies van een partner, echtscheiding, geboorte of de ontwikkeling van een acuut gezondheidsprobleem kunnen zeer stressvol zijn. Dat geldt ook voor chronische moeilijkheden, zoals stressvolle werkomstandigheden of chronische gezondheidsproblemen. Naast de natuurlijke reacties op deze gebeurtenissen als verdriet, angst, somberheid en (tijdelijke) slaapproblemen kunnen zij ook iemands psychische gezondheid ernstig in gevaar brengen.

Bovengenoemde factoren zijn risicofactoren. Zij veroorzaken de ziekten niet, maar verhogen de kans op het ontstaan ervan. De invloed van stressvolle levensgebeurtenissen wordt bepaald door hun aard, duur en heftigheid. Ook het proces waarin iemand betekenis kan verlenen aan een gebeurtenis en het *copingproces* spelen daarin een belangrijke rol. Coping is de manier waarop iemand omgaat met een gebeurtenis en de gevolgen daarvan op emotioneel, verstandelijk en gedragsmatig gebied.

Welke gebeurtenissen iemand meemaakt is afhankelijk van het toeval, maar wordt ook bepaald door de *handelingsruimte* en de *omgevingscontrole*. Zo hebben bijvoorbeeld arme mensen in vergelijking met rijke mensen minder handelingsruimte en hebben sociaal vaardige mensen meer omgevingscontrole dan sociaal minder vaardige mensen. Uit een kritisch evaluatierapport over de jeugdzorg (2009) in Nederland blijkt bijvoorbeeld dat allochtone jeugdigen onevenredig sterk vertegenwoordigd zijn in jeugdgevangenissen en dat jongeren uit een hogere sociaaleconomische laag onevenredig sterk vertegenwoordigd zijn in de jeugd-GGZ.

Het DSM-classificatiesysteem wordt gebruikt door psychiaters, die als geneeskundig specialisten bevoegd zijn tot het voorschrijven en/of adviseren van medicatie en behandelingen. De benadering van het DSK-model is breder en dynamischer en gaat uit van de wisselwerking tussen de factoren die de psychische (on)gezondheid beïnvloeden. Het DSK-model maakt ook duidelijk dat de grens tussen mensen die (psychisch) ziek of gezond zijn niet zo gemakkelijk te trekken valt.

De ernstige gevolgen van stigmatisering

De onderzoeksliteratuur over stigmatisering van mensen met chronische psychische problemen is in de afgelopen jaren sterk gegroeid. Dat heeft ertoe geleid dat stigmatisering beschouwd wordt als de belangrijkste oorzaak van de lage participatiegraad van mensen met langdurige psychische problemen.

In de samenleving is nog veel onbekendheid en onbegrip over ernstige psychische problemen. Angst voor agressie en onvoorspelbaar gedrag leidt ertoe dat mensen afstand houden of het contact met iemand verbreken. Een verkeerde beeldvorming en de gevolgen van stigmatisering van mensen met ernstige psychische problematiek versterken processen van sociale en maatschappelijke uitsluiting. De gevoelens van eenzaamheid en isolement waarmee een psychische stoornis vaak gepaard gaat, worden versterkt door de reële dreiging van een sociaal en maatschappelijk isolement.

Het is overigens niet zo dat alleen buiten de GGZ wordt gestigmatiseerd. Binnen de GGZ worden cliënten maar al te vaak door hun hulpverleners gestigmatiseerd, en veel cliënten zetten zichzelf nogal eens buiten spel als gevolg van onzekerheid, gebrek aan zelfvertrouwen en een lage zelfwaardering (zelfstigmatisering).

Uit onderzoek (Korevaar & Dröes, 2008, hoofdstuk 3) blijkt dat vooral mensen die zelf niemand met een psychische aandoening kennen of er nauwelijks contact mee hebben geneigd zijn om hen af te wijzen. Vooral de laatste jaren is ook in Nederland onderzoek gedaan naar de houding van burgers ten aanzien van mensen met psychische aandoeningen. Daaruit blijkt dat Nederlanders psychiatrische cliënten eerder onvoorspelbaar dan gevaarlijk vinden. Psychiatrische patiënten als buurman/vrouw of collega ziet meer dan de helft van de ondervraagden nog wel zitten, maar de acceptatie neemt af naarmate het contact intiemer wordt, bijvoorbeeld als vriend of vriendin.

Zorgelijk is ook dat veel mensen met psychiatrische aandoeningen aangeven dat zij op het gebied van werk en sociale relaties geen initiatieven meer nemen. Zij verwachten bij voorbaat al niet goed behandeld te worden, zelfs als zij zelf niet eerder met discriminatie op deze levensgebieden te maken hebben gehad (geanticipeerd stigma). Ook de media hebben een belangrijke verantwoordelijkheid voor het creëren van juiste beeldvorming van mensen met psychiatrische aandoeningen.

3.3 Historisch overzicht

De historische ontwikkelingen die hier worden behandeld, zijn uitgebreid beschreven in *Sociaal werk in Nederland* (Bijlsma & Janssen, 2008: hoofdstuk 5). De term 'psychiatrie' werd voor het eerst gebruikt in 1802 door de Duitse arts Johann Christian Reil. Dit zou een nieuwe fase betekenen in de omgang met mensen die geestelijk niet 'normaal' zijn. De term is een samenvoeging van de Griekse woorden *psychè* (geest) en *iatrein* (genezen). Voor de mogelijkheden tot genezing was geen enkele wetenschappelijke basis, maar de betekenis van de optimistische term 'psychiatrie' daagde wel uit om op zoek te gaan naar de oorzaken.

De ontwikkeling van een nieuwe krankzinnigenzorg begon ongeveer gelijktijdig in Engeland en Frankrijk, in het laatste decennium van de achttiende eeuw. Humanisering van de krankzinnigenzorg was het doel, gemotiveerd door de weerzin tegen de mensonwaardige toestanden in gasthuizen en hospitalen. Krankzinnigen werden er als dieren vastgeketend en opgesloten. De basis voor de nieuwe benadering, die *moral treat-*

ment werd genoemd, werd gelegd door de Brit William Cullen (1712-1790), die als een der eersten psychiatrische ziekten ging rangschikken.

In Frankrijk bevrijdde de Franse arts Philippe Pinel (1745-1826) psychiatrische patiënten van hun boeien. Pinel vertaalde enkele werken van Cullen in het Frans en legde zo de basis voor een *traitement moral*. Kern daarvan was het invoeren van een systeem van overreding, beïnvloeding, dreiging en afschrikking.

De medisch-somatische benadering in gestichten

Kenmerkend voor de negentiende eeuw is de oprichting van psychiatrische ziekenhuizen, waar patiënten werden behandeld vanuit een hoofdzakelijk medisch-somatische benadering.

Geneeskundigen slaagden erin om gaandeweg de leiding van deze gestichten in handen te krijgen. Hun ambitie was het genezen van geesteszieken – die steeds vaker *zenuwzieken* werden genoemd – met een medisch-wetenschappelijke behandeling. Volgens de psychiaters werd krankzinnigheid veroorzaakt door een defect in de hersenen. Zij wilden dan ook de gestichten omvormen tot ziekenhuizen waar ook psychiatrisch onderzoek gedaan kon worden en waar een medicus-psychiater aan het hoofd moest staan. Om de pretentie van een apart medisch specialisme met een eigen medische identiteit te kunnen waarmaken, onderzochten zij patiënten in de praktijk door nauwkeurige observaties en lichamelijk onderzoek. Hun kenmerken en symptomen werden ondergebracht in uitgebreide classificatiesystemen van ziekten, zoals dat van de Duitse psychiater Kraepelin (1856-1926).

In Nederland is de arts Jacob Schroeder van der Kolk (1797-1862) de grote hervormer. Hij wil de patiënten opvoeden 'tot nuttige leden van de maatschappij, in plaats van hen op te sluiten als dieren, waar men bang voor is'. In de geest van de vernieuwingsideeën wordt in 1841 de eerste Krankzinnigenwet aangenomen. De wet regelde opname en ontslag van een patiënt en overheidstoezicht op alle instellingen waar krankzinnigen verbleven. De onmenselijke bewaarplaatsen moesten worden vervangen door geneeskundige gestichten. Daarnaast bevorderde de wet het toepassen van een geneeskundige behandeling, waardoor het gebruik van dwangmiddelen kon afnemen. In 1884 werd de Krankzinnigenwet aangepast met onder meer registratieplicht voor het toepassen van dwangmiddelen. Het uitgangspunt dat iemand tegen zijn zin kon worden opgenomen, het zogenoemde *bestwilprincipe*, bleef gehandhaafd.

Beide wetten hebben geleid tot verbetering van de zorg. Keerzijde van deze wetgeving was dat de instellingen overbevolkt raakten, waardoor de kwaliteit van de zorg sterk te wensen overliet. Vaak bleef de feitelijke praktijk achter bij het ideaal, mede vanwege het gebrek aan voldoende goed geïnstrueerd personeel. Hierdoor nam het gebruik van dwangmiddelen nauwelijks af.

De invloed van de psychoanalytische benadering

Eind 1899 verscheen het boek *Die Traumdeutung* van de Weense zenuwarts Sigmund Freud (1856-1939). Zijn samenwerking met de huisarts Josef Breuer betekende het begin van wat later de *psychoanalytische benadering* gaat heten. Hierin staat het bewust worden van onbewuste, emotionele belevingen uit het verleden centraal. Verdrongen belevingen zouden via moeizame arbeid aan het licht moeten worden gebracht. De lange bloeiperiode van de psychoanalytische aanpak zou tot ver in de jaren zestig duren.

Voor psychiaters in de grote inrichtingen had de psychoanalyse niet veel te bieden. Voor hen bleven de moeilijkste gevallen over, die een treurig en uitzichtloos bestaan leidden. Het personeel had meestal weinig andere middelen dan fysieke dwang. Wel werd er veel verwacht van nieuwe therapieën, zoals de elektroshock, de insulineshock en de comatherapiekuur en vond het gebruik van kalmeringsmiddelen steeds meer ingang.

De opkomst van de sociale psychiatrie

De opkomst van de *sociale psychiatrie* in de jaren dertig van de twintigste eeuw is van belang, omdat deze aan het begin staat van wat later *vermaatschappelijking* zou gaan heten. De naam van de Amsterdamse psychiater Arie Querido (1901-1983) is hier onlosmakelijk mee verbonden. Na een inspectietocht in 1930 langs de dertig inrichtingen die ons land telde, kwam hij tot de conclusie dat tien procent van alle patiënten onder bepaalde voorwaarden buiten het gesticht zou kunnen leven. Het ging om patiënten die daar al twintig jaar zaten en bijvoorbeeld buiten hun gestichtsplunje helemaal geen kleren hadden. Dit bracht Querido tot het inzicht dat het bij psychiatrische patiënten niet alleen om een medisch probleem ging, maar dat het evenzeer met de sociale omstandigheden te maken had. Hij bepleitte en realiseerde vormen van *voor- en nazorg* voor potentiële en ontslagen patiënten en verwierf internationale bekendheid als eerste 'rijdende psychiater' die huisbezoeken aflegde. Ook in andere steden werden voor- en nazorgdiensten ingericht, zoals in Rotterdam door dr. J. Pameijer. De gemeente Amsterdam ondersteunde Querido bij het ontwikkelen van een systeem van 'psychiatrische eerste hulp', waarmee in sommige gevallen een opname voorkomen kon worden. Zo werd een begin gemaakt met wat men later 'crisisinterventie' zou noemen. In het systeem vormden psychiatrisch verpleegkundigen en maatschappelijk werkers de spil van de zorg. Zij adviseerden zowel de familie als de huisartsen en hielden via huisbezoeken een vinger aan de pols. Dit systeem bleek goed te werken.

Een andere belangrijke ontwikkeling in deze periode was de opkomst van arbeidstherapie in de inrichtingen en soms ook daarbuiten. Deze 'actievere therapie' was gebaseerd op de ideeën en praktijken van de Duitse psychiater Hermann Simon, waardoor ook steeds meer geneesheer-directeuren van Nederlandse inrichtingen geïnspireerd raakten.

De antipsychiatrie

Vanaf 1960 voltrok zich een volgende psychiatrische revolutie, die bekendstaat als de *antipsychiatrie*. De roep om vrijheid en gelijkheid die de toon zette in de jaren zestig vormde de mentale achtergrond voor de kritiek op de klinische psychiatrie. Waarschijnlijk voor het eerst in de psychiatrie mengden ook de patiënten zelf zich in de discussie en kwamen met alternatieven voor de in hun ogen verstarde praktijk. Naast de belanghebbenden bemoeiden ook de media zich er intensief mee. Niet de cliënt is ziek, maar zijn omgeving (het gezin, de samenleving), was de teneur. Dat deze visie tot veel onnodig lijden van familieleden van psychiatrische patiënten heeft geleid, werd pas later ingezien.

Heden

De antipsychiatrische revolutie werkt tot op heden door, onder meer in het vervangen van grootschalige gestichten door kleinschalige woonvormen, een nieuwe Wet BOPZ, *community care*, rehabilitatie, 'kwartiermaken' en een actieve cliëntenbeweging die zich vooral manifesteert in de herstelbeweging. De emancipatie van cliënten van de klinische psychiatrie kwam pas tijdens de jaren tachtig en negentig goed op gang. Veel nieuwe cliëntenorganisaties groepeerden zich in die periode rondom psychiatrische diagnosen die door de kritische psychiatrie uit de jaren zeventig als stigmatiserende etiketten werden gezien.

In Haarlem kun je Het Dolhuys bezoeken, een boeiend museum gewijd aan de geschiedenis van de psychiatrie.

3.4 Feiten en cijfers

Geestelijke volksgezondheid in Nederland

In de *Trendrapportages* (2008) die het Trimbos-instituut maakt in opdracht van het ministerie van VWS zijn alle actuele gegevens van de geestelijke gezondheidszorg te vinden. Tenzij anders vermeld is daarvan ook hieronder gebruikgemaakt.

De Nederlandse bevolking behoort volgens verschillende onderzoeken tot de gelukkigste ter wereld. Nederlanders melden internationaal gezien relatief weinig psychische klachten. Niettemin worden in psychiatrisch-epidemiologisch onderzoek in Nederland relatief veel mensen met psychische stoornissen aangetroffen (15 tot 25 procent). Daarbij gaat het voor een belangrijk deel (circa een derde) om verslavingsproblematiek (vooral alcoholverslaving), dat in deze onderzoeken ook als een psychische stoornis wordt gezien. Verder gaat het om stemmings- en angststoornissen, waarvan de ernst sterk kan variëren.

Onderzoeksgegevens suggereren dat de geestelijke gezondheid en gezondheidsbeleving in de afgelopen decennia in Nederland niet zijn verslechterd of verbeterd. Wel blijkt uit Nederlands en buitenlands onderzoek dat geestelijke gezondheid sterk gerelateerd is aan een aantal sociaaldemografische en sociaaleconomische factoren. Zo hebben vrouwen vaker met geestelijke gezondheidsproblemen te kampen dan mannen, terwijl verslavingsproblematiek juist vaker voorkomt bij mannen. Verder komen geestelijke gezondheidsproblemen meer voor bij mensen in een sociale achterstandsituatie – lage opleiding, laag inkomen en vooral het ontbreken van een betaalde baan wegens werkloosheid of arbeidsongeschiktheid. Vooral in verband met deze maatschappelijke aspecten worden de kosten van geestelijke gezondheidsproblemen tamelijk hoog ingeschat. In alle ramingen overtreffen de indirecte, maatschappelijke kosten verre de directe zorgkosten.

Er zijn ongeveer honderdduizend *chronisch psychiatrische patiënten* in Nederland. Daarbij zijn oudere psychiatrische patiënten, dak- en thuislozen en psychiatrische patiënten in gevangenissen meegeteld (Korevaar & Dröes, 2008; Wiersma, 2004).

Volgens het Sectorrapport GGZ 2009 werden in de GGZ 840.000 patiënten behandeld, van wie 60 procent tussen de 18 en 64 jaar was. De meest voorkomende diagnoses waren: persoonlijkheidsstoornissen en gedragsstoornissen, stemmingsstoornissen en 'neurotische' stoornissen.

Bijna een kwart van de volwassen burgers in Nederland (23 procent) heeft in het afgelopen jaar belangrijke beperkingen gehad in het functioneren als gevolg van psychische problemen. Ondanks de aanhoudende groei van GGZ-gebruik ontvangt twee derde van de mensen geen professionele hulp. Ruim een kwart bezoekt de eerstelijnszorg en circa 16 procent de tweedelijns GGZ. Niet iedereen met een psychische stoornis voelt de noodzaak om hulp te zoeken; 43 procent zegt hieraan geen behoefte te hebben. Daar staat tegenover dat een zesde van de mensen die nu geen hulp ontvangen zegt dat zij wél hulp wil. Gesteld kan worden dat de vraag naar geestelijke gezondheidszorg nog steeds aanzienlijk groter is dan het aanbod.

De redenen dat mensen die wel behoefte hebben aan zorg deze niet krijgen lopen uiteen en variëren van sociale en culturele factoren, zoals terughoudendheid of schaamte, tot onbekendheid of (vermeende) financiële drempels. Ook opvattingen ('Ik dacht dat de klachten vanzelf zouden ophouden' en 'Ik wilde het probleem zelf oplossen') staan het zoeken van professionele hulp in de weg.

Structuur en financiering van de GGZ

De kritiek op het gegroeide monopolistische karakter van de GGZ heeft geleid tot segmentering van de GGZ-zorg. Als gevolg van recente wetswijzigingen kent de GGZ nu drie financieringsbronnen: de Algemene wet bijzondere ziektekosten (AWBZ), de Zorgverzekeringswet (ZW) en de Wet maatschappelijke ondersteuning (WMO).

Daarnaast kunnen mensen met een chronische ziekte of beperking ook als particulier zorg inkopen. Zij beschikken dan over een persoonsgebonden budget (PGB). De drie genoemde financieringsbronnen bieden daartoe verschillende mogelijkheden. Zo kan iemand zelf bepalen wie wanneer hulp komt bieden en hoe.

Sinds 1 januari 2008 wordt bijna driekwart van de GGZ-voorzieningen gefinancierd vanuit de Zorgverzekeringswet. Het is nog te vroeg om te zeggen of de stelselherziening belangrijke verbeteringen in de zorg heeft ingeluid en in hoeverre het belang van de cliënten ermee gediend is. Wat zich wel al aftekent, is een toenemende bureaucratisering in GGZ-instellingen. Daarbij kan ook de schaalvergroting van de zorgconcerns een rol spelen.

De WMO, die 1 januari 2007 in werking is getreden, verwacht van gemeenten prestaties die onder meer gericht zijn op het tegengaan van uitsluitingsprocessen van mensen met een beperking of een chronisch psychisch of psychosociaal probleem. De WMO wil de zelfstandigheid en participatie van deze kwetsbare groepen bevorderen door voorzieningen in de wijk te creëren die hun niet alleen de nodige ondersteuning kunnen bieden, maar hen ook uitnodigen waar mogelijk 'mee te doen'.

Volgens het *Sectorrapport* GGZ (2009) werd anno 2007 in Nederland ruim vier miljard euro besteed aan gespecialiseerde geestelijke gezondheidszorg. Dit is 10,5 procent van de totale kosten van de gezondheidszorg in Nederland. De collectief gefinancierde, gespecialiseerde GGZ in Nederland wordt gedomineerd door circa veertig regionaal georiënteerde instellingen die elk nagenoeg het complete pallet aan GGZ-voorzieningen bieden. Gezamenlijk zijn deze instellingen verantwoordelijk voor circa driekwart van de totale GGZ-uitgaven (*Trendrapportage* 2008, dl 1).

Wetgeving

In 1992 is de Wet bijzondere opname psychiatrische ziekenhuizen (BOPZ) ingevoerd, die de tweede Krankzinnigenwet verving. Tegenwoordig is het leidende morele beginsel niet meer 'menslievendheid', maar 'zelfbeschikking'. De BOPZ regelt de rechtspositie van de cliënt, die veel moeilijker tegen zijn zin kan worden opgenomen; gedwongen opname is alleen mogelijk als iemand een gevaar is voor zichzelf of anderen. Opname betekent nog geen behandeling, want daarvoor moet de patiënt ook weer toestemming geven. Uitoefening van dwang zal altijd een punt van discussie blijven, omdat het hierbij niet alleen om praktische, maar ook om ethische dilemma's gaat. Formele dwangmaatregelen zijn:

- *de inbewaringstelling (IBS)*
  Als iemand een onmiddellijk dreigend gevaar veroorzaakt, kan de burgemeester een inbewaringstelling afgeven waarmee de betreffende persoon in een psychiatrisch ziekenhuis wordt opgenomen.
- *de rechterlijke machtiging (RM)*
  Een rechterlijke machtiging is een beslissing van de rechter om iemand gedwongen te laten opnemen in een psychiatrisch ziekenhuis. De afgifte van een rechterlijke machtiging geschiedt onder andere op basis van een door een psychiater opgestelde geneeskundige verklaring.

3.5 Vermaatschappelijking: het belang van rehabilitatie en herstel

Carla vindt steun bij Begeleid Leren

Carla volgt nu ongeveer zes maanden de opleiding SPW. Zij gaat hier vier dagen per week naartoe. Carla gaat graag naar school en kan het niveau goed aan. Zij wil wat van haar leven maken en ziet haar opleiding als een opstap naar werk. Alleen haar studieloopbaanbegeleider op school weet van haar psychiatrische problematiek. Over een maand gaat ze drie maanden een stage volgen in een instelling voor verslavingszorg. Ze twijfelt erg of ze hier moet vertellen over haar psychiatrische achtergrond. Ze weet ook niet goed wat en hoe ze het moet vertellen.

Carla heeft weinig contact met haar studiegenoten en zit tijdens de pauzes vaak alleen. Ze voelt zich buitengesloten en heeft moeite met het maken van een praatje. Carla krijgt elke veertien dagen een depotinjectie. Wanneer deze medicatie wordt verminderd, nemen haar concentratieproblemen en haar verwardheid toe. Maar vermoedelijk zijn spanningen op school, tussen en met medecursisten, ook wel eens oorzaak. Soms blijft ze dan een paar dagen thuis. De opleiding is erg inspannend voor haar. Als Carla thuiskomt, is ze vaak doodop en gaat ze een paar uur rusten. 's Morgens heeft ze moeite met opstaan, en door de rumoerigheid in huis kan ze zich moeilijk concentreren op haar huiswerk. Ook de bijwerkingen van de medicatie hebben invloed op haar concentratie, waardoor zij regelmatig tijd tekortkomt tijdens het maken van toetsen.

Het werken in sub- en projectgroepen vindt Carla erg moeilijk. De studieloopbaanbegeleider denkt dat ze bij langduriger deelname aan activitei-

ten in subgroepen niet goed overweg kan met de gevoelens die het inter-
persoonlijk contact bij haar oproept. Ze reageert boos en loopt vaak weg
als ze feedback krijgt van haar medestudenten op haar functioneren in de
subgroep.

Carla zegt echter erg blij met haar opleiding te zijn. Zij heeft weer een doel
in haar leven en verklaart geregeld dat zij haar opleiding wil afmaken. Ze
heeft eenmaal per week een afspraak van een uur met haar begeleider van
het Steunpunt Begeleid Leren van het ROC. Ze ontleent veel steun aan dit
contact en stelt samen met haar begeleider vast welke vaardigheden en
hulpbronnen ze moet en/of wil realiseren om (met succes en tevreden-
heid) haar opleiding af te ronden. Met haar begeleider wil ze hierna uitzoe-
ken welke vaardigheden en/of hulpbronnen voor haar prioriteit hebben.
Vervolgens bekijken ze samen wie het best deze vaardigheid kan aanleren
of hulpbron kan bieden en wanneer.

Bron: Korevaar & Dröes, 2008: dl 2, hoofdstuk 12.

Al vele jaren is het GGZ-beleid in Nederland erop gericht mensen met
psychische aandoeningen als volwaardige burgers aan het gewone leven
te laten deelnemen. Dit beleid staat bekend als de *vermaatschappelijking*
van de GGZ. Hieronder wordt een aantal benaderingen beschreven die
daaraan een bijdrage kunnen leveren.

Rehabilitatie

Rehabilitatie is een hulpverleningsvorm die gericht is op rolherstel door
het vergroten van activiteiten van mensen met ernstige, langdurige beperkingen en hun deelname aan de samenleving. De Nederlandse GGZ
heeft zich hiervoor zowel laten inspireren door de Engelse rehabilitatiebeweging als door de Amerikaanse rehabilitatiebenadering. Dat heeft
ook geleid tot verschillende rehabilitatiestromingen in Nederland.

De Amerikaanse stroming, die vanaf de jaren negentig in Nederland
steeds meer ingeburgerd is geraakt, is ontwikkeld aan de universiteit van
Boston. Deze stroming is gericht op individuele, persoonlijke groei en
ontwikkeling van cliënten en heeft in Nederland haar intrede gedaan als
Individuele Rehabilitatiebenadering (IRB).

Met ontwikkeling wordt vooral het stellen van persoonlijke doelen
en het leren van vaardigheden bedoeld. Dit betreft zowel verstandelijke
vaardigheden (zoals hoofdrekenen) en emotionele vaardigheden (zoals
boosheid uiten) als fysieke vaardigheden (zoals fietsen). Leren is altijd
mogelijk. Een psychiatrische aandoening kan er echter toe leiden dat

mensen minder gemakkelijk leren dan voorheen. De leermethoden moeten daarom op het individu worden afgestemd. Soms zijn kleine stapjes en veel herhalingen nodig. De manier waarop men het best leert, verschilt per persoon. Leren kan door iets te horen of te lezen, maar vaker leert men het best door zelf de dingen te ervaren. Wie het belang van wat hij wil leren inziet, is meer gemotiveerd en leert sneller. Indien de cliënt bepaalde, voor zijn doel onmisbare vaardigheden niet wil of niet kan leren, bekijkt men of met *hulpbronnen* het doel toch kan worden bereikt. De Amerikaanse stroming legt nadruk op het aansluiten bij de doelen van het individu. Hoop is hierbij belangrijk (Korevaar, Dröes, 2008).

Een andere in Nederland uitgewerkte rehabilitatiestroming is de *integrale rehabilitatiebenadering* (STORM Rehabilitatie), die zich niet richt op specifieke onderdelen, maar op de gehele zorg.

Herstel

Herstel betekent niet dat alles goed komt. Sommige dingen komen niet meer goed. Daar moet je mee leren leven. In de literatuur noemt men dat handicaps of psychische beperkingen. Ik hou het liever op kwetsbaarheden of gevoelige plekken. Als je weet waar die liggen, kun je jezelf een beetje ontzien. Dat scheelt een hoop ellende. En het bespaart je energie voor wat je wel kunt. Dat is goed voor het zelfvertrouwen. Daarmee treedt in werking 'de wet van het toenemend herstel'.
Nee, niet alles komt goed. Herstel betekent weliswaar dat je je wonden likt, maar sommige littekens blijven altijd zichtbaar. Dat is pijnlijk, zeker als je zover komt dat je opzij durft te zien en de vergelijking durft te maken met de levensloop van andere mensen. Daaruit leid je af hoe anders je leven had kunnen verlopen. Daaraan meet je af wat je gemist hebt. Dat gaat gepaard met woede over wat niet meer is in te halen. Soms is er zelfs haat jegens al die ogenschijnlijk gelukkige mensen met hun ogenschijnlijk gemakkelijke levens. Dat is verraderlijk, want niets is zoals het lijkt. Je daarin verliezen is een doodlopende weg. Het is belangrijk dat er dan ook de trots is op hoe ver je zelf al bent gekomen. En misschien is het op een gegeven moment zelfs mogelijk te zien wat de winst is van je levensloop. Misschien kun je op een gegeven moment zien dat je anderen iets te vertellen hebt, juist vanwege je ervaringen.
Bron: Korevaar & Dröes, 2008, hoofdstuk 2.

In de jaren negentig van de vorige eeuw werd het denken over rehabilitatie aangevuld met het begrip 'herstel', een vertaling van het Amerikaanse woord 'recovery'. Hiermee wordt niet, zoals in de klinische praktijk, gedoeld op opheffing van symptomen, genezing van de aandoening of terugkeer naar de toestand van vóór de ziekte. Soms blijft iemand levenslang met symptomen en beperkingen worstelen. Maar ook dan, of juist dan, kan hij proberen daar zodanig mee om te gaan dat zij zijn leven zo min mogelijk zullen beheersen (coping). Dat kan alleen bij een actieve acceptatie van de problemen en beperkingen.

Bij herstellen gaat het om unieke persoonlijke processen, waarin mensen met psychische beperkingen proberen de draad weer op te pakken en hun leven opnieuw inhoud en richting te geven. Centraal staat het ontdekken en gebruiken van de eigen kracht en mogelijkheden van de cliënt. In dat proces kan de cliënt baat hebben bij een rehabiliterende hulpverlener, maar de focus ligt veel meer op wat de cliënt zelf onderneemt om zijn leven een gunstige wending te geven (Korevaar & Dröes, 2008, hoofdstuk 2). Herstellen is dus de omkering van het motto dat op het medische model gebaseerd is: 'the doctor knows best'.

Het uitwisselen van ervaringen en het ontwikkelen van collectieve ervaringskennis met andere (ex-)cliënten vormen de kern van zogenoemde herstelprogramma's. Belangrijke onderdelen daarvan zijn: het maken van ik- en wij-verhalen, het afstand nemen van ervaringen en daarop reflecteren, ervaringsverhalen geschikt maken voor kennisoverdracht en participatie als docent of spreker in het aanbod van deskundigheidsbevordering. Centrale begrippen zijn 'ervaringsdeskundigheid' en 'empowerment'.

Het herstel betreft meer dan alleen de ziekte. Het is ook het herstellen van een stigma, van schadelijke bijwerkingen, van de gevolgen van opname en behandeling, van gebrek aan zelfbepaling, van negatieve gevolgen van werkeloosheid en van verstoorde dromen.

Vooral in de langdurige zorg hebben GGZ-cliënten – al dan niet in samenwerking met professionals – in de afgelopen jaren initiatieven ontwikkeld die zijn geïnspireerd door deze visie op herstel (Boevink e.a., 2006). De betekenis en omvang van deze initiatieven hebben ertoe geleid dat steeds meer GGZ-instellingen zich presenteren met een hulpverleningsaanbod dat 'herstelondersteunend' is. Wat dat betekent voor de hulpverleningspraktijk is nog niet altijd even duidelijk.

Het bondgenootschap: een respectvolle en solidaire werkrelatie

In de eerste plaats gelden voor de bejegening van mensen met een psychiatrische aandoening dezelfde algemene basisprincipes die voor iedere hulpverleningsrelatie essentieel zijn. Een respectvolle bejegening komt voort uit een combinatie van visie, attitude en kritische zelfreflectie.

De omgang met mensen met een psychiatrische aandoening leer je zeker niet uit boekjes, maar door het opdoen van ervaring. In een behandelingssituatie of crisisopvang worden andere eisen gesteld aan de omgang met de cliënt dan in bijvoorbeeld beschermde woonvormen, dagactiviteitencentra of rehabilitatiecentra.

Maar waar je ook werkt, respect voor de identiteit van de cliënt dient altijd het uitgangspunt te zijn. Vanuit deze basishouding kan het respect voor hem groeien en de basis vormen voor een vertrouwensrelatie.

Wanneer cliënten wordt gevraagd wat zij van een hulpverlener of ondersteuner verwachten, dan scoren de volgende kenmerken hoog:

- goed kunnen luisteren en daar de tijd voor nemen;
- zich kunnen inleven/verplaatsen in de ander;
- betrouwbaar zijn in afspraken en het bieden van veiligheid en continuïteit in de zorg of ondersteuning;
- de cliënt helpen met het aanbrengen van structuur en het stellen van prioriteiten;
- zichzelf, authentiek zijn;

- duidelijkheid bieden over wat hij wel en niet weet/kan (Korevaar & Dröes, 2008).

Wanneer je omgaat met mensen met psychiatrische problematiek is het heel belangrijk dat je leert afwegen welke afstand of nabijheid in de relatie wenselijk of nodig is. Dat staat niet vast en met iedere cliënt blijf je steeds op zoek naar het juiste evenwicht. De ene mens heeft heel veel baat bij een warm, troostend gebaar, bij de ander is het weer heel belangrijk dat je enige afstand houdt. Daar zijn geen regels voor, het is iets wat je – zo mogelijk samen met de betrokken cliënt en in overleg met je collega's – steeds opnieuw moet uitvinden.

Bij rehabilitatie staat nadrukkelijk de samenwerkingsrelatie tussen cliënt en hulpverlener centraal. Zonder deze relatie is hulp bij rehabilitatie of herstel onmogelijk. Respect, vertrouwen en serieuze doelen zijn de basiselementen van een goede rehabilitatieattitude (Korevaar & Dröes, 2008; McCrory, 2005). De ontwikkeling van wat McCrory 'het bondgenootschap' noemt, wordt bij de IRB 'het scheppen van een band' genoemd. Attitudekenmerken zijn gebaseerd op een visie op de psychiatrie waarin altijd de mens centraal staat en waarbij de hulpverlener niet de wijsheid in pacht heeft. Bij rehabilitatie gaat het om de overtuiging dat er mogelijkheden zijn tot verbetering en vooruitgang en dat ook mensen met psychiatrische aandoeningen zich kunnen ontwikkelen en kunnen leren.

3.6 Waar kom je als sociaal werker mensen met psychiatrische aandoeningen tegen?

Mensen met een psychiatrische aandoening kun je overal tegenkomen. De tijd dat ze 'opgeborgen' waren in gestichten in de bossen of de duinen is gelukkig voorbij. Een psychiatrische patiënt kan een familielid, een vriend, een collega of een buurman zijn.

GGZ-instellingen

Tot de GGZ-instellingen rekenen we die zorginstellingen die zich nagenoeg volledig toeleggen op het bieden van enigerlei vorm van GGZ.
Brede GGZ-instellingen zijn instellingen waarin min of meer het volledige scala aan GGZ-voorzieningen wordt geboden. Dat wil zeggen ambulante hulp, opnamevoorzieningen en verblijfs-/woonvoorzieningen, maar

ook (doorgaans kleinschaliger) voorzieningen op het gebied van dagbesteding, arbeid, preventie en dienstverlening.

Gespecialiseerde GGZ-instellingen richten zich op een specifieke categorie voorzieningen:

- Kinder- en jeugdpsychiatrische voorzieningen;
- Zelfstandige Algemeen psychiatrische ziekenhuizen (APZ): hoofdzakelijk opname- en verblijfsvoorzieningen;
- Regionale instellingen voor ambulante geestelijke gezondheidszorg (RIAGG): hoofdzakelijk ambulante voorzieningen;
- Regionale instellingen voor beschermd wonen (RIBW); hoofdzakelijk kleinschalige woonvoorzieningen (beschermd wonen) en ambulante begeleiding aan mensen met langdurige psychische problemen.

Gespecialiseerde, professionele geestelijke gezondheidszorg wordt ook geboden door *zelfstandig gevestigde hulpverleners* (psychiaters, psychotherapeuten, psychologen, sociaalpsychiatrische verpleegkundigen, re-integratiedeskundigen, enzovoort).

Verder worden GGZ-voorzieningen aangeboden door GGZ-afdelingen van algemene zorginstellingen, zoals psychiatrische afdelingen van algemene ziekenhuizen (PAAZ). Deze afdelingen bieden hoofdzakelijk kortdurende ambulante en opnamevoorzieningen.

De helft van de arbeidsplaatsen in de GGZ wordt bezet door verplegend en medisch personeel. Een kwart bestaat uit (psychosociaal of overig) behandelend en begeleidend personeel. Daarmee worden geen beroepsgroepen bedoeld, maar functies (*Sectorrapport GGZ*, 2009).

Hieruit blijkt dat de medische beroepsgroepen in de GGZ nog steeds dominant zijn. De groeiende betekenis van de sociale psychiatrie en de tendens naar 'vermaatschappelijking' van de GGZ hebben in dit opzicht wel voor verschuivingen gezorgd.

Tegenwoordig kunnen mensen met psychiatrische problematiek terecht bij een bont scala aan beroepsgroepen en specialismen. Al naar gelang hun hulpvraag kunnen zij ook te maken krijgen met maatschappelijk werkers, sociaalpedagogische hulpverleners, trajectbegeleiders, rehabilitatiewerkers, activiteitenbegeleiders, woonbegeleiders, buurtopbouwwerkers, psychologen, cliëntdeskundigen, geestelijke verzorgers, enzovoort.

Voor een deel zijn deze professionals in dienst van GGZ-voorzieningen, maar ook daarbuiten komen GGZ-cliënten hen tegen als zij – als vele anderen – gebruikmaken van algemene instellingen voor zorg en welzijn.

Bemoeizorg en ACT-teams

De psychiatrie kent ook 'lastige' kostgangers, die wel *draaideurpatiënten* worden genoemd. Zij kunnen zowel de hulpverlening als de samenleving behoorlijk belasten. Als het om mensen gaat die door hulpverleners moeilijk benaderbaar zijn en zich verre houden van hulpverleningsinstellingen, dan wordt er ook wel gesproken van *zorgwekkende zorgmijders*. Om deze categorieën patiënten toch te bereiken, zijn er vormen van *bemoeizorg* ontwikkeld. Naar Amerikaans voorbeeld hebben GGZ-instellingen bijvoorbeeld ACT-teams (Assertive Community Treatment) geformeerd, die in multidisciplinair teamverband hun cliënten intensief volgen en proberen hen te ondersteunen waar ze hen kunnen bereiken. Casemanagers werken hierbij intensief samen met instanties als de politie, de woningcorporatie, de schuldhulpverlening en buren en/of familie om te voorkomen dat de situatie van deze cliënten – en die van de mensen in hun omgeving – te veel ontspoort.

3.7   Werken met mensen met psychiatrische aandoeningen

Een eerste kennismaking

Mijn eerste SPH-stage speelt zich af in een beschermende woonvorm (RIBW) voor jongvolwassenen met psychiatrische aandoeningen. Mijn eerste werkdag is op een donderdag. Volgens mijn stagebegeleider komt dat goed uit, omdat ik dan meteen kan deelnemen aan de bewonersvergadering. Deze is wekelijks van tien tot twaalf uur en daarin kunnen allerlei onderwerpen aan de orde komen, zoals huishoudelijke zaken, gezamenlijke activiteiten, afspraken over huisregels en het naleven daarvan, eventuele spanningen tussen bewoners of tussen bewoners en begeleiders, enzovoort.

Met de stagebegeleider spreek ik af dat ik me tijdens de vergadering aan de bewoners voorstel en kort wat over mezelf vertel. In eerste instantie lijkt iedereen er vrij ontspannen bij te zitten. Als ik me aan hen voorstel en wat vertel over mijn opleiding, mijn motivatie voor deze stage en mijn persoonlijke omstandigheden, wordt daar met belangstelling op gereageerd. Wanneer de ruzie aan de orde komt tussen twee bewoonsters – de een maakt volgens de ander 's nachts veel te veel lawaai –, loopt de spanning echter op. Ik voel me ongemakkelijk bij de felle, directe verwijten die ze naar elkaar schreeuwen en heb bewondering voor de rust waarmee mijn stagebegeleider hierop reageert. Het blijkt mogelijk om de bewoonsters weer wat tot bedaren te brengen en er worden afspraken gemaakt om dit soort problemen in het vervolg te voorkomen.

Als de vergadering afgelopen is, voel ik me nog steeds wat gespannen. Om mezelf een houding te geven begin ik de lege koffiemokken op de tafel te verzamelen om ze naar de keuken te brengen. En dan gebeurt het. Een van de jongens grist woedend een rode koffiemok uit mijn hand en gooit hem kapot op de grond. 'Afblijven!' schreeuwt hij naar me, 'blijf daar met je klauwen vanaf!' Met grote passen beent hij de kamer uit en ik hoor hem de trap oprennen.

Ik blijf perplex achter en ben vreselijk geschrokken. Het gebeurde totaal onverwacht en ik begrijp er niets van. De stagebegeleider en een paar van de nog achtergebleven bewoners leggen me uit dat ik niet aan de rode mok had mogen komen. Kennelijk wist iedereen dat, behalve ik. De rode mok was van Peter en Peter heeft ernstige smetvrees. Hij kan daardoor helemaal in paniek raken als er iemand aan hem of aan zijn spullen komt.

Als ik Peter de volgende ochtend in de huiskamer tegenkom, spreek ik hem aan over de gebeurtenis van de vorige dag. Ik vertel hem dat ik er erg van schrok en dat ik niet begreep wat er aan de hand was. Dan vertelt hij me in een paar zinnen over zijn angst voor besmetting. 'Niet meer aanraken,' zegt hij, 'dan komt het wel goed.'

Net als in alle andere werksoorten zijn ook in de psychiatrie de scheidslijnen tussen de MWD, SPH en CMV minder belangrijk geworden. In personeelsadvertenties bijvoorbeeld wordt nauwelijks meer onderscheid gemaakt. Wel wordt duidelijk onderscheid gemaakt tussen hbo- en mbo-functies. In de psychiatrie worden in toenemende mate functies aangeboden aan mensen, al of niet professioneel geschoold, die zelf ervaring hebben opgedaan als psychiatrisch patiënt en cliënt van GGZ-instellingen. Zij hebben deze ervaring via specifieke trainingen in herstelcoaching ontwikkeld tot ervaringsdeskundigheid. Ervaringsdeskundigheid betekent dat zij niet alleen persoonlijk ervaring hebben met psychisch lijden, maar dat zij ook geleerd hebben om collectieve ervaringskennis in te zetten.

Kinder- en jeugdpsychiatrie: SPH'ers en MWD'ers

In de kinder- en jeugdpsychiatrie werken veel sociaal werkers, vooral MWD'ers en SPH'ers. De SPH'ers begeleiden en ondersteunen de kinderen en jeugdigen in het dagelijkse leven in allerlei functies, waarin ze meestal heel dicht bij hen staan. Vooral in de kinderpsychiatrie zullen ze ook zorgtaken verrichten. MWD'ers werken vaak met de ouders en gezinnen van de cliënten en verzorgen de verbinding met de instelling. sph'ers en mwd'ers komen ook vaak thuis bij cliënten als opvoedingsondersteuners of gezinscoaches. Maar alle functies zijn aan het veranderen onder invloed van de veranderingen in de zorg zelf.

SPH'ers en MWD'ers in beschermde woonvormen

Het dagboekfragment in 'Een eerste kennismaking' speelt zich in deze werkomgeving af. sph'ers werken hier in teamverband intensief met collega-begeleiders samen. Buiten de woonvorm werken zij samen met instanties en onderhouden in overleg met de betrokken cliënt ook de contacten met familieleden en andere voor hem belangrijke personen. Het motto voor de geboden zorg is meestal: 'Zo gewoon mogelijk en bijzonder waar nodig.' Samen met de bewoner die hij begeleidt – dat kan ook ambulant zijn wanneer de cliënt zelfstandig woont – stelt de sociaal werker een begeleidingsplan op. Dit plan wordt geregeld geëvalueerd en zo nodig bijgesteld. sph'ers beginnen vaak als woonbegeleider, maar kunnen zich ook ontwikkelen tot teambegeleider.

mwd'ers kunnen werken in alle ggz-instellingen en daarbuiten. Ook instellingen voor Algemeen Maatschappelijk Werk krijgen veel te maken met hulpvragen van mensen met psychiatrische problematiek.

Rehabilitatiewerker (rehabilitation counselor)

Om een gekwalificeerde rehabilitatiewerker te kunnen worden, moet je eerst aanvullende scholing volgen. Je kunt kiezen uit verschillende opleidingsinstituten, die elk weer bepaalde stromingen in de rehabilitatiebeweging vertegenwoordigen. Als rehabilitatiewerker kun je je ook weer specialiseren op deelgebieden (wonen, werken, leren, dagbesteding en sociale netwerken). Of je nu als sph'er, cmv'er of mwd'er bent opgeleid maakt ook voor dit werk niet zo veel uit. Belangrijker zijn je werk- en levenservaring en het feit dat je mensen individueel begeleidt in een werksetting die voor de rehabilitatiebenadering heeft gekozen.

Buurtopbouwwerker

Op andere plaatsen in dit hoofdstuk is al naar voren gekomen hoe in het kader van de wmo ook buurtopbouwwerkers een belangrijke bijdrage kunnen leveren aan het creëren van voorzieningen voor kwetsbare mensen. Zij kunnen een spilfunctie vervullen voor maatschappelijke steunsystemen, het ontwikkelen en onderhouden van allerlei samenwerkingsverbanden en het begeleiden van projecten die mensen met psychiatrische aandoeningen ondersteunen en prikkelen tot activiteiten.

3.8   Besluit

Wanneer je kiest voor het werkveld van de psychiatrie dan kies je niet voor de gemakkelijkste weg. Het werk vergt de nodige stressbestendigheid, creativiteit en flexibiliteit, want je wordt voortdurend met onverwachte gebeurtenissen geconfronteerd.

Ook geduld is belangrijk: verwacht geen spectaculaire ontwikkelingen. Het gaat vaak om kleine stapjes vooruit of twee stappen vooruit en één stap achteruit. Meestal zul je al heel tevreden moeten zijn als je kunt bijdragen aan het stabiliseren van de situatie waarin de cliënt verkeert.

Dat neemt niet weg dat je ook een aanzienlijke bijdrage kunt leveren aan de ontwikkeling van je cliënt wanneer het je lukt om een goede werkrelatie op te bouwen en je kunt aansluiten op diens wensen en verlangens.

Werken in de psychiatrie confronteert je ook met je eigen kracht en zwakheden. Het is belangrijk dat je bereid bent daarvan te leren. Met de zelfkennis die je hierbij opdoet, kun je ook je voordeel doen in je persoonlijke leven. Door ervaring leer je je eigen grenzen te bepalen. In de psychiatric werk je meestal intensief samen met collega's. Ook in deze samenwerkingsrelaties is het belangrijk dat je je bereid toont te leren en je kwetsbaar durft op te stellen. Van onschatbare betekenis is ten slotte dat je beschikt over een goed ontwikkeld gevoel voor humor en relativeringsvermogen. Laat je niet misleiden door het beeld dat je in de psychiatrie alleen maar met heel moeilijke en heel lastige mensen te maken krijgt. Natuurlijk, die zijn er ook. Maar je zult ook veel eigenzinnige, authentieke, creatieve en aardige mensen leren kennen, die lastiger voor zichzelf zijn dan voor jou.

Past dit werk bij jou en durf je deze uitdaging aan? Misschien maak jij het verschil, hoe bescheiden ook, daar ergens tussen wanhoop en hoop.

Vragen en opdrachten

1   Wat is het verschil tussen psychische problemen en een psychische stoornis?
2   Wat zijn de belangrijkste elementen van het Dynamische Stresskwetsbaarheid model?
3   Wat is de betekenis van vermaatschappelijking van de GGZ en hoe komt dat tot uiting in de ondersteuning van mensen met psychiatrische problemen?
4   Wat wordt verstaan onder rehabilitatie en herstel?
5   Welke belangrijke aspecten van de bejegening van mensen met psychiatrische problemen heb je geleerd?
6   Hoe denk je zelf over mensen met psychiatrische problemen, bijvoorbeeld mensen met schizofrenie? Bespreek dit met een aantal medestudenten.
7   Heb je zelf ervaring met de psychiatrie? Als cliënt of via mensen uit je directe omgeving?
    Welke invloed had dat bij de bestudering van dit hoofdstuk?
8   Wat zijn jouw overwegingen om al of niet te gaan werken in de psychiatrie?
9   Vind je dat je door dit hoofdstuk voldoende geïnformeerd bent over dit werkveld? Zo niet, waarin zou je je verder willen verdiepen?

Literatuur

Boevink, W., A. Plooij & S. van Rooijen (2006). *Herstel, empowerment en ervaringsdeskundigheid*. Amsterdam: SWP.

Bijlsma, J. & H. Janssen (2008). *Sociaal werk in Nederland. Vijfhonderd jaar verheffen en verbinden*. Bussum: Coutinho.

Festen, T. & H. Verburg (2007). *De mens is een eigen aardig dier. Psychische problemen als uitdaging*. Amsterdam: SWP.

Hilderink, I. (2008). *Trendrapportage GGz 2008. Deel 3. Kwaliteit en effectiviteit*. Utrecht: Trimbos-instituut.

Hoof, F. van et al. (2008). *Trendrapportage GGz 2008. Deel 1. Organisatie, structuur en financiering*. Utrecht: Trimbos-instituut.

Korevaar, E.L. & J. Dröes (2008). *Handboek rehabilitatie voor Zorg en Welzijn*. Bussum: Coutinho.

Land, H. van 't et al. (2008). *Trendrapportage GGz 2008. Deel 2. Toegang en Zorggebruik*. Utrecht: Trimbos-instituut.

Maas, I.A.M. & J. Jansen (2000). *Psychische (on)gezondheid: determinanten van preventieve interventies*. RIVM-rapport nr. 270555001. Bilthoven: RIVM.

McCrory, D.J. (2005). Rehabilitatie, het bondgenootschap. In: J. Dröes (red.) *Individuele rehabilitatie, behandeling en herstel*. Amsterdam: SWP.

Ormel, J., J. Neeleman & D. Wiersma (2001). Determinanten van psychische ongezondheid: implicaties voor onderzoek en beleid. *Tijdschrift voor Psychiatrie*, 43(4), 245-257.

Sectorrapport GGZ *2009. Zorg op waarde geschat*. Utrecht: GGZ Nederland.

Vandereycken, W. & R. van Deth (2004). *Psychiatrie. Bouwstenen voor gezondheidszorgonderwijs*. Houten en Antwerpen: Bohn, Stafleu Van Loghum.

Wiersma, D. (2004). *Evidentie voor geestelijke gezondheidszorg*, RGOc – reeks 5. Groningen: RGOc.

Websites

- www.ggznederland.nl
- www.kenniscentrumrehabilitatie.nl
- www.minvws.nl
- www.rivm.nl
- www.trimbos.nl

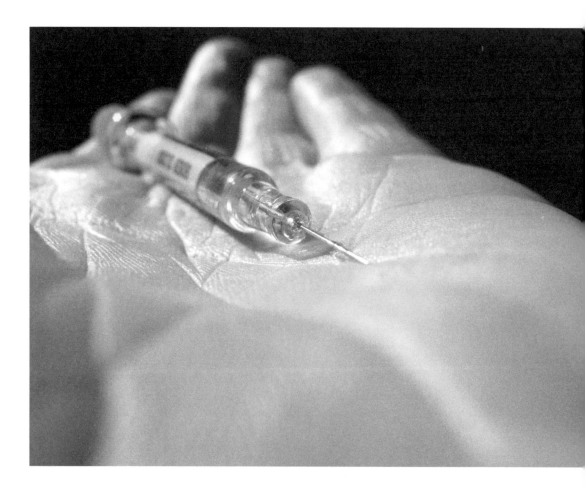

4

Morgen ga ik echt stoppen
Verslaafden

Interview met Martine van Melkebeke, casemanager
'Paul is gevonden. Op blote voeten en helemaal in de war. Hij kwam zijn geld halen bij de Sociale Dienst.' Casemanager Martine van Melkebeke verontschuldigt zich en gaat direct naar de telefoon als ze deze mededeling krijgt. Paul is een van haar cliënten, en ze was hem dagenlang kwijt. Tijdens het gesprek zal ze nog een paar keer naar de telefoon moeten vanwege Paul. Of ze de verslaafde naar het RIAGG kan brengen, wordt haar gevraagd. 'In het belang van Paul zou ik dat wel willen doen, maar daar ben ik niet voor. Dat heb ik wel geleerd in de anderhalf jaar dat ik dit werk doe. Want zowel de verslaafden als de instellingen willen je voor hun karretje spannen. Maar ik ben geen hulpverlener. Ik ben makelaar, tussen de verslaafde en de instanties waar hij mee te maken krijgt.'

De casemanagers houden wekelijks spreekuur. We zitten daar gewoon koffie te drinken aan een grote tafel, praten met ze over het weer of wat er ter sprake komt. Als iemand ons nodig heeft, merken we dat wel. Meestal gaat het over de uitkering.

'Hoe vaak ze niet hun plastic zak met persoonlijke eigendommen kwijt zijn. Geen papieren, geen uitkering. Ik bel dan meteen de Sociale Dienst en regel een afspraak voor ze. Terugvallen in oud gedrag doen veel verslaafden. Toch zeggen ze in heldere momenten dat ze van iedere terugval leren, ook al lijkt dat voor de buitenwereld niet zo.'

Waaraan meet Van Melkebeke het succes van haar werk af als zoveel cliënten terugvallen? 'Een verslaafde voor wie ik een uitkering kan regelen, steelt minder. Als iemand terugvalt en ik vind een slaapplaats voor hem, betekent dat ook minder overlast. En als iemand, al is het met vallen en opstaan, vatbaarder wordt voor therapie, dan zien we ook dat als een succesje.'

Bron: Interview Aukje van Roessel met casemanager Martine van Melkebeke, *de Volkskrant*

Wat leer je in dit hoofdstuk?
Na bestudering van dit hoofdstuk weet je meer over:
- wat verslaving is;
- oorzaken en achtergronden van verslaving;
- geschiedenis van de verslavingszorg;
- verschillende benaderingen van verslaving en verslaafden;
- enkele behandelmethoden voor verslaving;
- de mogelijkheden voor sociaal werkers om met verslaafden te werken.

Waarover zet dit hoofdstuk je aan het denken?
Na bestudering van dit hoofdstuk besef je:
- wat je eigen houding is ten opzichte van verslaving en verslaafden;
- dat verslaving een maatschappelijk verschijnsel is;
- wat je mogelijkheden zijn om met verslaafden te werken.

4.1 Inleiding

Bij verslaafden denk je algauw aan overlast gevende, verwaarloosde mensen die liegen en bedriegen en die letterlijk alles doen om aan hun middelen te komen. Maar zo is slechts een heel klein deel van de verslaafden. Verslaving is een veel groter probleem dan zichtbaar is. Zo zijn er volgens betrouwbare schattingen in Nederland 1,2 miljoen probleemdrinkers. Verslaving komt in alle bevolkingsgroepen voor. Politici, directeuren, topsporters, docenten, jongeren en ouderen, vrouwen en mannen, zij kunnen allemaal verslaafd zijn. Aan de meesten zie je het niet. Ze blijven 'gewoon' functioneren. Maar velen redden het niet. Dit hoofdstuk gaat over deze mensen: verslaafd en van alle rangen en standen.

4.2 De doelgroep: wat zijn verslaafden?

Het Trimbos-instituut, het kenniscentrum voor de Geestelijke Gezondheidszorg en Verslavingszorg, definieert verslaving als volgt: 'Problematisch gebruik van een middel waarbij sprake is van afhankelijkheid. Kenmerken van afhankelijkheid zijn vaak in grote hoeveelheden en langere tijd gebruiken, steeds meer van het middel nodig hebben voor hetzelfde effect (gewenning), onthoudingsverschijnselen, het middel gebruiken tegen onthoudingsverschijnselen, willen stoppen terwijl dat niet lukt, veel tijd besteden om aan het middel te komen of om ervan te herstellen, opgeven van belangrijke bezigheden thuis, op school, op het werk of de vrije tijd en doorgaan met het gebruik ondanks het besef dat dit veel problemen oplevert' (www.trimbos.nl). Kenmerkend is het gebrek aan controle over het eigen gedrag.

In het dagelijkse taalgebruik is de term 'verslaving' onderhevig aan inflatie. Je kunt tegenwoordig 'verslaafd' zijn aan van alles. Natuurlijk aan het gebruik van bepaalde middelen, zoals alcohol, sigaretten, drugs of medicijnen, maar ook aan bepaalde gedragsvormen, zoals gokken, internetten, fitnessen of werken.

Dit is een heel brede omschrijving. Zo breed misschien dat het grootste deel van de Nederlandse bevolking wel een of meer van de genoemde kenmerken heeft. Dat is goed om te weten. Maar lang niet iedereen die onder deze definitie van verslaafde valt heeft hulp of steun nodig, laat staan professionele hulp. De doelgroep die in dit hoofdstuk behandeld wordt, bestaat uit verslaafden die voldoen aan de definitie van het Trimbos-instituut en als gevolg van hun verslaving hulp en steun nodig hebben. Hun leven is ontwricht en ze hebben ernstige gezondheidsproblemen, die samenhangen met hun verslaving. Ze kunnen zich niet meer handhaven in de maatschappij, kunnen geen werk vinden of raken hun werk kwijt en hebben soms geen dak boven hun hoofd. Ze komen er zelf niet meer uit.

Maar een klein deel van deze mensen is bereikbaar voor al dan niet professionele hulp en steun. Veel mensen met een ernstig drankprobleem bijvoorbeeld zijn niet herkenbaar als verslaafden. Verslaafden die ook een psychiatrische stoornis hebben, mijden de hulpverlening vaak als de pest. Ze wantrouwen de buitenwereld en zijn vaak nauwelijks aanspreekbaar, behalve soms door lotgenoten of zeer toegewijde en vasthoudende werkers zoals straatadvocaten. Vaak hebben ze naast hun verslaving ook schizofrenie, een ernstige depressie of een bipolaire stoornis.

In dit hoofdstuk gaat het om de verslaafden die het niet zelfstandig (dreigen te) redden en professionele hulp en steun nodig hebben. Dat zijn uitdrukkelijk niet alleen de overlastgevende verslaafden.

Verhaal van een alcoholverslaafde

Woedend was ik toen er bij mij ingebroken werd: het was vast weer zo'n heroïnejunk. Dat bleek te kloppen. De politie had een paar verslaafden gepakt en onder meer spullen gevonden die van mij waren. Die spullen kreeg ik terug, maar mijn geld was ik kwijt.

Een paar maanden later stal ik mijn eerste fles wodka. Ik besteedde toen al (te) veel geld aan mijn geliefde bezigheid: drinken. Ik had geen werk meer: ik was ontslagen, omdat ik vaak te laat kwam op mijn werk en soms helemaal niet. Na een dag of twee meldde ik me dan ziek. Vanaf mijn eerste gestolen fles ging het snel. Ik moest wel stelen om in mijn 'levensonderhoud' te kunnen voorzien. Maar ik zag mezelf niet als verslaafde en zeker niet als de junk die bij mij ingebroken had. Nee, ik was een jongen die van het leven genoot, behoorlijk gekleed ging, een woning had en genoeg vrienden. Dat ik geen relatie met een vrouw volhield, was tot daaraan toe, en dat ontslag was ook geen ramp. Ik was goed opgeleid (hbo) en zou wel een baan vinden.

Hoewel ik hem stevig kon raken, had geen van mijn vrienden het idee dat ik verslaafd zou kunnen zijn. Ik was een goede en vooral trouwe kameraad. Dat ik ontslagen was, heb ik ze niet verteld. Ik had steeds meer de neiging om te drinken tot ik erbij neerviel en soms deed ik dat ook. Het gaf mij achteraf een ellendig gevoel, maar dat hield me niet tegen. Integendeel. Drank maakte me rustig. En ik wist zeker dat ik ieder moment zou kunnen stoppen.

Zo heb ik een tijdje geleefd. Dat het van kwaad tot erger ging, had ik niet in de gaten. Van werk zoeken kwam niets. Ik had steeds meer geld nodig om drank te kunnen kopen en ik ging ook meer stelen. Toen werd ik betrapt in de slijterij waar ik vaste klant was. Dat is nog een hele scène geworden. De politie kwam erbij en omdat ik me hevig verzette, werd ik aangehouden en in een cel gestopt. De rechter-commissaris heeft me de volgende dag vrijgelaten. Wanneer ik voor moet komen weet ik niet. Dat kan nog wel even duren. Ik ben inmiddels wel in contact met de verslavingszorg. Misschien dat dat helpt bij de rechter.

4.3   Historisch overzicht

De geschiedenis van de moderne verslavingszorg dateert eigenlijk pas van na de Tweede Wereldoorlog. Daarvoor was vanaf de vroege negentiende eeuw vooral sprake van (drank)bestrijding. Deze was moreel van aard en richtte zich vooral op de lagere sociale klassen, waar het drankprobleem het meest manifest was. Vooral in de grote steden raakten veel gezinnen in de problemen doordat vader te veel dronk, zijn gezin niet meer kon onderhouden en er bovendien in zijn dronkenschap stevig op los sloeg. Hele generaties zijn door de alcoholproblematiek getekend. De armoede aan de onderkant van de samenleving werd er veel schrijnender door. Sociale voorzieningen waren er niet, in ieder geval niet zoals we ze nu kennen. Alcoholisten werden in de negentiende eeuw vaak met hun hele gezin naar Drenthe overgebracht, waar ze moesten leren werken voor de kost in de veenontginning en moesten leren onder toezicht een eerzaam en deugdelijk bestaan op te bouwen. Dat lukte vaak niet en werkte in ieder geval stigmatiserend.

Alcohol zette een rem op de gewenste ontwikkeling van de arbeidersklasse. En ontwikkeling (verheffing) was de enige weg naar een beter en vooral fatsoenlijk bestaan. In de verzuilende samenleving van de negentiende eeuw kwamen er algemene, protestantse, katholieke en socialistische verenigingen voor drankbestrijding. Vooral de socialistische beweging predikte geheelonthouding: veel socialistische voormannen waren geheelonthouders en drankbestrijders.

De drankbestrijding was uiteindelijk zeer succesvol en met het toenemen van de welvaart leek halverwege de twintigste eeuw het drankprobleem grotendeels te zijn opgelost. Maar daarna begon het alcoholgebruik weer fors te stijgen. Terwijl eind negentiende eeuw de consumptie in Nederland nog zeven liter zuivere alcohol per persoon per jaar bedroeg, daalde die tussen de beide wereldoorlogen naar twee liter, om daarna via negen liter rond 1980 op acht liter uit te komen in 2007.

Was de drankbestrijding aanvankelijk vooral moreel geïnspireerd, in de twintigste eeuw werd de medische benadering dominant. Een baanbreker als de Hongaars-Amerikaanse arts Jellinek (1890-1963) (naar wie de Amsterdamse Jellinekkliniek genoemd is) beschouwde verslaving als een ziekte. In het officiële internationale classificatiesysteem van de psychiatrie, de DSM, wordt verslaving als een psychiatrische stoornis beschreven. Afwijkende hersenfuncties veroorzaken de dwang om middelen te gebruiken en de afhankelijkheid ervan. Maar de morele benadering is nooit helemaal weggeweest. Sommigen (met als prominente woordvoerder de Engelse psychiater Th. Dalrymple) vinden dat de verslaafde met wilskracht en een beetje steun van zijn verslaving af moet kunnen komen. Veel hedendaagse behandelmodellen combineren elementen van beide benaderingen.

Vanaf de jaren zestig van de vorige eeuw is het beeld van verslaving drastisch veranderd. Drugs als cocaïne en heroïne deden hun intrede en veroorzaakten al snel ernstige problemen. In het straatbeeld van vooral de grote steden, waar openbare dronkenschap niet meer gewoon was, doken nu ernstig verwaarloosde heroïneverslaafden op, die veel overlast veroorzaakten (diefstallen, berovingen) en niet te beïnvloeden leken. Velen van hen kwamen in de gevangenis terecht en van daaruit in een verslavingskliniek. Voor deze mensen was het strafrecht de deur naar behandeling. Dit bleek niet erg succesvol: veel verslaafden vielen weer terug in hun oude gewoonten.

Dat riep de aloude discussie op of met dwang wel blijvende resultaten te boeken zijn. Strafrecht is er vooral op uit de overlast die verslaafden veroorzaken te verminderen, maar kan het probleem van de verslaving niet oplossen. Daar is meer voor nodig. Samenwerking tussen justitie en verslavingszorg is een van de mogelijkheden.

4.4 De belangrijkste kenmerken van verslaving

Het Trimbos-instituut maakt bij de definiëring van verslaving onderscheid tussen lichamelijke en geestelijke afhankelijkheid: 'Er is sprake van lichamelijke afhankelijkheid als het lichaam van de gebruiker protesteert wanneer hij of zij stopt met het gebruik van de drug. Er treden dan ontwenningsverschijnselen op. Een ander lichamelijk verschijnsel is tolerantie. Dit betekent dat iemand steeds meer van het middel nodig heeft om hetzelfde effect te voelen. Tolerantie en lichamelijke afhankelijkheid worden veroorzaakt door de drug. Er zijn drugs die beide verschijnselen met zich meebrengen, maar er zijn ook drugs waarbij geen van beide optreedt.

Geestelijke afhankelijkheid houdt in dat de gebruiker het idee heeft niet goed te kunnen functioneren zonder de drug. Of geestelijke afhankelijkheid optreedt, ligt meer aan de gebruiker dan aan het middel' (www.trimbos.nl).

Als je elk moment kunt stoppen, ben je niet verslaafd. Veel verslaafden ontkennen hun afhankelijkheid en beweren elk moment te kunnen stoppen of het gebruik te kunnen verminderen. Meestal is het tegendeel het geval. Het niet kunnen stoppen of het stoppen niet kunnen volhouden is een teken van verslaving. Dit blijkt moeilijk te accepteren.

Verslaafd zijn is voor iedereen herkenbaar. We hebben allemaal wel iets wat we niet kunnen laten en we zijn allemaal afhankelijk van bepaalde gewoontes. Maar meestal leidt dat niet tot problemen. Gewoontevorming hoort bij de mens, en is zelfs nuttig. Maar je moet er wel controle over hebben, anders kan het misgaan. Dat gebeurt bij verslaving en kan leiden tot schade aan je lichaam en geest en je relaties (ruzie, mishandeling) en tot maatschappelijke schade (diefstal of vernieling). Verslaving is dan destructief.

Je kunt in verschillende mate verslaafd zijn. Als je zwaar verslaafd bent, bepaalt de verslaving je hele bestaan. Dat betekent dat alles wat verder bij het dagelijks leven hoort naar de achtergrond verdwijnt, zoals hygiëne en op tijd eten en drinken.

Vicieuze cirkel

Verslaafd worden is een proces dat vele jaren kan duren. Als je eenmaal verslaafd bent, kom je er niet snel en gemakkelijk vanaf. Dat komt doordat de verslaving door het voortdurende gebruik zichzelf voedt en versterkt, iets wat voor het ene middel overigens meer geldt dan voor het andere.

Het onderstaande is door de Groningse psychiater Kuno van Dijk al in 1979 beschreven voor alcohol, maar de zogenoemde cirkels van Van Dijk hebben algemene geldigheid en worden ook voor verslaving in het algemeen gebruikt. Aan verslaving liggen volgens Van Dijk een aantal vicieuze cirkels ten grondslag, die elkaar voortdurend versterken. Er zijn vier van deze cirkels te onderscheiden:

1 *De farmacologische vicieuze cirkel*
Het lichaam van de gebruiker past zich aan de dagelijkse hoeveelheden alcohol aan.
Hij ontwikkelt tolerantie en krijgt bij minderen of stoppen ontwenningsverschijnselen.
De ontwenningsverschijnselen zijn redenen om weer te gaan gebruiken. Hierdoor verdwijnen de ontwenningsverschijnselen voor even, maar ze komen al snel in ergere vorm terug.
Er wordt opnieuw gebruikt, waardoor... en zo verder. De behoefte aan alcohol wordt door de farmacologische cirkel steeds groter.

2 *De psychische vicieuze cirkel*
De gebruiker ervaart de roes van alcohol als positief. Deze roes wil hij telkens herhalen.
Door het drinken krijgt de gebruiker echter in toenemende mate schuld- en schaamtegevoelens, en ook de reactie daarop is drinken. Hierdoor nemen deze gevoelens alleen maar toe, waardoor er weer opnieuw gebruikt wordt. En zo verder. De behoefte aan alcohol wordt door de psychische cirkel steeds groter.

3 *De sociale vicieuze cirkel*
Het drinken leidt tot allerlei problemen, zoals ruzies met vrienden en familie en op het werk. Soms ontstaan ook problemen met politie en justitie. Uiteindelijk ervaart een verslaafde dat hij steeds meer afgewezen wordt en steeds meer alleen komt te staan. Deze problemen vormen op hun beurt weer redenen om te drinken, waardoor de problemen alleen maar groter worden. 'Drink je omdat je het moeilijk hebt of heb je het moeilijk omdat je drinkt?' was een leus waarmee de Jellinekkliniek een aantal jaren terug campagne voerde. De leus verwoordde de sociale vicieuze cirkel waarin verslaafden terecht kunnen komen.

4 *De cerebrale cirkel*

Langdurig gebruik kan de hersenen aantasten, waardoor het voor de verslaafde steeds moeilijker wordt om weerstand te bieden aan de impuls om te drinken. Hierdoor raken de hersenen weer verder aangetast, waardoor de kans dat de gebruiker zal stoppen nog kleiner wordt. De schade aan de hersenen kan blijvend zijn. Een van de bekendste hersenziekten als gevolg van overmatig alcoholgebruik is het niet te genezen syndroom van Korsakov, dat door desastreus geheugenverlies mensen invalide maakt.

Deze cirkels grijpen in elkaar en versterken elkaar. Het zijn geen fasen die een bepaalde volgorde aangeven, en niet alle cirkels komen bij elke verslaving even sterk voor. Ze geven aan dat de verslaving steeds ingewikkelder wordt en steeds moeilijker te bestrijden, laat staan te overwinnen is.

Het is dan ook van belang om bij een verslaving zo snel mogelijk in te grijpen, op een moment dat de cirkels nog niet op volle kracht werken en elkaar niet voortdurend versterken. Wacht men te lang, dan kan verslaving een hardnekkig probleem worden dat moeilijk te behandelen is (www.jellinek.nl).

Voorbeelden van verslaving

Je kunt, afhankelijk van de omstandigheden, aan veel dingen verslaafd raken. Waar tabak beschikbaar is raken mensen verslaafd aan tabaksproducten. Waar alcohol is, raken mensen verslaafd aan alcohol. Waar gokapparaten staan, raken mensen verslaafd aan gokken en waar computergames beschikbaar zijn, raken mensen daaraan verslaafd. Zo ontstaan er steeds nieuwe vormen van verslaving en verdwijnen er ook weer. Verslaafd raken is kennelijk een heel menselijk trekje.

Alcohol

Alcohol is in onze samenleving volop beschikbaar en geaccepteerd: alcohol hoort bij het leven. Alcoholverslaving is in Nederland en in de westerse samenleving dan ook verreweg de meest voorkomende vorm van verslaving. Bij overmatig en langdurig gebruik heeft alcohol ernstige lichamelijke en sociale gevolgen. Leverziekte en aantasting van het zenuwstelsel zijn de meest opvallende lichamelijke gevolgen. Psychologisch gezien leidt alcoholisme tot tal van emotionele en cognitieve veranderingen: gebrekkige impulscontrole, agressiviteit en achteruitgang van beoordelingsvermogen en normbesef. Sociaal kan alcoholisme leiden tot ontwrichting van het gezin en ernstige problemen bij de uitoefening van het beroep. Alcoholverslaving wordt vaak gezien als een ziekte, die in de hersenen te lokaliseren is en een genetische basis heeft. Anderen leggen er de nadruk op dat iedere verslaving begint met een keuze: je hoeft niet te drinken, ook al is de verleiding nog zo groot.

Opiaten

Verslaving aan opiaten, zoals heroïne, komt veel minder voor en neemt de laatste jaren zelfs af. Aan heroïne raak je snel verslaafd, zowel lichamelijk als psychisch. Gecontroleerd gebruik, zoals bij het mildere opium (in de negentiende eeuw zeer in trek bij kunstenaars en in het oude China), is nagenoeg onmogelijk. Je hebt er bovendien steeds meer van nodig voor hetzelfde effect.

Opiaten zijn illegaal en dus duur, met alle financiële en sociale gevolgen van dien voor de gebruiker en zijn omgeving. Verslaafden hebben door verwaarlozing en ondervoeding bovendien een grote kans op infecties. Het (overigens steeds minder voorkomende) spuiten levert extra risico's op van hepatitis- en HIV-aidsbesmetting.

Cocaïne en amfetamine

Cocaïne en amfetamine zijn stimulerende middelen, die ook verslavend kunnen zijn.

Medicijnen
Een belangrijk verslavingsrisico hebben ook sommige medicijnen, met name de slaappillen en kalmerende middelen.

Cannabis
Steeds meer wordt er hulp gevraagd vanwege het gebruik van cannabis.

Tabak
Tabak (nicotine) kan ook zeer verslavend zijn.

Toch is het onjuist te stellen dat drugsgebruik onherroepelijk tot verslaving leidt. Drugs kunnen inderdaad verslavend zijn, dat geldt zeker voor de bovengenoemde middelen. Maar voor een echte verslaving is meer nodig. Persoonlijke, sociale en maatschappelijke factoren spelen naast het middel zelf een grote rol.

Vaak worden meerdere middelen genomen. Veel mensen die vaak alcohol gebruiken, roken bovendien. Ook alcohol en cocaïne worden vaak samen gebruikt.

Van de verslavingen die niet met stoffen samenhangen, is gokken de meest in het oog lopende en naar het lijkt ook de meest ontwrichtende. De meeste verslavingsinstituten bieden programma's voor gokverslaafden.

4.5 De oorzaken van verslaving

Tegenwoordig zoekt men de oorzaak van verslaving in (een combinatie van) biologische, psychische en sociale factoren. De meeste instellingen voor verslavingszorg hanteren dit biopsychoscociale verklaringsmodel en baseren daar hun hulpverlening op.

Biologische factoren

Herhaald gebruik van bepaalde middelen, maar ook gewoontevorming, heeft gevolgen voor het functioneren van de hersenen en andere organen. Mensen worden geboren met verschillende vormen van lichamelijke kwetsbaarheid. De ene mens is kwetsbaarder dan de andere, en heeft als het ware meer aanleg voor verslaving. Die kwetsbaarheid heeft natuurlijk veel invloed op het verslaafd raken. Dit wil overigens niet zeggen dat iedereen met aanleg voor verslaving ook daadwerkelijk verslaafd raakt.

Psychologische factoren

Daarnaast spelen ervaringen een rol. In een omgeving waar problematisch middelengebruik gewoon is, zal iemand makkelijker verslaafd worden. Denk aan de invloed van verslaafde ouders en later de vriendengroep. En wat als een experiment begon, kan uitgroeien tot misbruik. Het gebruik neemt toe en versterkt het verslavingsgedrag. Dit kan steeds ernstiger worden, de afhankelijkheid wordt aan alle kanten groter en vicieuze cirkels worden steeds moeilijker te doorbreken.

Sociale factoren

Het sociale systeem (het gezin bijvoorbeeld) vraagt bij verslaving telkens om een specifieke aanpassing, zowel in periodes van actief gebruik of openlijk verslavend gedrag als in periodes van relatieve rust, wanneer de verslaafde (meestal tijdelijk) gestopt is. Leden van het systeem (partner, kinderen en eventuele anderen) ontwikkelen een gedragspatroon waarin zij een rol spelen die het systeem overeind kan houden. Meestal gaat het daarbij om tijdelijke strategieën. Op den duur is een verslaving funest voor een sociaal systeem, want bij een echte verslaafde draait alles om zijn eigen persoon en zijn obsessie, waarover hij – ook al beweert hij vaak anders – de controle verloren heeft.

4.6 Beleid

In Nederland is het beleid sinds de jaren zeventig gericht op normalisering van het middelengebruik. Verslaving wordt gezien als iets wat bij de samenleving hoort en niet uit te bannen is. Het beperken van de schade voor de gebruiker, zijn omgeving en de samenleving staat dan ook centraal en niet het bestrijden van de verslaving of de verslaafde. Dit beleid is redelijk succesvol, zeker in vergelijking met andere landen, waar de bestrijding wel het hoofddoel is van het beleid.

De verslavingszorg zelf heeft het biopsychosociale model voor de verklaring en de behandeling van verslavingen omarmd naast het ziektemodel. De meeste instellingen huldigen als uitgangspunt dat verslaving weliswaar een ziekte is, maar veel meer aspecten van de mens betreft. Bovendien blijkt verslaving een merkwaardige ziekte, waarvan genezing nauwelijks mogelijk is en die niet met medicijnen te bestrijden of in de hand te houden valt. Hoewel er steeds meer hersenonderzoek naar verslaving gedaan wordt, zijn de vorderingen op dit gebied (nog?) niet spectaculair, net als in de psychiatrie.

4.7 Cijfers

De Nationale Drugmonitor (NDM) van het ministerie van VWS houdt sinds 1999 jaarlijks de cijfers bij over het gebruik van drugs, alcohol en tabak in Nederland (zie www.trimbos.nl).

De NDM levert niet alleen cijfers over drugsgebruik, maar ook over alcohol en alle mogelijke andere verslavingen.

Alcohol

Uit het Jaarbericht van de NDM van 2007 blijkt dat de alcoholproblematiek in Nederland omvangrijk is. Er zijn ongeveer 1,2 miljoen probleemdrinkers, van wie maar een klein deel hulp zoekt bij de verslavingszorg. In 2006 bijvoorbeeld werden ruim 30.000 mensen voor een primair alcoholprobleem behandeld.

Opvallend is de spectaculaire toename van het aantal jongeren onder de zestien dat in het ziekenhuis werd opgenomen met een alcoholprobleem: dat aantal steeg tussen 2001 en 2006 van 263 naar 482. In 2007 dronk 38 procent van de mannen tussen 18 en 24 jaar op een of meer dagen in de week meer dan zes glazen alcohol en 14 procent van de vrouwen in deze leeftijdsgroep, wat hen bestempelt tot zware drinkers of probleemdrinkers.

Drugs

Het percentage *cannabis*gebruikers bleef tussen 2001 en 2005 stabiel op 3,3 procent of 363.000 gebruikers. Wel blijkt er de laatste jaren een gestage groei van het aantal cannabisgebruikers dat hulp zoekt, van 1.951 in 1991 naar 6.554 in 2006. Dit hoeft overigens niet te wijzen op een toename van de problemen, maar kan ook veroorzaakt worden door een beter hulpverleningsaanbod.

Ook het *cocaïne*gebruik bleef stabiel op 0,3 procent of 32.000 gebruikers. Cocaïne wordt inmiddels niet meer alleen in de steden gebruikt, maar verspreid over het hele land. Het wordt vaak gecombineerd met alcohol. Het aantal primaire cocaïneclïenten nam na een stijging van 2.500 in 1994 naar 10.000 in 2004 af tot 9.599 in 2006.

Het *amfetamine*gebruik bleef relatief beperkt met 0,2 procent van de Nederlanders van 15 tot 64 jaar. Dat zijn ongeveer 21.000 personen, van wie er in 2006 215 hulp zochten.

De vraag naar hulp bij gebruikers van *heroïne en methadon* neemt af, evenals het aantal gebruikers.

Nederland telt naar schatting tussen 24.000 en 46.000 probleemgebruikers van opiaten. Van hen stonden er in 2006 13.000 geregistreerd bij de verslavingszorg, bijna een kwart minder dan in 2001.

In 2006 zijn ruim 22.000 personen verdacht van een Opiumwetdelict. Na een toename vanaf 2000 stabiliseert dit aantal zich sinds 2004. Het aandeel softdrugsdelicten neemt de laatste jaren toe, terwijl het aandeel harddrugsdelicten afneemt.

Primaire problematiek	Aantal personen in 2007	Verandering t.o.v. 2006	Aandeel in 2007
Alcohol	33.101	+ 10%	47%
Opiaten	13.785	+ 4%	19%
Cocaïne	9.981	+ 4%	14%
Amfetamine	1.473	+ 21%	2%
Cannabis	8.017	+ 23%	11%
Gokken	2.803	+ 6%	4%
Overige	1.871	- 6%	3%
Totaal	**71.031**	+ 8%	100%

Primaire problematiek	Omvang problematisch gebruik in de bevolking 2007	In behandeling 2007
Alcohol	1.200.00	3%
Opiaten (bijv. heroïne)	24.000 - 46.000	30%-57%
Cocaïne	32.000	31%
Amfetamine	21.000	7%
Cannabis	363.000	2%
Gokken	40.000	7%

4.8   Werken met verslaafden

In de verslavingszorg zijn in totaal 4.400 arbeidsplaatsen. Dat is zeven procent van het totale aantal arbeidsplaatsen in de geestelijke gezondheidszorg. Het is niet bekend hoeveel mensen er precies in de verslavingszorg
werken. Er zijn in ieder geval veel deeltijdwerkers. Nog meer mensen zijn
op een of andere manier betrokken bij het werk in de verslavingszorg, zeker als je daarbij ook de nog steeds groeiende zelfhulpgroepen betrekt.

In de verslavingszorg en -hulpverlening werken veel sociaal werkers. Ook
hier geldt – zoals in het hele werkveld van het sociaal werk – dat het onderscheid tussen de verschillende opleidingen niet meer zo belangrijk gevonden wordt. In bijna alle functies voor sociaal werkers kunnen zowel
MWD'ers als SPH'ers terecht en vaak ook CMV'ers.
    In alle instellingen werken sociaal werkers met een SPH- of MWD-ach-
tergrond. CMV'ers zijn er minder te vinden. Ook hier geldt – zoals bij de
andere doelgroepen die in dit boek aan de orde komen – dat de grenzen
tussen de verschillende disciplines van het sociaal werk vervagen. Voor
veel functies is geen MWD- of SPH-opleiding meer vereist, maar volstaat
een diploma social work. De meeste sociaal werkers hebben een functie
als groepswerker of sociotherapeut. Deze functies betreffen allemaal de
dagelijkse begeleiding van de cliënten. Dat hiervoor de voorkeur gegeven

wordt aan een hbo-opleiding heeft te maken met de complexiteit en de zwaarte van het werk.

De gesubsidieerde instellingen zijn regionaal georganiseerd en dus over het land verspreid. De steeds belangrijker wordende commerciële instellingen zijn bovendien ook in het buitenland te vinden. Ze onderscheiden zich meestal door hun specifieke aanbod. Bovendien is hun financiële drempel hoog. Er zijn ook klinieken met een krachtige religieuze of kerkelijke achtergrond. De gesubsidieerde instellingen hebben ook de maatschappelijke taak zich bezig te houden met preventie en voorlichting.

Onderzoek en preventie

De meeste instellingen houden zich bezig met onderzoek naar het gebruik van middelen en het voorkomen van risicovol gedrag. Gebruik kan toenemen of afnemen, afhankelijk van veel factoren: de prijs en beschikbaarheid van het middel, trends in de samenleving of binnen een bepaalde subcultuur, maatregelen van de overheid (verbod op middelen, vervolging van strafbare feiten en dergelijke), naast natuurlijk de talloze factoren in de persoonlijke levenssfeer. Het is voor instellingen van belang actuele kennis te hebben van trends, middelen die in opkomst zijn, de mate van gebruik en gewoontes, die ontstaan onder bepaalde groepen.

Daarnaast wordt er voorlichting gegeven over de feiten: wat doen de middelen met je lichaam, welke risico's loop je bij gebruik, hoe ga je om met gebruikers, wat zegt de wet en waar kun je hulp vinden. Deze voorlichting vindt vooral plaats via het *internet*: alle instellingen hebben websites, waar alles is te vinden.

De preventiecampagnes zijn meestal meer doelgericht. Bijvoorbeeld gericht op jongeren, die pas beginnen met een studie speciaal over de risico's van alcoholgebruik, of toeristen, die nieuw zijn in Nederland en geïnformeerd worden over cannabis en paddo's. Er zijn ook langlopende preventieprojecten om voorlichting te geven op scholen of eerstelijnshulpverleners (huisartsen bijvoorbeeld) te informeren over verslavingsproblematiek. Ook kunnen pillen getest worden en kan informatie gegeven worden over de risico's van ecstacy- en cocaïnegebruik op party's en in uitgaansgelegenheden.

De verslavingspreventieprojecten participeren vaak ook in breder opgezette projecten, zoals rond de opvoedingsondersteuning van pubers of projecten voor spijbelende jongeren. Er zijn ook projecten over risicogedrag op het werk: ze adviseren bedrijven over hun beleid op het gebied van risicovol gedrag.

Voor het preventie- en voorlichtingswerk komen sociaal werkers van alle opleidingen in aanmerking. CMV'ers lijken hiervoor het beste toegerust, beter in ieder geval dan voor de behandel- en zorgfuncties.

Behandeling en zorg

Hulp aan verslaafden verloopt tegenwoordig meestal volgens het *stepped care* model. Dat houdt in dat de cliënt altijd de minst intensieve vorm van behandeling of zorg krijgt, waarvan op grond van een goede diagnostiek en goede professionele inschatting mag worden aangenomen dat die effectief zal zijn. Niet meer en zwaardere hulpverlening dan nodig is, geen standaardprogramma, maar hulp op maat. Dat vergt veel van de diagnostiek (slechte of slordige diagnostiek is fataal), maar vooral ook van de communicatie met de cliënt. Sommige cliënten voelen zich snel misdeeld of niet serieus genomen als ze niet de hulp krijgen die ze wensen of verwachten. Deze manier van werken heeft ook een voortdurende monitoring nodig. Er moet steeds nagegaan worden of de hulp of zorg nog toereikend is. Stepped care hulp veronderstelt een permanent effectiviteitsonderzoek. Blijkt de hulp of zorg niet meer effectief dan moet worden overgeschakeld op een andere (meestal intensievere) vorm. (Vandereycken et al., 2009)

In het stepped care model is veel aandacht voor een goede *intake bij aanmelding*. Tijdens een eerste gesprek wordt de hulpvraag onderzocht, de problematiek verkend en worden behandelmogelijkheden besproken. Ook een lichamelijk onderzoek hoort daarbij. Vervolgens wordt er een hulpverleningsadvies uitgebracht. Verslavingsinstellingen hebben een uitgebreid menu van hulpmogelijkheden. Vandaar dat het van belang is goed stil te staan bij de beginfase van een hulp- of zorg*traject*. Er wordt altijd een behandelovereenkomst opgesteld.

Men kan behandeld worden zonder opgenomen te worden (ambulant), in deeltijd of met opname.

Ambulant
Een behandeling kan bestaan uit een beperkt aantal *gesprekken* met een hulpverlener. Deze duren normaal gesproken 45 minuten en elk gesprek heeft een duidelijk thema. Soms kan iemand (bijvoorbeeld een vriend of familielid) uitgenodigd worden deel te nemen aan het gesprek. Een thema kan zijn: hoe ga ik om met risicovol gedrag. Of hoe kan ik nee zeggen in situaties, waarin mij middelen worden aangeboden. Er wordt gesproken over hoe terugval voorkomen kan worden. Er worden actiepunten opgesteld.

Een behandeling kan ook bestaan uit een *afkickprogramma*. Naast een medische begeleiding bij het afkicken zijn er groepsgesprekken over gebruik en manieren om te leven zonder verslaving. Het stimuleren van de motivatie om niet meer te gebruiken is ook onderdeel van de groepsgesprekken.

Zo kan een verslavingsinstelling diverse *behandelmodules* aanbieden. Zelfstandigheidstraining of een training voor gecontroleerd gebruik. Gespreksgroepen voor familieleden of een stoppen met roken-training voor mensen, die om ernstige medische redenen, bijvoorbeeld vanwege een hartaandoening, hun rookgewoonte moeten opgeven.

Onder ambulante hulp wordt ook de *methadonverstrekking* gerekend. Voor een opiaatgebruiker kan het van belang zijn, dat hij wordt ingesteld op methadon. Ook andere middelen, bijvoorbeeld psychofarmaca, kunnen verstrekt worden.

Deeltijd

Bij een complexere verslavingsproblematiek is er de mogelijkheid om in *deeltijdbehandeling* te gaan. Deze is bedoeld voor mensen, die al jaren worstelen met verslavingsproblematiek. Zij bezoeken een aantal dagen in de week de instelling en krijgen daar groepsgesprekken over bijvoorbeeld sociale vaardigheden, terugvalpreventie, dagstructurering.

Opname

Ook kan men hulp krijgen door een tijdelijke *opname*. Dat kan zijn om te ontgiften (detoxificatie). Maar ook om een tijd tot rust te komen en na te gaan, welke hulpmogelijkheden het meest geschikt zijn om van de verslaving af te komen. Bij een ernstige verslaving en wanneer er daarnaast ook allerlei andere psychische of sociale problemen zijn, kan iemand kiezen voor een opname van zes tot twaalf weken. Er vinden dan allerlei individuele en groepsgesprekken plaats en men leeft met elkaar samen in een aangepast leefmilieu. Er wordt een behandelplan afgesproken: zo zijn er mogelijkheden voor gedragstherapie, voorlichting over gebruik en het leven zonder gebruik: de zogenoemde psycho-educatie. Men mag tijdens zo'n opname niet gebruiken en moet dus eerst ontgift worden. Na afloop is er een aanbod voor nazorg en nabehandeling.

Naast deze relatief kortdurende opnamemogelijkheid bestaat er ook een *langdurig behandelaanbod* van een halfjaar, waarin het samen leven in een zekere afzondering vooropstaat. Contacten met anderen, zoals familieleden en andere betrokkenen, zijn daarbij meestal wel mogelijk, in de instelling uiteraard.

De behandeling en zorg is vanouds het terrein van MWD'ers en SPH'ers. Ze werken daarin samen met verpleegkundigen (instellingen voor verslavingszorg zijn GGZ-instellingen, ze hebben ook altijd een medische oriëntatie). Ze doen daar meestal hetzelfde werk, afgezien van de medisch voorbehouden handelingen.

Rehabilitatie
Verslaving bedreigt niet alleen de gezondheid van de verslaafde maar ontwricht ook het dagelijkse leven, het sociale leven en het werk of de school van de verslaafden. Om zijn leven niet langer te laten beheersen door de verslaving moet de verslaafde een nieuwe identiteit en een nieuw activiteitenpatroon ontwikkelen, waarin hij nieuwe zin en betekenis ervaart. Een nieuw perspectief dus. Ook in de verslavingszorg wordt het belang van rehabilitatie in toenemende mate ingezien. Rehabilitatie ondersteunt het herstel. Herstel in alle betekenissen: herstel van gezondheid, herstel van het dagelijkse en sociale leven, herstel van het werk, kortom herstellen van de schade die de verslaving heeft aangericht. Een goede rehabilitatie geeft meer kansen op herstel en werkt daarmee als terugvalpreventie. Herstellen kan alleen de cliënt zelf, rehabilitatie biedt daarbij de nodige steun. Ook hier geldt dat de cliënt zelf het werk zal moeten doen. Herstellen kan een hulpverlener niet voor hem doen. Een rehabilitatiewerker zal de cliënt wel actief *volgen*. Hij zal er moeten zijn als het nodig is. De relatie wordt wel getypeerd als een bondgenootschap. De hulpverlener staat niet boven de cliënt, zit ook niet boven op hem als controleur, maar staat naast hem als gelijkwaardige in de strijd om een nieuw bestaan. Rehabilitatie is gericht op (her)integratie in de samenleving, maar dan wel op een door de cliënt zelf gewenste manier. Hij zal zijn nieuwe leven zelf inrichten. De rehabilitatiewerker stuurt hem daarbij niet, maar ondersteunt en bemoedigt hem.

Rehabilitatie is geen nazorg. Rehabilitatie moet op de eerste dag beginnen en kan heel goed bestaan naast de behandelprogramma's. De Individuele Rehabilitatiebenadering bijvoorbeeld komt van pas op alle momenten dat de cliënt keuzes maakt op het terrein van wonen, werken, leren, sociale contacten en financiën. De cliënt krijgt systematische steun bij het kiezen, het verkrijgen en het behouden van doelen die hijzelf heeft op de genoemde levensgebieden. Ook bij het daaraan voorafgaande omzetten van wensen in (reële) doelen (Dröes, 2008). In schema ziet dat er zo uit:

Fasen cliënt	Acties cliënt en hulpverlener
Verkennen	Doelvaardigheid beoordelen en ontwikkelen
Kiezen	Doel stellen
Verkrijgen	Vaardigheden en hulpbronnen inventariseren Vaardigheden leren (gebruiken)
Behouden	Hulpbronnen creëren, verkrijgen en gebruiken van eigen doelen op de gebieden wonen, werken, leren, sociale contacten en financiën

Bron: Dröes, 2008

Voor dit rehabilitatiewerk zijn sociaal werkers geknipt. Zowel MWD'ers als SPH'ers komen ervoor in aanmerking, maar ook CMV'ers zouden hier goed passen.

In *inloophuizen* kunnen verslaafden binnenlopen voor een praatje en een kop koffie. Er worden allerlei vormen van dagbesteding aangeboden, zoals werken met een computer en schilderen. Dit wordt uiteraard gedaan met de bedoeling om mensen een geregeld leven te geven waarin werk (betaald of vrijwilligerswerk) een belangrijke rol speelt, maar niet in de laatste plaats om de overlast te bestrijden.

Een andere vorm van overlastbestrijding is de gratis verstrekking van heroïne, een politiek omstreden activiteit met veel juridische haken en ogen.

Er worden nog steeds nieuwe, laagdrempelige vormen van hulpverlening voor verslaafden ontwikkeld. CMV'ers kunnen hierin een belangrijke taak hebben, omdat dit vaak projecten zijn die tussen het klassieke werkgebied van de CMV'er (club- en buurthuiswerk, opbouwwerk) en de hulpverlening liggen.

Omdat een grote groep dak- en thuislozen verslavingsproblemen heeft, worden in die sector veel van dergelijke initiatieven ontwikkeld, vaak door sociaal werkers.

Zelfhulp

Zelfhulp is altijd een sterke vorm van hulp geweest voor verslaafden. Het verlenen van onderlinge steun, onderlinge acceptatie en herkenning en het verkrijgen van kracht om tijdens moeilijke periodes door te zetten zijn kenmerken van zelfhulp. De oudste, meest bekende vorm is de AA (Alcoholics Anonymous). Deze organisatie werkt volgens een twaalfstappenmodel, waarop ook het later ontwikkelde Minnesotamodel gebaseerd is. Dit wordt internationaal gebruikt en overal ter wereld zijn AA-groepen te vinden. Vergelijkbare organisaties bestaan voor drugsverslaafden en gokverslaafden.

Het leven met een verslaafde is erg zwaar en het is nauwelijks mogelijk om langdurig een goede relatie met iemand die verslaafd is in stand te houden. Voor partners en kinderen van verslaafden bestaan daarom ook zelfhulpgroepen.

De reguliere hulpverlening staat dikwijls vreemd tegenover het vaak sterk spirituele of christelijke karakter van veel zelfhulpgroepen. Het twaalf-stappenmodel van de AA bijvoorbeeld heeft een sterk spirituele inslag. Zingeving is hierin heel belangrijk, waarbij hogere machten en/of God niet geschuwd worden. Veel professionele werkers zijn daar huiverig voor en vinden het meer iets voor pastoraal werkers. Dit verwijst ook naar dieperliggende verschillen tussen verslavingszorg en zelfhulpgroepen. De verslavingszorg is zich in zijn professionalisering steeds meer gaan rich-ten op de verslaving als zodanig en op de psychopathologie. Niet de ver-slaafde, maar de verslaving kwam steeds meer centraal te staan. De kracht van de zelfhulpgroepen bleek te liggen in de aandacht voor de verslaafde. Bovendien duurt het lidmaatschap van een zelfhulpgroep zolang de ver-slaafde dat wil, eventueel levenslang, terwijl behandeling in een instelling voor verslavingszorg per definitie tijdelijk is. Daarbij komt dat de zelf-hulpgroepen volledige onthouding als doel hebben en veel programma's van de reguliere hulpverlening ook gecontroleerd gebruik beogen.

De reguliere zorg is niet blind gebleken voor de successen van de zelf-hulpgroepen, en de professionele hulpverlening zoekt steeds meer samen-werking met de zelfhulpgroepen. Zij blijken elkaar goed aan te vullen (Van Rooijen et al., 2009). Volledig samengaan zit er gezien de fundamentele verschillen niet in, maar wederzijdse ondersteuning en van elkaar gebruik-maken kunnen alleen maar tot verbeteringen voor verslaafden leiden. Er zijn instellingen voor verslavingszorg die onderdak en ondersteuning bie-den aan zelfhulpgroepen of programma's aanbieden die op de principes van zelfhulp zijn gebaseerd.

Hier liggen veel kansen voor sociaal werkers. De beschreven samen-werking is nog vrij nieuw en sociaal werkers – zowel CMV'ers als MWD'ers als SPH'ers – met hun vermogen tot 'verbinden en verheffen' (de basis van hun professionaliteit) kunnen hier uitstekend werk verrichten.

4.9 Wat vraagt werken met verslaafden van je en wat levert het op?

Wie met verslaafden werkt, moet tegen een stootje kunnen. De aard van de problematiek brengt met zich mee dat je goed moet kunnen omgaan met teleurstellingen. Een verslaafde kan meestal slechts met *vallen en opstaan* van zijn verslaving afkomen.

Het hoofddoel van de hulpverlener is *motiveren* en iemand helpen zijn motivatie te ontwikkelen. De basisprincipes van de zogenoemde 'motivationele gespreksvoering' dient elke hulpverlener in de verslavingszorg onder de knie te hebben.

Een echte verslaving is desastreus voor iemands sociale en maatschappelijke leven en gaat heel vaak samen met andere problemen: op het werk, in het gezin, financieel. Bovendien veroorzaakt of verergert verslaving andere lichamelijke of psychische problemen. Een zogenoemde *dubbele diagnose* bemoeilijkt het zicht op de ware aard van de problematiek en op het meest relevante aanknopingspunt voor hulp.

Voor nogal wat mensen die bijvoorbeeld te kampen hebben met zware en chronische psychische problemen blijken de verleidingen van drugs of alcohol op den duur moeilijk te weerstaan. Verslaafd zijn aan cannabis of aan cocaïne lijkt meer geaccepteerd te worden dan schizofrenie. Hoewel de verslaving de ziektesymptomen soms in ernstige mate verergert, ontlenen mensen toch een bepaalde sociale status aan hun verslaving, een status die ze als psychiatrisch patiënt niet krijgen. Bovendien bestaat bij veel psychiatrische patiënten de hoop dat het middelengebruik het constante gevecht dat ze dikwijls voeren tenminste voor een korte tijd verzacht of verdooft. Dat de stemmen die bij sommige mensen dagelijks een stortvloed van narigheid uitspuwen voor heel even verstommen.

Het werken met verslaafden is geen hopeloze onderneming. Het kan een *uitdaging* zijn mensen voor te lichten over gebruik en de risico's daarvan. Het is leuk te werken aan preventieprojecten: hoe komen dingen over en hoe kun je aansluiten bij bepaalde doelgroepen, bijvoorbeeld mensen met een verstandelijke handicap of jongeren in een bepaald soort onderwijs? In het werk met ernstig verslaafden is het altijd belangrijk je doelen *realistisch* te stellen en te accepteren dat verslaving in de kern betekent dat dingen niet lukken. Het is vooral belangrijk *niet te moraliseren*. Mensen hebben gauw de neiging de naar onze eigen maatstaven positieve keuzes ook aan anderen als normaal en goed voor te houden. Maar iedereen mag zijn eigen leven inrichten zoals hij dat wil. De maatschappij stelt daarbij weliswaar grenzen, maar iedereen moet zelf weten hoe hij met die grenzen omgaat. De sociaal werker kan steun bieden met bewustmaking, met verheldering, training, ondersteuning, raad en soms zorg. Belangstelling voor de achtergronden van het gedrag is belangrijk. De sociaal werker dient bescheiden te zijn, maar ook doortastend. Hij zal stevig en concreet moeten zijn in zijn adviezen en voorstellen en dient een positieve instelling te hebben. Dat laatste betekent dat hij vooral vertrouwen moet hebben in zichzelf, in zijn werk en in de verslaafden met wie hij werkt.

Ervaringsdeskundigheid

In de verslavingszorg werken veel mensen die zelf verslaafd zijn geweest. Zo is veel commerciële verslavingszorg door ex-verslaafden in het leven geroepen en spelen ex-verslaafden een belangrijke rol bij de voorlichting over verslaving.

Een eigen verwerkt verslavingsverleden blijkt een voordeel voor het werken in de verslavingszorg. Niemand weet zo goed hoe het is om verslaafd te zijn als een ervaringsdeskundige. Hij heeft aan den lijve ervaren hoe moeilijk en vaak grillig de weg is van bewustwording, terugval en herstel. Ex-verslaafden die het lukt dit goed te verwerken, kunnen veel betekenen voor verslaafden. Alleen de eigen ervaring met verslaving maakt een ex-verslaafde echter nog geen goede professioneel werker. Een degelijke training of liever nog beroepsopleiding blijft vereist.

Naast de eerder genoemde *uitdaging* levert het werken met verslaafden een grote verscheidenheid op van ontmoetingen met *bijzondere* mensen. Het is spannend om aan iets te werken wat de maatschappij bezighoudt en wat je ook persoonlijk interesseert.

Op den duur overvalt je soms toch de hopeloosheid van de onderneming: telkens dezelfde processen, dat gevecht om herstel van controle, de ontkenning, het onvermogen, maar ook de niet-vervulde hoop op een leven zonder gebruik. Dan betekent het werken in een grote organisatie ook dat er een *verscheidenheid* is van invalshoeken: preventie, ambulant werken, rehabilitatie, woonbegeleiding, sociotherapie, casemanagement en werken binnen justitie. Als werker kun je switchen en gebruikmaken van deze verscheidenheid en zo je scherpte op de problematiek behouden. Als je realistisch en niet moraliserend bent, heb je in het werken met verslaafden veel mogelijkheden.

4.10 Beroepsprofielen

De meeste *sociaalpedagogische hulpverleners* worden ingezet op de groep en bij het begeleiden van diverse soorten van activiteiten. Als sociotherapeut ben je verantwoordelijk voor het leefmilieu van de bewoners. Je begeleidt de dagelijkse gang van zaken: tijdens de maaltijd, de vrijetijdsbesteding, de avondvulling, de weekends en de nacht. Daarnaast draai je een programma met groepsactiviteiten en individuele taken. Je bent persoonlijk begeleider van een aantal bewoners en kunt terecht als casemanager om hulptrajecten met elkaar te verbinden: behandeling, wonen, werken, herstel en terugkeer. Soms vermijden verslaafden elke vorm van hulp. Dan kan outreachend werken nodig zijn: je gaat naar verslaafden toe en probeert afspraken te maken over hulp (bemoeizorg).

Maatschappelijk werkers zijn vooral werkzaam in het ambulante werk: intakes, vormen van gespreksvoering, consultatie, trainingen van sociale vaardigheden, netwerkcontacten, zelfcontrolecursussen en budgetteren. Maar ook in preventieprojecten en voorlichtingsprojecten kom je ze tegen. Een maatschappelijk werker is vaak een casemanager. Binnen een intramurale setting begeleidt hij de contacten met de buitenwereld: familie, werk en kennissen. Ook adviseert hij op allerlei terreinen betreffende wetgeving en financiën en rapporteert hij hierover. In de justitiële verslavingszorg is hij actief als reclasseringswerker en onderhoudt hij bijvoorbeeld contacten met de cliënt in relatie tot een justitiële maatregel (de zogenoemde dwang-drang).

De CMV'er is gericht op het geven van voorlichting en het opzetten van informatieprogramma's voor bijvoorbeeld jongeren, scholieren of anderszins geïnteresseerden. Ook is hij actief als straathoekwerker om contacten te leggen met risicogroepen, meestal jongeren in zwaksociale buurten of in dorpen waar weinig voor hen te doen is. Binnen de muren kom je hem soms tegen als recreatiewerker, bijvoorbeeld gericht op sport en vrijetijdsbesteding.

Het is voor een sociaal werker belangrijk om in zijn werk telkens nieuwe perspectieven te ervaren. Zo kan een SPH'er (groepswerker) na enige jaren op een groep gewerkt te hebben via interne of soms ook externe bijscholing overgeplaatst worden naar een ambulante setting, bijvoorbeeld op een intakeafdeling. Hetzelfde kan in omgekeerde richting gelden voor een MWD'er.

4.11   Besluit

De rondgang door de wereld van de verslaafdenzorg zit erop. Als je geïnteresseerd geraakt bent (en als je dat al was), oriënteer je dan verder. Er is veel geschreven over verslaving en verslaafden en veel verslaafden hebben hun lot en ontwikkeling aan papier toevertrouwd. Er zijn ook veel films over dit onderwerp gemaakt. Deze geven weliswaar niet allemaal een betrouwbaar beeld, maar door je goed te informeren kun je snel het kaf van het koren scheiden. En door zelf in de verslavingszorg te gaan werken krijg je een realistisch beeld van wat er voor een sociaal werker allemaal mogelijk is. Aan het werk dus!

Vragen en opdrachten

1   In dit hoofdstuk is sprake van het biopsychosociale model en het ziektemodel. Wat houden beide modellen in? Geef de belangrijkste verschillen aan.

2   Wat is het twaalfstappenmodel? Geef in eigen woorden de belangrijkste kenmerken weer.

3   Wat zijn zelfhulpgroepen? Waarin onderscheiden deze groepen zich van de reguliere verslavingszorg?

4   Wat houdt motivationele gespreksvoering in? Waarom is deze zo belangrijk voor het werken met verslaafden?

5   Wat zijn de cirkels van Van Dijk? Beschrijf de werking ervan.

6   De eerste stap is nadenken over je eigen gedrag. Ben jij ergens aan verslaafd of verslaafd geweest? Of: wat is een vorm van gedrag waarvan jij zelf stiekem wel eens denkt: dat heb ik niet echt onder controle? Of waarvan anderen wel eens tegen jou zeggen: 'Dat zou je minder moeten doen?' Welke 'verkeerde' voorbeelden heb je in je omgeving: een moeder die veel drinkt, een vriend die speed gebruikt, een partner die rookt of een vader die gokt? Voordat je je begeeft in de wereld van de hulpverlening aan verslaafden: hoe zit dat bij jezelf?

7   De gemeente waar je woont heeft een Verslaafdennota gepubliceerd. Daarin wordt een dwang-drangbeleid voorgesteld: de verslaafden die vanwege criminele feiten met justitie te maken krijgen, worden voor de keuze gesteld een begeleidings- en behandelingstraject te doorlopen met een perspectief op maatschappelijke integratie en een beëindiging van de criminele carrière óf voortgezette voorlopige hechtenis te ondergaan. Hoe denk je in de hulpverlening te kunnen werken met een cliënt vanuit een dergelijke uitgangspositie? Zou je dat willen en kunnen?

8 Als je zelf geen verslavingsverleden hebt, lees er dan eens wat meer over en luister naar de talloze verhalen van de ervaringsdeskundigen. Zij kunnen je een echte inkijk geven in wat verslaving is, en soms ook in hoe jij als hulpverlener je kunt opstellen als professional in de verslavingszorg.

9 Op het internet vind je een schat aan verhalen over verslaving. Zoek daar als je in je omgeving niemand kent met een dergelijk verhaal.

10 In de verslavingszorg zijn veel functies voor sociale werkers: van de casemanager op straat tot een groepsleider of leidinggevende. Wat ambieer jij? Een functie dicht bij de cliënten of een functie meer op afstand? En welke functie zou je concreet willen vervullen? Maak je overwegingen duidelijk.

Literatuur

Dröes, J. (2008). Rehabilitatie en verslaving. In: L. Korevaar & J. Dröes (red.), *Handboek Rehabilitatie voor zorg en welzijn*. Bussum: Coutinho.

Emmelkamp, P. et al. (2007). *Alcohol- en drugsverslaving*. Amsterdam: Nieuwezijds.

Franken, I. & W. van den Brink (red.) (2009). *Handboek verslaving*. Utrecht: De Tijdstroom.

Hoencamp E. & P.M.J. Haffmans (2008). *Psycho-educatie in de GGZ en verslavingszorg. Theorie en praktijk*. Assen: Van Gorcum.

Kerssemakers, R. et al. (2008). *Drugs- en alcoholgebruik, -misbruik en -verslaving*. Houten: Bohn Stafleu van Loghum.

Rooijen, S. van et al. (2009). *Zelfhulp op de kaart*. Utrecht: Trimbos-instituut.

Stel, J.C. van der (1995). *Drinken, drank en dronkenschap. Vijf eeuwen drankbestrijding en alcoholhulpverlening in Nederland. Een historisch-sociologische studie*. Hilversum: Verloren.

Stel, J. van der (2007). *Wat elke professional over verslaving moet weten. Canon verslaving*. Houten: Bohn Stafleu van Loghum.

Vandereycken, W., C.A.L. Hoogduin & P.M.G. Emmelkamp (2009). *Handboek psychopathologie*. Houten: Bohn Stafleu van Loghum.

Websites

- www.trimbos.nl
- www.jellinek.nl
- www.ggznederland.nl
- www.rivm.nl
- www.stichting12stappen.nl
- www.zorgkrant.nl
- www.minvws.nl
- www.alcoholinfo.nl
- www.drugsinfo.nl
- www.zelfhulpverslaving.nl

5 In Nederland hoeft toch niemand op straat te slapen?
Dak- en thuislozen

Uit het dagboek van Peter van der Heijden, senior wooncoördinator

Ik vertrouw het niet… ik blijf toch nog maar even voor de deur staan: dat was mijn gedachte vanochtend, toen ik voor een intakegesprek bij Carla de Jong aanbelde en er in eerste instantie niemand opendeed.

De woonconsulent van de woningbouwcorporatie waar mevrouw haar woning van huurt, maakt zich zorgen. Ze vertelde me deze week signalen te krijgen uit de buurt dat het niet goed met Carla zou gaan en dat hulpverlening er niet binnen kan komen, geen contact krijgt met mevrouw. Meer weet ik niet, zoals zo vaak. Ik heb me gisteren voorgenomen haar vanochtend maar eens onaangekondigd te bezoeken.

Het appartement op de begane grond oogt gedateerd en klein. De lamellen zijn gesloten, maar één – geel gerookte – lamellenstrook hangt scheef. Ik kijk door de ontstane kier naar binnen en zie een blonde vrouw van middelbare leeftijd. Met haar jas aan zit ze apathisch in haar stoel naar een tv te kijken die niet aanstaat. Ik klop voorzichtig op het raam en wuif met een vriendelijke blik. Langzaam draait ze haar hoofd richting het raam en reageert op mijn geklop door met half dichtgeknepen ogen, verblind door het binnenstromende licht, met een lege blik naar buiten te kijken.

'Volgens mij doet de bel het niet. Ik wil graag even met u spreken,' roep ik al improviserend. Op haar twijfelende blik reageer ik: 'Het zal maar kort duren.' Dan staat ze uit haar stoel op en doet de deur open. Slaperig loopt ze voor me uit de vervuilde woonkamer binnen en zonder ook maar één woord te zeggen, gaat ze weer zitten in haar stoel, waarvan de zitting en rugleuning geheel versleten zijn.

'Mag ik verder komen?' vraag ik nog beleefd in de smalle hal die aan de woonkamer grenst. Ze knikt, en zegt na een wat onzekere stilte wat nors dat ik dan zelf maar de bank leeg moet halen. De hele kamer ligt vol met plukken stof, vieze pannen, bergen ongewassen kleding en heel, heel veel oud papier. Het is donker en de penetrante ammoniakgeur van een blijkbaar maandenlang niet schoongemaakte kattenbak komt me tegemoet.

Pfff, waar moet ik beginnen, schiet het door mijn hoofd. Nadat ik plaats heb gemaakt op de bank, door alles naar de andere zithelft door te schuiven, vertel ik de reden van mijn komst. 'Er zijn mensen die zich zorgen maken om u en ik kan me daar wel wat bij voorstellen, als ik u zo alleen zie zitten.' 'Hoezo alléén?' reageert ze enigszins geagiteerd. Ze wijst met haar vinger richting de poes, die spinnend op de dozen oud papier ligt te genieten van het licht en de warmte die door de schuin hangende lamellen naar binnen vallen.

Ik glimlach. 'U hebt helemaal gelijk, wat een heerlijk beest. Hebt u hem al lang?' vraag ik haar kalm, maar geïnteresseerd. Ze vertelt: 'Al vijftien jaar zijn we onafscheidelijk… ik ben van mijn man weggegaan, omdat hij zijn handen niet thuis kon houden. Ik heb samen met mijn kinderen en de poes mijn tassen gepakt, we zijn vertrokken en nooit meer teruggekomen.'

'Pfff, u hebt samen veel meegemaakt. Waar wonen uw kinderen nu?' vraag ik haar. Ze geeft aan geen contact meer te hebben met haar kinderen: 'Ze nemen me kwalijk dat ik zo laat pas bij hun vader ben weggegaan,' legt ze uit.

Het valt me op dat mevrouw na een kwartier nog niet heeft gevraagd wie ik ben en wat ik nu precies kom doen. Ik leg haar daarom nog eens uit dat er mensen zijn die zich zorgen om haar maken en dat ik kom kijken waar ik haar eventueel bij of mee kan helpen. Zoals ik vaak meemaak weet ook Carla nauwelijks wat een woonbegeleider kan betekenen. Ik leg haar uit dat ik het belangrijk vind om eerst de basis(behoeften) op orde te brengen. Ik geef haar een paar voorbeelden en vertel dat ik mensen help om in geval van afsluiting weer gas en elektriciteit aan te vragen. Ik kan uitkeringen en bijzondere bijstand aanvragen, helpen schoonmaken en tegelijkertijd luisteren naar iemands verhaal.

'Zozo, ben jij Superman? Die kan ik dacht ik wel gebruiken,' merkt ze wat voorzichtig glimlachend op. Ik voel oprechte blijheid dat ik toch nog even voor de deur ben blijven staan…

5.1 Inleiding

In de periode voor kerst hoeven we de televisie maar aan te zetten en we krijgen een inkijkje in het leven van daklozen. Het publiek lijkt dan extra gevoelig voor het leven aan de rand van de samenleving, en er worden allerlei acties en evenementen georganiseerd. De rest van het jaar zie je de dakloze op straat lopen en graaien uit de vuilnisbakken, de daklozenkrant verkopen of zomaar bedelen. Voor veel mensen is een dak- of thuisloze een onverzorgde, stinkende, wat oudere man. Soms drinkend en brallend op

Wat leer je in dit hoofdstuk?

Na bestudering van dit hoofdstuk weet je meer over:

- hoe dak- en thuislozen gedefinieerd worden;
- het beroepenveld in de maatschappelijke opvang;
- de dak- en thuislozenzorg in een historisch kader;
- de invloed van maatschappelijke ontwikkelingen op de opvang;
- de (methodische) ontwikkelingen in de sector.

Waarover zet dit hoofdstuk je aan het denken?

Na bestudering van dit hoofdstuk besef je:

- wat jouw kijk is op mensen die sociaal uitgesloten worden;
- of het werken met deze doelgroep misschien iets voor jou is.

straat, soms schreeuwend en tierend, soms slapend op een bankje in het park.

Dat is echter maar een klein deel van de werkelijkheid. Veel dak- en thuislozen zijn niet als zodanig herkenbaar of leiden een min of meer verborgen bestaan. Het gaat om mannen en vrouwen, jong en oud, verslaafd en niet verslaafd, legaal en illegaal, soms ook om kinderen. Ze leven letterlijk in de marge van de samenleving en maken zo nu en dan gebruik van voorzieningen van de maatschappelijke opvang of wonen in opvanghuizen.

Er zijn mensen die midden in de samenleving staan, maar plotseling veel meer problemen te verwerken krijgen dan ze aankunnen. Problemen met rouwverwerking bijvoorbeeld, waardoor ze vluchten in drank of drugs, hun baan verliezen, financieel in de problemen komen en uiteindelijk zelfs hun huis kwijtraken. Zij worden opgevangen en krijgen begeleiding bij het weer op de rails krijgen van hun leven.

Voor anderen lijkt participatie in de samenleving voorlopig onbereikbaar. Zij leiden meestal al langer een zwervend bestaan, hebben vaak psychiatrische problemen, zijn weinig zelfredzaam en verkeren in een sociaal isolement. Deze mensen verblijven langer in opvangvoorzieningen tot er een plaats is in bijvoorbeeld een sociaal pension, waar zij permanent kunnen wonen.

5.2 De doelgroep: wat zijn dak- en thuislozen?

Dak-en thuislozen vormen een bredere groep mensen dan op het eerste gezicht lijkt. Dakloos is iedereen die, door welke oorzaak dan ook, geen dak boven zijn hoofd heeft. Ook mensen die bijvoorbeeld na een brand of een overstroming hun huis zijn kwijtgeraakt en (tijdelijk) overleven met hulp van familie, vrienden en/of de overheid, behoren tot de groep daklozen.

Onder thuislozen verstaan we mensen die niet alleen geen huis meer hebben, maar ook geen plek in een sociale omgeving. Ze verkeren in een sociaal isolement en worden sociaal uitgesloten.

Verder onderscheiden we:

Feitelijk daklozen, die om uiteenlopende redenen geen dak boven hun hoofd hebben. Zij leven op straat en maken gebruik van voorzieningen voor dag- en nachtopvang. Hun enige bezit is verpakt in plastic tasjes of soms een rugzak. Sommigen mijden zelfs de meest laagdrempelige vormen van hulp en slapen in portieken, onder bruggen, in het park of schuurtjes, garages en leegstaande panden. Eten doen ze van bedelgeld of uit vuilnisbakken.

Residentieel daklozen, die geen zelfstandig woonadres hebben. Zij wonen in voorzieningen van de maatschappelijke opvang en maken gebruik van de zorg die deze bieden. Soms komen zij daar direct na het verlies van onderdak terecht, vaak zwerven ze eerst rond. Dan melden ze zich pas als hun – vaak kleine – netwerk van logeeradresjes is uitgeput en het leven op straat ze te zwaar gaat vallen.

Potentieel daklozen, die zo marginaal gehuisvest zijn dat zij dreigen dakloos te worden. Het gaat bijvoorbeeld om mensen met hoge huurschulden en/of onaangepast gedrag die uit huis gezet dreigen te worden. Sommige potentieel daklozen wonen in (illegale) pensions, slechte kamers of caravans.

En ten slotte de *zwerfjongeren*, de dak- en thuislozen onder de 25 jaar. Deze groep is nog het meest onzichtbaar. Het zijn de uitvallers uit de jeugdhulpverlening en zij die tussen wal en schip raken als de jeugdhulpverlening afloopt vanwege het bereiken van de achttienjarige leeftijd en er nog geen adequaat vervolg is. Zij zijn volwassen volgens de wet, en nazorg is niet voorhanden, niet adequaat of wordt door de jongere niet gewenst.

Verdriet is de bindende factor

Marcel (61): Ik zit nu ongeveer drie maanden in Het Labrehuis en ik voel me niet eens ongelukkig. Wat hier gebeurt, kom je ook in de 'gewone' maatschappij tegen. Met sommige bewoners klikt het. Anderen laat je links liggen. Er zijn wel eens wat irritaties over en weer, maar over de hele linie valt het allemaal mee. Je kunt je altijd terugtrekken op je eigen kamer. Een veilige haven. Iedereen heeft een volle rugzak met ellende. Daar vang je zo nu en dan flarden van op. Er is tussen de mensen één bindende factor: verdriet…

Hoe kom je in zo'n opvanghuis terecht? In mijn geval had het met de dood van mijn Marianne te maken. Zij stierf plotseling in de kerstnacht van het jaar 2000. Geheel onverwacht. Als je beste maatje er ineens tussenuit knijpt, dan verdwijnt de grond onder je voeten. Vóór haar overlijden was mijn leven best over rozen gegaan. Leuke baan. Aardig huis. Een paar keer per jaar met vakantie. Na de begrafenis lag alles in puin. Ik kon de draad niet meer oppakken. De post bleef dicht. Rekeningen onbetaald. De hond ging 's nachts uit. Ik kwam nog nauwelijks buiten. Ik wilde niemand zien. Dat was de eerste fase. Vervolgens ben ik een tijdje vreselijk aan de drank gegaan en begon bergen geld uit te geven. Het was pure zelfvernietiging al met al. Zo ben ik in het hulpverleningstraject terechtgekomen. Eerst een paar maanden ziekenhuis, afdeling psychiatrie. Daar word je ook niet vrolijk van. Daarna ambulante zorg. Het bleek bij mij allemaal te berusten op een verkeerde rouwverwerking, die uiteindelijk geleid heeft tot een complete burn-out. Ik wilde dood.

Toen ik opnieuw aan het werk ging, verbeterde de toestand. Helaas werd het bedrijf failliet verklaard. Weer thuiszitten. Een terugval volgde. Ik heb toen twee besluiten genomen: ik wilde niet langer in het huis met al die herinneringen blijven en ben een andere baan gaan zoeken. Het tij leek te keren. Ik vond een leuke job met de mogelijkheid boven het bedrijf te wonen. Totdat ik een jaar geleden door een ongelukkige val mijn enkel op drie plaatsen brak, inclusief alle middenvoetsbeentjes.

Drie weken ziekenhuis en een halfjaar verpleeghuis om te revalideren volgden. Met de kerst, altijd met de kerst, sloeg het noodlot opnieuw toe. Het bedrijf hief de Eindhovense vestiging op. Ik raakte mijn woonruimte kwijt. Tot overmaat van ramp verliep ook de verpleeghuisindicatie. Daar sta je dan… Ik ben niet bij de pakken gaan neerzitten. Ik zit inmiddels in het bestuur van de bewonersraad van Het Labrehuis en ben lid van de Centrale Cliëntenraad van Neos. Ik heb voorlopig in afwachting van een laatste operatie aan mijn enkel genoeg omhanden. En wat de toekomst brengt…?

Bron: www.st-neos.nl/persoonlijke verhalen

5.3 Historisch overzicht

Zwervers zijn van alle tijden. Zolang het economisch goed ging, waren ze welkom in de steden of op boerderijen, maar als het economisch slechter ging werden ze als het even kon geweerd. En juist in slechte tijden trokken er veel mensen door heel Europa op zoek naar werk en onderdak.

In de eerste versie van het Wetboek van Strafrecht uit het begin van de negentiende eeuw is landloperij als misdrijf opgenomen, om er pas in 1999 weer uit te verdwijnen. Het rondtrekkende volk werd voortaan vervolgd en bedreigd met opsluiting en tewerkstelling. Daarmee werden armoede en werkeloosheid als redenen van dakloosheid ontkend en werden daklozen nog verder naar de marge van de samenleving gedrongen.

In 1821 werd bij Koninklijk Besluit bepaald dat bedelaars moesten worden overgebracht naar de kolonies van de Maatschappij van Weldadigheid. Er vonden razzia's plaats en er werden kampen ingericht om 'het werkschuwe tuig' te werk te stellen bij de ontginning van de veenkoloniën in Drenthe. In 1870 vond een staatscommissie dat deze koloniën te veel aan armenzorg waren gaan doen en werd de wet aangescherpt om het accent meer op straffen te leggen. Desondanks was het voor veel zwervers aantrekkelijk om in de herfst opgesloten te worden in de kolonie Veenhuizen. Zij zorgden ervoor opgepakt en berecht te worden, zodat zij de winter veilig en warm konden doorbrengen.

Onder invloed van het Leger des Heils (1887) en Hulp voor Onbehuisden (1904) is men na 1930 anders naar daklozen gaan kijken. Zij werden niet meer louter als crimineel gezien en er werd onderzoek gedaan naar de achtergronden van dakloosheid. Zo concludeerde Mullink in 1963 'dat bij thuislozen zeer veel geestelijke en lichamelijke mankementen voorkomen zoals schizofrenie, oligofrenie (zwakzinnigheid) en andere psychopathologische afwijkingen die nauw samenhangen met criminaliteit en alcoholisme' (Lobensteijn, 1987, p. 37)

Na de Tweede Wereldoorlog werd in Nederland de verzorgingsstaat opgebouwd. Er kwamen voorzieningen als de WAO, gevolgd door arbeidsongeschiktheids- en werkloosheidsuitkeringen. Iedereen kon voorzien worden van enig inkomen. Er ontstond sociale woningbouw; in rap tempo werden wijken met betaalbare woningen uit de grond gestampt. In principe zorgde de staat voor minimale bestaansvoorwaarden voor iedereen.

In die tijd werd de sociale structuur van Nederland door verzuiling gekenmerkt. Katholieken, protestanten en socialisten hadden ieder hun eigen voorzieningen. De sociale controle binnen die zuilen was groot en de zorg voor elkaar vanzelfsprekend zolang men niet buiten de boot viel. Deed men dat wel dan kwam het welzijnswerk in actie, dat erg bevoogdend was. In het straatbeeld van de jaren zestig en zeventig zagen we dan ook alleen wat onaangepaste, meestal oudere aan alcohol verslaafde mannen. Op tv was de populaire jeugdserie *Swiebertje* te zien met in de hoofdrol een wat oudere, zeer aimabele man die zwerven als beroep zag, geen verantwoordelijkheden aan wilde gaan, geen onderdeel wilde worden van het systeem en altijd op de vlucht was voor de veldwachter. Een sterk geromantiseerd beeld waarin impliciet verwoord werd dat dakloos zijn een eigen keuze was.

Als gevolg van diverse ontwikkelingen veranderde rond de jaren tachtig de populatie van dak- en thuislozen sterk.

Zo ontstond in 1972 een illegale handel in heroïne en later cocaïne en crack die een snelgroeiend aantal drugsverslaafden met zich meebracht.

Deze groep raakte in rap tempo in de marge van de samenleving. Uiterst afhankelijk van de drugs, onberekenbaar vanwege de werking van de drugs en gecriminaliseerd om drugs te kunnen bemachtigen eisten zij hun plekje op in het straatleven en brachten een verharding van het leven op straat teweeg.

In de jaren zeventig ontstonden de eerste tekenen van een nieuwe ontwikkeling: de vermaatschappelijking van de zorg. In de jaren tachtig nam deze een hoge vlucht: mensen met beperkingen dienden zo veel mogelijk in de maatschappij te wonen. Verstandelijk beperkten en psychiatrisch patiënten kwamen in diverse kleinschalige woonvormen in de wijk wonen. Een aantal van hen redde dat niet, raakte op drift en belandde op straat. Ook werd het voor instituten mogelijk om minder gemotiveerde cliënten te weren en als onbehandelbaar of uitbehandeld de deur te wijzen. Ook deze mensen raakten dakloos.

In de jaren tachtig kwamen de eerste asielzoekers naar Nederland, terwijl er nog nauwelijks in opvang voorzien werd. Ook zij kwamen in de daklozenopvang terecht. Later waren het de uitgeprocedeerden die illegaal hun leven in Nederland op straat voortzetten.

In 1988 werd de meerderjarigheidsgrens verlaagd van 21 naar 18 jaar, waardoor een groep jongeren tussen wal en schip raakte. Zij waren klaar binnen de jeugdhulpverlening en vonden nog niet de weg naar de hulpverlening voor volwassenen. Of zij liepen weg uit de jeugdinternaten om vervolgens van de regen in de drup te raken in de dak- en thuislozenzorg.

Al deze maatschappelijke ontwikkelingen met hun uitvallers maakten dat de opvangvoorzieningen voor dak- en thuislozen zich ontwikkelden tot 'het vangnet van de maatschappij'. In de voorzieningen, die meestal opgericht en vaak nog geleid werden door kerkelijke organisaties of idealistische bewegingen, werkten medewerkers die veelal niet of nauwelijks geschoold waren. Zij waren uiterst betrokken en gedreven om een veilige omgeving te bieden nadat alle eerdere hulpverlening had 'gefaald'. Door de veranderingen in de doelgroep redde men het hier echter niet meer mee. Het bieden van bed, bad en brood was niet meer voldoende. Er ontstond een vierde B, die van begeleiding.

Het proces van professionalisering van de sector begon in de jaren negentig en kreeg een enorme impuls toen in 2004 steeds meer organisaties erkend werden als zorgverlener en gefinancierd werden door de AWBZ (Algemene wet bijzondere ziektekosten). De dak- en thuislozenzorg wordt door de landelijke en lokale overheden inmiddels niet alleen meer voor hulpverlening, maar ook voor overlastbestrijding ingezet.

5.4 Kenmerken

Dak- en thuislozen hebben tegelijkertijd problemen op meerdere leefgebieden en houden zich op in de marge van de samenleving. Zij zijn sociaal uitgesloten en worden soms zelfs sociaal overbodig genoemd.

Judith Wolf, hoogleraar Maatschappelijke Opvang aan de Universiteit van Nijmegen, gebruikt het begrip 'sociale kwaliteit' als maatstaf voor risicofactoren voor dak- en thuisloosheid.

Zij definieert de condities voor sociale kwaliteit als volgt (Wolf, 2007):

* *Sociaaleconomische zekerheid*: de mate waarin mensen toegang hebben tot materiële en omgevingsbronnen die nodig zijn voor participatie en veiligheid;
* *Sociale cohesie*: de mate waarin relaties, gebaseerd op waarden, normen en identiteiten, worden gedeeld en onderling verband hebben;
* *Sociale inclusie*: de mate waarin mensen toegang hebben tot en geïntegreerd zijn in diverse instituties en sociale relaties van het dagelijks leven;
* *Sociale empowerment*: de mate waarin capaciteiten en handelingsmogelijkheden worden ondersteund en versterkt door sociale structuren en relaties.

Dak- en thuislozen scoren laag op al deze condities. In het algemeen hebben zij een laag inkomen en vaak een laag opleidingsniveau, zijn zij vaak uit huis gezet, hebben geen of ongekwalificeerd werk, budgetproblemen en weinig sociale steun. Ze komen dikwijls uit een problematische familie, hebben negatieve jeugdervaringen, kennen conflicten of breuken in relaties, zijn mishandeld of verwaarloosd, weggelopen van huis of kunnen de dood van een dierbare niet verwerken. Er is in veel gevallen sprake geweest van voogdij en uithuisplaatsing, detentieverleden en ontslag uit diverse instituties. Dak- en thuislozen weten de zorg maar moeizaam te vinden en verkeren in een sociaal isolement.

De meeste dak- en thuislozen zijn alleenstaand en man. Zij hebben gebrekkige sociale vaardigheden, lichamelijke en psychische problemen en zijn vaak afhankelijk van alcohol en/of drugs. Er is vrijwel altijd sprake van een combinatie van diverse problemen, vaak gedurende lange tijd. Toch komt het ook voor dat mensen die goed functioneren op deze dimensies plotseling door traumatiserende gebeurtenissen in de problemen komen, die vervolgens leiden tot problemen op andere terreinen. Sander de Kramer illustreert dit in zijn boek *Van miljonair tot krantenjongen* (De Kramer, 2008).

5.5 Cijfers

Cijfers over het aantal dak- en thuislozen in Nederland zijn niet volledig en niet betrouwbaar genoeg, omdat nog niet overal dezelfde definities gehanteerd worden. Dit is wel in ontwikkeling, omdat de grotere gemeentes in navolging van de vier grote steden bezig zijn met het opstellen van Stedelijke Kompassen: plannen om de coördinatie van de opvang en begeleiding van dak- en thuislozen bij de gemeentes onder te brengen, primair ingegeven door de wens om de overlast terug te dringen.

Ten behoeve van die plannen maakt elke stad schattingen van het aantal daklozen. De uitgangssituatie voor de vier grote steden was per 1 januari 2006 als volgt:

Feitelijk daklozen	Amsterdam	Rotterdam	Den Haag	Utrecht	Totaal
Verslaafd	1.500	1.035	700	350	3.585
Psychiatrische stoornis	1.000	530	400	250	2.180
Verslaafd en psychiatrische stoornis	400	300	250	150	1.100
Overig	100	435	150	100	785
Totaal	**3.000**	**2.300**	**1.500**	**850**	**7.650**
Residentieel daklozen					
Verslaafd	450	200	200	150	1.000
Psychiatrische stoornis	450	250	200	150	1.050
Verslaafd en psychiatrische stoornis	100	150	100	100	450
Overig					450
Totaal	**1.000**	**600**	**500**	**400**	**2.500**
Totaal aantal daklozen	4.000	2.900	2.000	1.250	10.150

Of dit uitgangspunt klopt weet niemand, maar het is het gegeven waarop de vier grote steden ambities hebben vastgesteld en uitvoering zijn gaan geven aan een dwingender aanpak in combinatie met uitbreiding van de opvangcapaciteit.

De Federatie Opvang heeft in 2007 geprobeerd het aantal dak- en thuislozen in beeld te brengen aan de hand van de registraties van de afzonderlijke voorzieningen. Ook dat levert nog maar een schatting op, omdat nog niet alle voorzieningen de registraties eenduidig kunnen aanleveren. Men komt op een schatting van 56.552 gebruikers van de maatschappelijke opvang (Voortgangsrapportage Federatie Opvang, april 2009).

Het Leger des Heils dat ongeveer 25 procent van de opvangvoorzieningen beheert, maakt in zijn jaarverslag 2007 melding van 14.083 gebruikers van voorzieningen voor maatschappelijke opvang. Op basis daarvan wordt een schatting gemaakt van 50.000 daklozen in Nederland in 2007 (Jaarverslag Leger des Heils, 2007).

Volgens alle bronnen neemt het aantal daklozen af. Deze daling zou voortkomen uit de toename van zorg voor deze doelgroep. Sinds 2004 zijn de mogelijkheden om hulp te financieren vanuit de AWBZ sterk toegenomen. Deze ontwikkeling staat sinds eind 2008 weer onder druk vanwege (dreigende) bezuinigingen in de AWBZ.

Vooral met de registratie van zwerfjongeren is het droevig gesteld. Uit antwoorden op Kamervragen in 2008 blijkt dat de Bureaus Jeugdzorg bijvoorbeeld niet registreren of jongeren dakloos zijn. De schattingen zijn gebaseerd op praktijkkennis van diverse organisaties en variëren van 5.000 tot 15.000. De Algemene Rekenkamer houdt het op 6.000 zwerfjongeren in 2007. Het werkveld heeft de indruk dat het aantal zwerfjongeren toeneemt. Of dit echt het geval is, blijft onzeker bij gebrek aan deugdelijk cijfermateriaal.

5.6 Werken in de dak- en thuislozenzorg

Hulp- en dienstverlening aan dak- en thuislozen worden georganiseerd in de sector Maatschappelijke Opvang. Deze sector biedt laagdrempelige opvang en begeleiding en heeft als doel om (potentiële) daklozen te helpen om weer zo zelfstandig mogelijk in de maatschappij te functioneren. Het aanbod bestaat al lang niet meer alleen uit opvang met bed, bad en brood voor wie geen dak boven zijn hoofd heeft. De laatste decennia zijn allerlei vormen van ambulante opvang en projecten ontwikkeld die gericht zijn op activering en in toenemende mate ook op preventie en herstel. De belangrijkste vormen zijn:

Residentiële of 24-uursvoorzieningen
Hier kunnen mensen 24 uur per dag verblijven en gebruikmaken van eenvoudige zorg: bed, bad, brood en begeleiding. Je kunt denken aan pensionachtige voorzieningen waar thuisloze mensen tot rust komen, weer structuur in hun leven krijgen en begeleid worden naar een haalbare

mate van zelfredzaamheid. De verblijfsduur varieert van enkele dagen tot jaren en is gemiddeld een halfjaar tot een jaar.

Er zijn ook crisisopvangvoorzieningen waar mensen die dakloos, maar (nog) niet thuisloos zijn een korte periode kunnen verblijven om daarna hun eigen leven weer op te pakken. In sociale pensions wonen thuislozen die ook op langere termijn niet voor zichzelf zullen kunnen zorgen en bij wie wonen met anderen vereenzaming kan voorkomen.

Utrecht is enkele jaren geleden gestart met hostels: mensen die jarenlang (verslaafd) op straat hebben geleefd kunnen daar weer wennen aan muren om zich heen en mogen wonen zonder dat ze moeten veranderen. Deze vorm van wonen wordt de komende jaren in meerdere steden ontwikkeld.

Dag- en nachtopvang

Dit is een vorm van opvang waar mensen slechts een deel van een etmaal kunnen verblijven. Het zijn de feitelijk daklozen die gebruikmaken van deze voorzieningen. Voor enkele euro's kunnen zij slapen in de nachtopvang. Overdag kunnen zij dan terecht in bijvoorbeeld gebruikersruimtes van de verslavingszorg, inloopvoorzieningen of huiskamerprojecten.

Kleinschalige woonvormen

Dit kunnen allerlei vormen zijn, zoals aanleunwoningen bij een 24-uurs-voorziening, eengezinswoningen die voor twee, drie of vier bewoners geschikt gemaakt zijn, zelfstandige eenheden binnen een complex waar ook in meer of mindere mate begeleiding geboden wordt en kamerprojecten voor zwerfjongeren. Over het algemeen komen mensen hier terecht na een verblijf in een 24-uursvoorziening.

Ambulante woonbegeleiding

Mensen wonen in een eigen woning of in een wooneenheid van een organisatie en krijgen steun bij het zelfstandig wonen. De vorm en mate van deze steun variëren van bijvoorbeeld een wekelijks huisbezoek tot aan dagelijks boodschappen doen en koken.

Deze vorm van woonbegeleiding werd tot nu toe vooral benut na een verblijf in een opvangvoorziening, maar de laatste jaren ook steeds meer preventief: ter voorkoming van uithuiszetting.

Activeringsprojecten

In diverse (arbeids)activeringsprojecten krijgen daklozen via zinvolle dagbesteding weer structuur in hun leven, doen ze succeservaringen op en leren sociale vaardigheden waardoor ze weer kunnen participeren in

149

de samenleving. Deze activiteiten variëren van hobbyactiviteiten tot enkele uren werken in 'daglonersprojecten' en fulltime werken in werkplaatsen of buitenprojecten. Voor de een is en blijft het dagbesteding, voor de ander is het een onderdeel van een reïntegratietraject naar werk. In ontwikkeling zijn projecten waarin het beheer door daklozen zelf gedaan wordt.

Mijn eerste ervaringen in het Ritahuis

Ik ben studente Maatschappelijk Werk en Dienstverlening en ik loop stage bij het Ritahuis, een opvanghuis voor thuisloze vrouwen. Tijdens het sollicitatiegesprek werd mij verteld dat de stage heel erg zwaar zou zijn, maar doordat ik nog nooit eerder stage had gelopen kon ik mij niet goed voorstellen wat bedoeld werd met 'zwaar'. Nu, na acht weken stage, begrijp ik het wel. Het is namelijk zo dat er behoorlijk heftige problematieken spelen bij de vrouwen in het Ritahuis. Alle problemen zijn anders en op iedere vrouw moet je een andere benaderingswijze toepassen. Verder is het werk behoorlijk hectisch. Je maakt een planning voor een bepaalde dag en uiteindelijk heb je de helft van wat je wilde doen niet gedaan, omdat er andere dingen tussendoor kwamen die prioriteit hadden.

Toen ik nog maar een aantal dagen meeliep met mijn stagebegeleidster (Geesje) hadden we een opnamegesprek met cliënt x. Tijdens het gesprek vertelde x dat ze veel schulden heeft, niet verzekerd is, vijf jaar lang verslaafd is geweest aan drugs – waar ze nog elke dag zucht naar heeft –, nu dagelijks nog steeds erg veel blowt en bij iedere kleine stap die ze neemt een heel grote druk ervaart waardoor alleen al gesprekken met Geesje erg moeilijk voor haar zijn. De vader van x is overleden toen ze twee was en ze heeft daar nog steeds nachtmerries over. Op haar veertiende heeft x een zelfmoordpoging gedaan, ze is door haar ex-vriend gedwongen tot seks en heeft zichzelf verkocht voor slaapplaatsen.

Terwijl cliënt x dit aan het vertellen was, was ze heel erg onrustig en verdrietig. Je moet je voorstellen dat er een heel mooie jonge meid voor je zit die al zo veel meegemaakt heeft. En die gewoon niet weet wat ze met al deze problemen aan moet. Ik werd hier zelf erg emotioneel van. Je gaat je dan pas realiseren hoe heftig het leven kan zijn en wat iemand mee kan maken, gewoon ongelofelijk.

Cliënt x volgt nu een hulpverleningstraject en gaat beetje bij beetje vooruit. Elke dag weer het gevecht met jezelf leveren en zo hopen dat je met begeleiding je leven weer op de rails krijgt.

Carola van Gils, stagiaire Fontys Hogeschool

5.7   Manieren van werken

In de residentiële (24-uurs)voorzieningen van de Maatschappelijke Opvang werken zowel SPH'ers als MWD'ers. Een aantal organisaties heeft functiedifferentiatie ingevoerd, waardoor de functies 'zorgbegeleider' en 'zorgcoördinator' zijn ontstaan, die uitgevoerd worden door hbo'ers (SPH en MWD), en de functie 'woonbegeleider', die uitgevoerd wordt door mbo'ers (SPW 3/4) als groepsleiders.

De zorgbegeleider

'Als zorgbegeleider draag je zorg voor het op vraaggerichte wijze begeleiden van cliënten door middel van planmatige, doelgerichte en methodisch onderbouwde begeleiding. Je inventariseert de individuele hulpvraag en ontwikkelt op basis van de analyse en in overleg met de cliënt een zorgplan. De zorgbegeleider coördineert en evalueert een adequate en efficiënte begeleiding ter uitvoering en realisatie van het zorgplan, en stelt het zorgplan zonodig bij. Als zorgbegeleider onderhoud je contacten met andere hulpverleners, instanties en organisaties in het kader van directe hulpverlening op lokaal niveau' (vacaturetekst www.st-neos.nl).

De woonbegeleiders voeren onderdelen van dit plan uit en begeleiden cliënten in het dagelijkse leven in de groep. Een voorbeeld van verdergaande differentiatie is de 'materieel dienstverlener'. Deze functie wordt vervuld door MWD'ers.

Als een instelling (nog) geen functiedifferentiatie heeft ingevoerd, dan is de woonbegeleider over het algemeen een hbo'er (SPH of MWD) die de cliënten begeleidt in het dagelijks leven en die het begeleidingsplan opstelt.

Als hbo'er zul je verantwoordelijk zijn voor de begeleidingsplannen van cliënten. De achtergronden en de problematiek van dak- en thuislozen blijken heel divers en komen in allerlei combinaties voor. Uitgesloten uit de maatschappij hebben dak- en thuislozen vaak het vertrouwen in de hulpverlening en zichzelf verloren. Je zult samen met de cliënt zijn of haar hulpvragen moeten onderzoeken. Dat gebeurt stapsgewijs, omdat de cliënten met kleine stapjes weer vertrouwen in eigen kunnen krijgen en zo gemotiveerd raken voor verandering. Omdat de problematiek zo complex is, zul je moeten samenwerken met anderen in en buiten de organisatie. Verslavingszorg, GGZ en Schuldhulpverlening zijn belangrijke partners.

Je zult volhardend en assertief moeten zijn om andere organisaties en functionarissen medeverantwoordelijk te maken voor de zorg aan je client. Je inspanningen zullen gericht moeten zijn op het weer gaan partici-peren in de maatschappij. Dat is vaak uitermate lastig. Doorstroom van-uit de opvang is een groot probleem: een passend voorzieningenniveau ontbreekt en vestiging van nieuwe woonvormen stuit op veel weerstand bij omwonenden. Een onderzoekende houding en creativiteit zijn dan ook van groot belang voor een zorgbegeleider.

Het opstellen van een individueel begeleidingsplan verloopt bij bijna alle organisaties voor maatschappelijke opvang volgens het zogenoemde *acht-fasenmodel* (zie voor een voorbeeld van een analyse volgens dit model het document bij de analysefase in het kader op pagina 153 e.v.).

Het achtfasenmodel onderscheidt acht fasen in het begeleidingstra-ject. Elke fase kent specifieke doelen, werkwijzen en instrumenten.

- *Aanmeldingsfase*: het eerste contact tussen de cliënt en hulpverlener
  Steeds meer voorzieningen voor maatschappelijke opvang hebben een centrale toegang. Op dit kantoor vindt de eerste ontmoeting plaats tussen de instelling en de cliënt. Hij of zij kan hier zelf naartoe komen of wordt vergezeld door een medewerker van bijvoorbeeld bemoei-zorg of nachtopvang.
- *Intakefase*: een nadere kennismaking tussen de cliënt en de instelling
  De intaker van de organisatie maakt met de cliënt en eventuele andere betrokkenen een eerste inventarisatie van de problemen en stelt vast of cliënt gebruik kan maken van een hulpaanbod.
- *Opnamefase*: de opbouw van de hulpverlening aan de cliënt
  In deze fase vindt een nadere kennismaking in en met de opvang plaats. Wederzijdse verwachtingen worden uitgesproken en de cliënt maakt kennis met de voorziening, de huisregels, medewerkers en me-debewoners.
- *Analysefase*: analyse van het functioneren van de cliënt op acht leef-gebieden
  Direct of na enige tijd als de cliënt tot rust is gekomen maakt de zorg-coördinator, mentor of medewerker die hiermee belast is met de cliënt een nadere analyse van de problemen. Hierbij worden minimaal acht leefgebieden onderscheiden.
  1 *Huisvesting*
    Hoe is woonsituatie van de cliënt, hoe lang is hij al dakloos, is er perspectief op huisvesting, heeft de cliënt ondersteuning nodig bij het wonen?

2 *Financiën*
   Hoe is de financiële situatie van de cliënt en hoe ziet zijn bestedingspatroon eruit? Is er sprake van schulden? Is er al sprake van schuldhulpverlening en is er hulp nodig bij het aanvragen van een uitkering?

3 *Sociaal functioneren*
   Hoe is de relatie tussen de cliënt en zijn omgeving (waaronder zijn gezin, familie, hulpverleners)? Hoe is zijn maatschappelijk gedrag? Is er sprake van een relatie met justitie?

4 *Psychisch functioneren*
   Hoe is het welbevinden van de cliënt? Is er sprake van een psychiatrisch ziektebeeld en/of verslavingsgedrag?

5 *Zingeving*
   Wat motiveert de cliënt om te leven (bijvoorbeeld een levens- of geloofsovertuiging)?

6 *Lichamelijk functioneren*
   Hoe staat het met de fysieke gesteldheid van de cliënt? Is er sprake van een ziekte en/of handicap? Is de cliënt in staat om voor zichzelf te zorgen?

7 *Praktisch functioneren*
   Hoe staat het met huishoudelijke en technische vaardigheden die bijvoorbeeld nodig zijn voor zelfstandig wonen? Waar heeft de cliënt ondersteuning nodig? Hoe zijn zijn taal, lees- en schrijfvaardigheden?

8 *Dagbesteding*
   Heeft de cliënt een daginvulling? Is er sprake van (vrijwilligers)werk, sociale activering, hobby's, studie of activiteiten?

De leefgebieden komen in bijna elke fase terug. Ze staan centraal in het begeleidingstraject en brengen structuur aan in de rapportage en de begeleiding. Kenmerkend voor deze leefgebieden is dat ze voor iedereen gelden: ze zijn mensgericht, niet probleemgericht.

• *Planningsfase*: het opstellen van een begeleidingsplan
   Op basis van deze analyse en de wensen, mogelijkheden en beperkingen van de cliënt en diens omgeving stellen de sociaal werker en de cliënt een plan van aanpak op. Waar wordt aan gewerkt, hoe en wanneer en wie doet wat?

• *Uitvoeringsfase*: de uitvoering van het begeleidingsplan
   In deze fase wordt het plan uitgevoerd door alle betrokkenen. Dat zijn uiteraard de cliënt en de medewerker die het plan heeft opgesteld,

maar ook bijvoorbeeld andere afdelingen (bijvoorbeeld activering) of andere organisaties (bijvoorbeeld GGZ of verslavingszorg) en, als dat mogelijk is, familie.

- *Evaluatiefase*: een terugblik op de uitvoeringsfase
  Het plan van aanpak wordt regelmatig geëvalueerd en eventueel bijgesteld, uiteraard samen met de cliënt en de overige betrokkenen.
- *Uitstroomfase*: de afronding van de hulpverlening
  De hulpverlening wordt afgerond en de cliënt wordt eventueel verwezen naar verdere hulpverlening.

In schema ziet het achtfasenmodel er als volgt uit (overgenomen van www.movisie.nl):

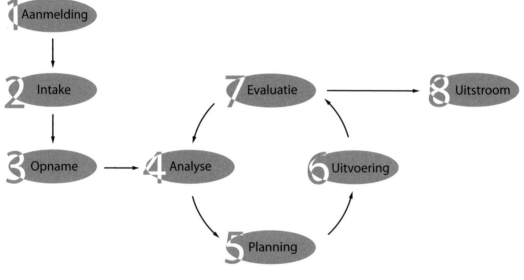

Achtfasenmodel

Analyse van de acht leefgebieden

1 Huisvesting

Cl. is een 33-jarige vrouw van Libanese afkomst. Mevrouw kan sinds vrijdag 13 februari haar woning niet meer in. Zwerft sindsdien rond. Via de gemeente Valkenswaard en NW Dommelregio aangemeld voor crisisopvang en het in contact brengen van mevrouw met haar behandelaar bij de GGZE.
In januari is Cl. naar Marokko gegaan, omdat een mevrouw haar had verteld dat ze daar een medicijn hadden dat bij haar de duivel zou kunnen uitdrijven. Dit is niet gelukt. Ze is er wel alles kwijtgeraakt en toen ze terugkwam, had ze ook hier geen huis en geen inboedel meer. Het meest verdrietig is Cl. om het verlies van haar baarmoeder. Ze voelt zich geen vrouw meer en ze zal nooit kinderen kunnen krijgen. Haar man heeft haar om die reden verlaten. Ze heeft dit verhaal nog niet durven vertellen aan haar moeder of haar zus.

Overige bijzonderheden:
- Volgens verwijzer is de hulpverlening via het ANW afgesloten, omdat ze bij het ANW niets konden met het ziektebeeld van mevrouw.
- Mevrouw is officieel nog getrouwd; partner heeft een nieuwe vriendin en woont in Italië.
- Mevrouw spreekt redelijk Nederlands, maar er is wel sprake van een taalbarrière.
- Mevrouw is Libanees vluchteling, heeft verblijfsstatus.
- Mevrouw geeft aan al vijf maanden geen uitkering meer te hebben.

Bij opname geldt, wellicht ten overvloede, dat er een 'terugkeergarantie' is, d.w.z. dat Cl. bij ongeschiktheid RH of als time-out op Portaal (terug)geplaatst kan worden.

2 Financiën

Bron van inkomsten:
Uitkeringsnummer:
Bewindvoerder:

Uitkering door gem. Valkenswaard is stopgezet, contactpersoon is dhr. Van der Veen

Inventariseren schulden Valkenswaard.

Waar men de spullen uit haar Valkenswaardse woning heeft laten opslaan, is nog onbekend.

3   Sociaal functioneren
Nog geen gegevens.

4   Psychisch functioneren
De stemmen en de beelden waar Cl. momenteel last van heeft, hebben veelal te maken met de verwijdering van haar baarmoeder. Mevrouw ziet de dokters voor zich die haar vertelden dat haar baarmoeder eruit moest en hoort beschuldigende stemmen die haar zeggen dat ze geen vrouw meer is. Overdag heeft ze voortdurend last van deze waanverschijnselen, en 's nachts slaapt ze nauwelijks. Ondanks haar anamnestisch psychotisch verhaal kan ze coherent over zichzelf vertellen en is ze goed in staat geweest om zelf de afspraak te regelen en hierheen te komen. Pas aan het eind van het gesprek lijkt ze last te krijgen van hallucinaties, maar ik vraag me toch af of dit niet dient om haar verhaal kracht bij te zetten.

Diagnostische overweging/werkhypothese:
Psychotische stoornis NAO, trekken van persoonlijkheidsstoornis NAO.

Medicatie:
Xanax retard   0,5 mg 2 dd 1
Cipramil   40 mg 1 dd 1
Haldol   5 mg 1 dd 1
Haldol   1 mg 1 dd 1
Xanax retard   1 mg 2 dd 1

Receptuur via psychiater GGZE, locatie De Grijze Generaal
Coördinatie-/behandelverantwoordelijke: Janneke Verhagen

5   Zingeving/geloof
Nog onbekend.

6 Lichamelijk functioneren
Cl. is in 11-'08 in Brussel op de afd. gynaecologie beland na gynaecologische complicaties die hebben geresulteerd in een doodgeboren kindje (7 maands). Daarnaast bleek na bijkomen uit de narcose haar baarmoeder te zijn verwijderd. Los van de emotionele gevolgen heeft dit binnen haar cultuur ook vergaande consequenties gehad. Haar man heeft haar verlaten, Cl. heeft geen (steun)systeem. Daarnaast is het m.i. zo dat Cl. door het verwijderen van haar baarmoeder versneld in de overgang is gekomen c.q. hevige hormonale schommelingen vertoont. Follow-uponderzoek in Nederland is volgens mij nog niet gerealiseerd, huisarts zou hierin duidelijkheid kunnen verschaffen.

7 Praktisch functioneren
Nog onbekend.

8 Dagbesteding
Bij navraag bleek Cl. regelmatig een moskee te bezoeken en daar gebruik (misbruik) te maken van de islamitische regel dat gelovigen de minder gefortuneerde moslimmedemens geld moeten toestoppen in tijden van nood. Zelf heeft zij gemeld regelmatig geld te hebben geleend van 'een Egyptenaar' hier in de buurt van Portaal. Status en werkelijkheidsgehalte van deze bewering zijn niet te controleren. Cl. heeft ook regelmatig tel. contact (in haar moedertaal) met ons onbekende personen.

De woonbegeleider

Als een organisatie de functies heeft gedifferentieerd is deze functie veelal een mbo-functie, maar ook SPH'ers worden als woonbegeleider ingezet. 'Als woonbegeleider bied je op vraaggerichte wijze ondersteuning en begeleiding aan individuele en groepen cliënten die zich in hun (primaire) leefomgeving niet staande kunnen houden. Als woonbegeleider signaleer je de behoefte van de cliënten en bespreek je deze met de zorgbegeleider. Je geeft mede vorm aan de individuele zorgplannen en je draagt zorg voor de uitvoering van onderdelen van de individuele zorgplannen, met als doel de cliënten zo goed mogelijk zelfstandig te laten deelnemen aan de maatschappij' (vacaturetekst www.st-neos.nl). Waar de functie zorgbege-

157

leider niet bestaat zijn woonbegeleiders op hbo-niveau ook verantwoordelijk voor het opstellen en coördineren van het begeleidingsplan.

Werken in een setting voor dak- en thuislozen is 'topsport'. De problematiek is complex en veel daklozen zijn teleurgesteld of gefrustreerd. Hun gedrag is bovendien vaak onvoorspelbaar vanwege drugs- en alcoholmisbruik. Onderlinge agressie en agressie tegen medewerkers komen vaak voor. Door lange wachtlijsten bij verslavingszorg, GGZ en andere organisaties verblijven cliënten langer in de opvang dan goed voor hen is, en wachten op vervolghulpverlening of huisvesting is niet makkelijk. De sfeer is soms gespannen, en je moet dan ook tegen een stootje kunnen en relativeringsvermogen hebben. Goede samenwerking in een team is van groot belang en een flinke dosis humor is goud waard.

De ambulante woonbegeleider

Ambulante woonbegeleiders zijn SPH'ers of MWD'ers. Ze begeleiden cliënten die ondersteuning nodig hebben bij het zelfstandig wonen. Zelfstandig gaan wonen na een verblijf in een 24-uursvoorziening of een leven op straat is een grote overgang voor cliënten. Contacten met andere daklozen verdwijnen, maar een nieuw sociaal netwerk is niet voorhanden. Het is verbazingwekkend hoe snel vaardigheden als schoonmaken en koken verloren gaan. Sommigen zijn zo bang hun woonruimte weer te verliezen, dat ze in paniek raken en verstarren, anderen maken nauwelijks gebruik van de ruimte, omdat ze niet weten wat ze met vier muren om zich heen moeten. Veel cliënten hebben na een verblijf in een voorziening nog een jaar ondersteuning bij het weer opnieuw leren van woonvaardigheden (inclusief omgaan met geld!) en het opbouwen van een sociaal netwerk.

De laatste jaren wordt ambulante woonbegeleiding steeds vaker gegeven bij verwaarlozing of overlast. Als sociaal werker kom je dan in zwaar vervuilde woningen terecht van vaak zorg mijdende mensen met een heel complexe problematiek, al dan niet met kinderen. Je doet dan aan een vorm van bemoeizorg: je gaat af op signalen of verzoeken van anderen en biedt hulp aan of dwingt die af. Er zijn projecten waarbij de cliënten woonbegeleiding dienen te accepteren om uithuiszetting te voorkomen. Ook bij deze vorm van hulpverlening kom je met de cliënten tot overeenstemming over een begeleidingsplan, werk je met veel organisaties in de stad of in de wijk samen en maak je gebruik van het achtfasenmodel.

Bemoeizorg en outreachende hulpverlening

In de grote steden zijn er hulpverleners die op eigen initiatief of naar aanleiding van meldingen zelf op (potentiële) cliënten afgaan. Het meest bekend zijn de bemoeizorgteams. Dit zijn bijna altijd teams die samengesteld zijn uit medewerkers uit de psychiatrie en de verslavingszorg en hbo-werkers uit de maatschappelijke opvang. Zij zoeken de 'verkommerden en verloederden' of 'zorgwekkende zorgmijders' op en proberen hen naar de hulpverlening te 'verleiden'. Zij komen in actie na een melding van burgers, politie of instellingen. Andere voorbeelden zijn straatwerkers die op straat contact maken met daklozen, eventueel eten en dekens uitdelen en vertrouwen proberen te winnen. Zo haalt het Leger des Heils mensen van de straat in strenge vorstperiodes. Soepbussen, punten waar brood uitgedeeld wordt en informatiebussen zijn andere voorbeelden. Soms wordt samengewerkt met ex-daklozen om de drempel voor de doelgroep te verlagen.

cmv'ers zijn er niet veel in de maatschappelijke opvang. Wel is er een ontwikkeling die voor cmv'ers interessant is. Participatie gaat belangrijk worden in de hulpverlening aan dak- en thuislozen. Zij worden begeleid bij het zo zelfstandig mogelijk blijven of gaan functioneren in de samenleving. Er worden nog steeds allerlei projecten ontwikkeld voor dagbeste-

159

ding en re-integratie van daklozen. Voorbeelden hiervan zijn: fiets- en meubelwerkplaatsen, schoonmaakdiensten, sociale restaurants, naai-ateliers, drukwerk, kunstprojecten en beeldvormingprojecten. De 'marktwerking' binnen de sector leidt ertoe dat dit soort projecten steeds vaker minimaal kostendekkend moeten zijn. Veel creativiteit en ondernemingszin zijn nodig om steeds weer iets nieuws te bedenken dat aansluit bij de dak- en thuislozen zelf en bij de vragen van de markt.

Nog vrij nieuw binnen de sector, maar snel in ontwikkeling, is cliëntparticipatie. Men zoekt naar manieren om cliënten zo veel mogelijk te laten participeren in de organisatie en in hun eigen hulpverleningsprocessen. Een aansprekend voorbeeld is de al langer bestaande Nacht Opvang In Zelfbeheer (NOIZ) in Utrecht. Voortgekomen uit de krakersbeweging uit de jaren tachtig dient deze nu ter inspiratie van diverse projecten van daklozen in zelfbeheer. Zo is in 2008 JES (Je Eigen Stek) geopend, een woonvoorziening in Amsterdam die gerund wordt door daklozen. Nijmegen heeft de Stichting Straatmensen: dak- en thuislozen zetten zich in om hun lotgenoten op straat op te zoeken en ze een maaltijd en ondersteuning aan te bieden. In andere projecten zetten ex-daklozen hun ervaringsdeskundigheid in. Zo zijn in sommige steden straatadvocaten actief: geen juristen, maar ex-cliënten die als geen ander het leven op straat kennen en deze kennis inzetten om als belangenbehartiger van dak- en thuislozen op te treden en hen te helpen de weg te vinden in de wirwar van regelingen en hulpmogelijkheden. Een ander voorbeeld zijn voorlichtingsprojecten waarin dak- en thuislozen informatie geven over het leven op straat aan professionals en andere belangstellenden. Het ondersteunen van dit soort projecten en het vormgeven van cliëntparticipatie in de organisaties zouden het terrein van de CMV'er kunnen worden.

Dat geldt ook voor het ontwikkelen van ondernemende projecten, zoals 'Mode met een missie'. Professionele modeontwerpers en dak- en thuisloze vrouwen werken daarin samen om mode van hoogwaardige kwaliteit te produceren en in de markt te zetten. In elke kledingstuk dat zij maken zit een tweedehands detail verwerkt dat symbool staat voor de gedachte dat iedereen een tweede kans verdient.

Effectonderzoek

Er is nog weinig onderzoek gedaan naar de meest effectieve methoden binnen de maatschappelijke opvang en er bestaat niet één methode of dé methodiek van de maatschappelijke opvang. Wel zijn er gemeenschappelijke kenmerken te noemen. Deze komen voort uit methoden als outreachend werken en bemoeizorg.

Bij outreachend werken en bemoeizorg ga je letterlijk 'op de cliënt af', al dan niet na signalen van de omgeving. Dat betekent dat je actief hulp aanbiedt of zelfs opdringt aan mensen die daar zelf niet om gevraagd hebben. Creativiteit en doorzettingsvermogen zijn nodig om contact te maken met mensen die om allerlei redenen contact met hulpverleners liever mijden. 'Zorgwekkende zorgmijders' worden ze ook wel genoemd. Het doel is om deze mensen te verleiden gebruik te gaan maken van de hulpverlening.

De vraag is echter of het hier gaat om verleiden of om dwingen. De laatste jaren zien we dat de maatschappelijke opvang steeds meer ingezet wordt om overlast te bestrijden. In 2004 hebben de vier grote steden hun 'Aanvalsplannen op dakloosheid' gepresenteerd. Vanaf dat moment zijn allerlei instrumenten ingezet om meer greep te krijgen op de daklozen. Dwang en drang worden steeds meer toegepast om hen in de hulpverlening te krijgen. Zo mogen daklozen in sommige steden alleen nog maar gebruikmaken van de nachtopvang als zij in het bezit zijn van een pasje van Sociale Zaken, waarvoor zij zich daar moeten inschrijven en moeten aangeven dat zij gebonden zijn aan de betreffende stad en hulpverlening toestaan. Vervolgens gaat de dakloze naar een centraal coördinatiepunt ('één loket', 'centrale toegang', 'centraal onthaal' zijn voorbeelden van benamingen hiervoor) en wordt met hem een niet-vrijblijvend plan van aanpak gemaakt. Het aanbod aan hulpverleningsmogelijkheden voor de dak- en thuislozen is flink uitgebreid en sinds er op deze manier gewerkt wordt, lijkt het aantal daklozen sterk verminderd. Critici zien echter ook daklozen die uit de greep van de overheid willen blijven en nog verder naar de marge van de maatschappij afglijden.

In navolging van de plannen van de vier grote steden zijn veel steden momenteel bezig met de ontwikkeling van Stedelijke Kompassen met minimaal een tweeledig doel: de hulp aan dak- en thuislozen verbeteren door vraag en aanbod beter op elkaar af te stemmen en de overlast die zij de stad bezorgen bestrijden.

De maatschappelijke opvang staat voor de opgave om deze manier van werken te verbinden met een andere ontwikkeling in het methodisch werken, waarbij cliëntparticipatie steeds meer centraal staat. Dit gaat verder dan projecten waarin cliënten mogen meedoen en meepraten. Het staat ook voor het idee de cliënt te zien en te benaderen vanuit zijn kracht, mogelijkheden en toekomstperspectieven in plaats van vanuit zijn onmacht, problemen en verleden. De cliënt krijgt steeds meer de regie over zijn hulpvraag en de oplossingen voor zijn problemen, en wordt daarbij gesteund door een oplossingsgerichte sociaal werker. Het groepswerk richt zich meer op participatie dan op beheersing, en huisregels dagen meer uit tot deelnemen aan praktische en sociale gebeurtenissen dan dat ze voorschrijven wat niet mag.

5.8 Mogelijke functies in de sector maatschappelijke opvang

Functie	Opleiding	Kern van de functie
Woonbegeleider binnen residentiële woon- en opvangvoorzieningen	SPH (SPW)	De zelfredzaamheid van cliënten verhogen en hen begeleiden naar het zo zelfstandig mogelijk voeren van een huishouding.
Zorgcoördinator/zorgbegeleider/casemanager	MWD/SPH	Het ondersteunen van de cliënt en het organiseren en coördineren van hulpverlening, gericht op het zo zelfstandig mogelijk voeren van een huishouding.
Ambulant woonbegeleider	SPH/MWD	De zelfredzaamheid van cliënten verhogen en hen begeleiden bij het zo zelfstandig mogelijk voeren van een huishouding.
Bemoeizorgmedewerker	SPH/MWD	In contact treden met de meest kwetsbare mensen in de samenleving die zelf niet om hulp vragen maar deze wel nodig hebben en hen begeleiden naar de hulpverlening.
Intaker	MWD/SPH	Eerste opvang en inventarisatie van problematiek, verwijzing naar geschikte hulpverlening.
Materieel dienstverlener	MWD	Cliënten ondersteunen in financiële en andere materiële zaken die nodig zijn bij het zo zelfstandig mogelijk voeren van een huishouding.

Werkbegeleider/activiteitenbegeleider	Meestal mbo, soms CMV	Het organiseren en uitvoeren van individuele en groepsgerichte activiteiten, gericht op resocialisatie en een zo zelfstandig mogelijke deelname aan de maatschappij.
Sociaal-cultureel werker 4 (niet vaak in maatschappelijke opvang, maar bij instellingen die met deze doelgroep te maken – kunnen – hebben)	CMV	Het verbeteren van het maatschappelijk functioneren van de doelgroep en het bevorderen van de samenlevingsopbouw door het bieden van ondersteuning en vorming om de zelfstandigheid en zelfwerkzaamheid van de doelgroep te vergroten en verbetering van het woon-, werk- en leefklimaat te bewerkstelligen.
Trajectbegeleider	MWD/SPH	Het verlenen van individuele begeleiding aan mensen om sociale redzaamheid, sociale activering en maatschappelijke participatie te bevorderen en een sociaal isolement te doorbreken en/of te voorkomen. Dit gebeurt door invulling te geven aan de dagbesteding door (een combinatie van) werk, activiteiten, vrijwilligerswerk en scholing aan te bieden.

5.9 Wat vraagt werken met dak- en thuislozen van je en wat levert het op?

Werken met dak- en thuislozen doet het goed op verjaardagsfeestjes. Je kunt verhalen vertellen over de onderkant van de samenleving en hebt altijd wel spannende of grappige anekdotes waarmee je bewondering en verbazing oogst. Maar je zult ook steeds maar weer moeten uitleggen dat daklozen niet voor dit leven kiezen, dat het jou ook zou kunnen overkomen als jij zou meemaken wat je cliënten hebben meegemaakt. Dat het niet 'eigen schuld, dikke bult' is.

Wat is de aantrekkingskracht van het werken met mensen die zo gemarginaliseerd zijn als dak-en thuislozen? Als sociaal werker kom je met heel verschillende mensen in aanraking. Geen dag is hetzelfde, geen verhaal ken je al. Als je denkt nu wel alle ellende of gekkigheid gezien te hebben, dan wordt dat de volgende dag weer overtroffen. Een goed relativeringsvermogen en gevoel voor humor houden je dan overeind. Je moet een lange adem hebben en tegen een stootje kunnen, want je krijgt te maken met agressie en viezigheid. Maar je ontmoet ook leuke, gekke, lieve en creatieve mensen die gewoon ontzettend veel pech in hun leven hebben gehad.

Sociaal werk is heel leuk en bijzonder als je het als een uitdaging ziet om bij iedereen te zoeken naar mogelijkheden. Als je werkelijk belangstelling hebt voor hoe een mensenleven kan lopen. Als je een kick krijgt van een geslaagd contact dat iemand weer in beweging brengt. Als je blij kunt zijn met iemand die weer in zijn eigen kunnen gaat geloven. Als je tevreden kunt zijn met kleine stapjes en lichtpuntjes. Als je bereid bent om steeds maar weer de grenzen te verleggen, ook die van jezelf. Als je kunt relativeren dat het vaak één stap vooruit en twee stappen achteruit is. Als je ertegen kunt om soms in heel spannende situaties te werken en als je soms viezigheid en dronkenschap op de koop toeneemt. Dan kun je een enorm plezierige en leerzame werkplek vinden bij de maatschappelijke opvang.

Attitude

Sinds begin deze eeuw krijgt de presentiebenadering van Andries Baart (2001) steeds meer aandacht bij het werken met moeilijke doelgroepen. Deze benadering vereist vooral een bepaalde attitude van medewerkers. Andries Baart zelf legt het uit in een interview op www.kwartiermaken.nl:

'De kern is aandachtigheid. Daar zitten de woorden "aan" en "denken" in. Je wilt namelijk dat iemand niet óver je maar áán je denkt. In het woord "aan" zit de kern: je wilt dat iemand een betrekking met je aangaat. Je moet als professional niet met je kop bij een methodiek, theorie of beleidsplan zitten. Het gaat erom dat je met je aandacht bent waar de ander zit. De presentiebenadering kenmerkt zich tevens door de richting van de beweging: ik ga naar de ander en beweeg me in het milieu van de ander. Bovendien beweegt de presentiebeoefenaar zich in het ritme van degene om wie het gaat. Ik wil daar meteen twee opmerkingen aan toevoegen. De presentiebenadering is een pleidooi om een ander soort *kennis* te genereren dan doorgaans gebeurt. Als ik zo aandachtig bij iemand ben, als ik probeer te begrijpen wat iemand doormaakt, wat een bepaalde gebeurtenis betekent, dan levert dat kennis op. Vaak wordt aan deze kennis uit de presentiebenadering minder gewicht toegekend dan aan de kennis van bijvoorbeeld het RIAGG, de Raad voor de Kinderbescherming of de dokter. In twintig minuten weten ze het allemaal beter dan degene die dagelijks met iemand optrekt. De tweede opmerking gaat over *schijn*. Eigenlijk is het een tamelijk vreselijke ontdekking dat de mensen in mijn onderzoek laten horen dat zij veel hulp ontvangen, maar deze te leeg vinden. Ze zeggen: er is van alles en het ziet eruit alsof er voor mij gezorgd wordt, maar het gaat niet om mij, ze zijn er niet voor mij. In sommige buurten krijg je die indruk heel sterk: daar zitten op een gezin soms wel tien hulpverleners, maar gehoord en geholpen voelt men zich niet. Daarom is de term "presentie" gekozen, want daarin zit het aandachtige. Moderne werkers moeten voldoen aan protocollen, kwaliteitseisen en productienormen. In een heleboel opzichten is dat ook goed, maar het schiet door en je hebt daardoor heel weinig ruimte en tijd om uit te zoeken wat iemand werkelijk nodig heeft en wie iemand werkelijk is.'

5.10 Besluit

Misschien heeft dit hoofdstuk je geprikkeld om een volgende keer eens niet de straatkrantverkoper te ontwijken, maar juist eens aan te spreken. Misschien ben je nieuwsgierig geworden naar het levensverhaal van de man of vrouw die altijd met een plastic tasje op dat ene bankje zit. Misschien ga je er eens naast zitten? Misschien probeer je zelfs een praatje te maken?

Als dat nog een stap te ver is maar je wel nieuwsgierig bent geworden, dan kun je op zoek gaan naar levensverhalen die al door anderen zijn opgetekend, zoals in *Van miljonair tot krantenjongen* van Sander de Kramer (2008). In *Een leven op straat* van Lia van Doorn (2005) staan naast levensverhalen uit het dak- en thuislozencircuit van Utrecht ook feitelijke informatie over dak- en thuisloosheid en suggesties voor hulpverlening. Als je dan ontdekt dat die stereotiepe dakloze een mens is die zich door de pech in zijn leven tot verkeerde keuzes heeft laten verleiden, dan ben je misschien net als Peter van der Heijden uit het kader aan het begin van dit hoofdstuk bereid om 'nog even langer voor die deur te blijven staan' en ontwikkel je de creativiteit, de doortastendheid en de durf om in contact te komen met mensen die door allerlei oorzaken in de marge van de samenleving terecht zijn gekomen.

Vragen en opdrachten

1 Ga op zoek naar levensverhalen van dak- en thuislozen. Waar ging het mis? Suggesties staan in de bronnenlijst. Nog interessanter is om te proberen een praatje te maken met een dakloze. Misschien is er een opvangvoorziening bij jou in de buurt en kom je wel eens mensen van die opvang tegen. Misschien heb je de mogelijkheid om eens een dagje mee te draaien in een voorziening, waar in de winterperiode vaak extra handen nodig zijn.

Misschien kun je eens een paar nachten als vrijwilliger meedraaien. Over het algemeen zijn daklozen erg bereid hun verhaal te vertellen.

2 In Den Bosch werd in het najaar van 2008 door buurtbewoners een gebouw in brand gestoken dat bedoeld was als toekomstige woonvoorziening voor verslaafde daklozen. Ook in andere steden zie je veel ophef ontstaan op het moment dat er sprake is van de oprichting van een voorziening voor deze doelgroep. *Not in my backyard*, wordt dit verschijnsel genoemd. Stel dat er bij jou in de buurt zo'n voorziening gepland zou worden? Wat zou je daarvan vinden? Wat zou je doen? Wat zouden voorwaarden voor een buurt kunnen zijn? Suggestie: voer klassikaal een debat tussen voorstanders en tegenstanders.

3 In de stad waar je woont of studeert zul je ook voorzieningen voor dak- en thuislozen aantreffen. Breng de sociale kaart voor dak- en thuislozen in beeld.

4 Het document op pagina 153 e.v. is aangeleverd door een zorgbegeleider van een opvangvoorziening voor thuislozen en hoort bij de analysefase uit het achtfasenmodel. Op welke leefgebieden zou je interventies voorstellen? Benoem ook de hulpvraag, persoonlijke beperkingen en verbetermogelijkheden.

Literatuur

Brinkman, F. (2004). *Presentie in de praktijk. Een verkenning in de maatschappelijke opvang.* Utrecht: NIZW.

Bruin, D. de et al. (2003) *Zwerven in de 21ste eeuw. Een exploratief onderzoek naar de geestelijke gezondheidsproblematiek en overlast van dak- en thuislozen in Nederland.* Utrecht: Centrum voor Verslavingsonderzoek.

Davelaar, M. (2005). *Aan de slag in de rafelrand. Werk en activering voor daklozen en verslaafden.* Assen: Van Gorcum.

Deben, Léon et al. (2003). *Nachtzwervers in Amsterdam 2003.* Amsterdam: Aksant.

Doorn, L. van (2005). *Leven op straat. Ontstaan, continuering en beëindiging van dakloosheid.* Bussum: Coutinho.

Doorn, L. van (2002). *Een tijd op straat. Een volgstudie naar (ex-)daklozen in Utrecht (1993-2000).* Utrecht: NIZW.

Heyndrickx, P. & K. Vansevenant (red.) (2005). *Meervoudig gekwetsten. Contextuele hulpverlening aan maatschappelijk kwetsbare mensen.* Leuven: Lannoo-Campus.

Hoogenboezem, G. (2003). *Wonen in een verhaal. Dak- en thuisloosheid als sociaal proces.* Utrecht: De Graaff.

Jong, C. de (2006). *Eropaf! Outreachend samenwerken in welzijn en wonen.* Amsterdam: Van Gennep.

Kramer, S. de (2008) *Van miljonair tot krantenjongen. Bizarre levensverhalen van de straat.* Schelluinen: House of Knowledge.

Lobensteijn, S. (1987). Zwerfdrang niet verwarren met zwerfdwang. *Tijdschrift voor de Sociale Sector,* 5.

Noom, M. et al. (2003). *Thuisloosheid bij jongeren en volwassenen.* Houten: Bohn Stafleu Van Loghum.

Nuy, M. (2004). *Wanorde in een mensenleven. Een bezinning op thuisloosheid.* Amsterdam: SWP.

Planije, M. et al. (2003). *Hulpverlening aan zwerfjongeren.* Utrecht: Trimbos-instituut.

Weekers, S. et al. (2003). *Heft in eigen hand. Cliënten als doe-het-zelvers in woon-zorg-welzijnland.* Rotterdam: Nederlands Instituut voor Zorg en Welzijn en Stuurgroep Experimenten Volkshuisvesting.

Wolf, J. (2007). *Dakloos in Zeeland. Onderzoek naar profiel en perspectief van daklozen en zwerfjongeren.* Amsterdam: SWP.

Websites

- www.hvoquerido.nl
- www.kwartiermaken.nl
- www.opvang.nl
- www.st-neos.nl
- www.smo-traverse.nl

6

Over de schreef
Justitiabelen

Dagindeling van Chris van Erne, Individueel Traject Begeleider in een justitiële jeugdinrichting

9.00 uur: Koffie. Ik lees op het interne netwerk de avondrapportages van de verschillende leefgroepen. Er is een nieuwe jongen op groep F: daar ga ik straks mee kennismaken. Ik loop mijn agenda door en check de mail.

9.30 uur: Een afspraak met de reclasseringswerker. We bezoeken een jongere op de afdeling en bespreken samen het Plan van Aanpak: werk, scholing en huisvesting na zijn detentieperiode. En niet te vergeten het opbouwen van een niet-crimineel sociaal netwerk. Daarna maak ik rapport op.

10.15 uur: Gesprek met een jongere die nog niet weet wat hij wil worden. We nemen verschillende mogelijkheden door. Ik stel een beroepentest voor.

11.00 uur: Ik zoek de beroepentest op en bel de afdeling voor een testafspraak. Intussen belt een vader, die zich ongerust maakt over zijn zoon. Deze is sinds twee weken vrij, zou gaan werken en blijft maar thuis hangen: 'ziek', zegt hij. Ik spreek af om vrijdag langs te komen.

11.45 uur: Ik plan het intakegesprek met de nieuwe jongen en overleg daarna met mijn collega-ITB'er over S., met wie het niet goed gaat. Hoe kunnen we hem motiveren om iets van zijn toekomst te maken zonder dat hij zich door ons opgejaagd voelt?

12.15 uur: Pauze, even naar de kantine. Collega J. vertelt een spannend verhaal over zijn vakantie (nou ja, ik heb wel spannender dingen meegemaakt).

13.00 uur: Intakegesprek met de nieuwe jongen. Hij zit er quasionverschillig bij: 'Wat wil je?' Ik krijg hem toch aan de praat door geen druk op het gesprek te zetten. Het grote voordeel van mijn werk is dat trajectbegeleiding binnen detentie vrijwillig is: je mág ervoor kiezen en daarmee valt heel wat weerstand weg. We vullen de intakeformulieren in en maken een volgende afspraak om zijn toekomstwensen verder te bespreken. Ik beloof niets.

14.00 uur: Om rapport te kunnen opmaken over de nieuwe intake heb ik meer informatie nodig. Ik bel de reclassering en de ouders en vergelijk de informatie met het dossier en met de uitspraken van de jongen: klopt alles? Ook mail ik naar het Centraal Incassobureau: staan er nog boetes open? Zo ja, dan ga ik proberen om een betalingsregeling te treffen. Dat doet me denken aan G., die nog 2400 euro aan boetes open had staan.

15.30 uur: Op bezoek bij de ouders van ex-gedetineerde K. Hoe gaat het, kunnen we nog iets betekenen? Het loopt goed, hij gaat naar zijn werk en blijft van de drugs af, vertelt moeder. Aan het eind van het gesprek vraag ik K: 'Loop je nog even mee?' Dan vertelt hij dat het hem veel moeite kost om op het goede spoor te blijven: de vroegere vrienden 'trekken' en hij verveelt zich 's avonds. We nemen mogelijkheden door om de avonden in te vullen zonder zijn oude vriendenclub.

17.00 uur: Ik ga naar huis.

Welke vaardigheden heb ik vandaag ingezet? Invoegen op het niveau van de ander, nauwkeurig luisteren en observeren, beslist niet moraliseren, helder en eenduidig zijn over de mogelijkheden én de grenzen binnen dit systeem, onnadrukkelijk motiveren, flexibel zijn en niet te vergeten: een beetje humor.

6.1 Inleiding

Het onderwerp 'criminaliteit' roept vaak heftige emoties op in onze samenleving. Misdaden – vooral wanneer zij spectaculair zijn – worden uitgebreid beschreven in de media. Er is een roep om een harde aanpak, met name van delinquente jongeren en veelplegers. Tegelijkertijd groeit de aandacht voor effectieve behandel- en begeleidingsmethoden en voor een goede resocialisatie na detentie.

Criminaliteit is er altijd geweest; afhankelijk van de waarden en normen in een samenleving veranderen de ideeën over wat als crimineel wordt gezien en hoe hiermee omgegaan moet worden. In vogelvlucht terugkijkend naar de geschiedenis van het Nederlandse strafsysteem zien we dat vergelding voor aangedaan leed altijd een grote rol heeft gespeeld als een vorm van rechtvaardigheid tegenover slachtoffer en samenleving, naast het stellen van een voorbeeld ter afschrikking. Vanaf de negentien-

Wat leer je in dit hoofdstuk?
Na bestudering van dit hoofdstuk weet je meer over:
• wat kunnen we verstaan onder criminaliteit;
• welke typen delicten er zijn;
• wat er gebeurt als je wordt opgepakt en veroordeeld;
• welke vormen van straf en behandeling er zijn en welke plaats de sociaal werker hierin heeft;
• hoe je kunt omgaan met de spanningsvelden tussen straf en hulp en tussen dwang en vrijwilligheid.

de eeuw was er een breder gedragen wens om het 'geringe volk' dat de gevangenissen vulde te verheffen en te heropvoeden. In de twintigste eeuw kwam het besef dat misdaad in alle bevolkingsgroepen voorkomt – hoewel de uitingsvormen uiteenlopen, denk aan het verschil tussen straatroof en witteboordencriminaliteit – en dat het bij de samenleving hoort.

De laatste jaren realiseren we ons steeds meer dat er naast daders ook slachtoffers zijn, die trauma's kunnen oplopen van bijvoorbeeld een overval, diefstal of mishandeling. In het strafproces is ruimte gekomen voor het slachtoffer om spreektijd te vragen. Dit past binnen de stroming voor 'herstelrecht': hierbij staan confrontatie met het leed van het slachtoffer en het aanbieden van een herstellende actie door de dader centraal.

6.2 De doelgroep: wat zijn justitiabelen?

Wat is criminaliteit? De vraag is eenvoudig, het antwoord ingewikkeld. Of gedrag wel of niet als misdadig wordt gezien, is afhankelijk van de samenleving en de tijd waarin men leeft. Prostitutie was vroeger verboden, maar is tegenwoordig uit het Wetboek van Strafrecht verdwenen. Over huiselijk geweld waren tot de jaren zeventig van de twintigste eeuw geen cijfers beschikbaar; tegenwoordig is hier ruime aandacht voor.

Criminaliteit heeft te maken met wat wel en niet toelaatbaar wordt geacht, met een verwijzing naar de waarden en normen in een samenleving. Wie de norm overtreedt, wordt afgewezen, dient boete te doen en zich weer aan te passen. Het Wetboek van Strafrecht kan worden gezien als een weerslag van de geldende normen.

Tegenover *alledaagse theorieën* over criminaliteit (bijvoorbeeld 'hangjongeren zijn crimineel') staan de *strafrechtelijke definities* ('pas als een hangjongere een delict pleegt, is hij crimineel bezig'). Voor het vervolg van dit hoofdstuk gaan we uit van de volgende definitie: Van criminaliteit is sprake bij het plegen van een strafbaar feit, wat wil zeggen dat de regels van het Wetboek van Strafrecht worden overtreden. Opvallend: in dit wetboek staat wel beschreven welke gedragingen niet mogen, maar niet waaróm niet.

Vroeger werd het aan religieuze instellingen, vakbonden en politieke partijen overgelaten om de bevolking op te voeden. Nu de macht van deze instellingen is afgenomen, moet de samenleving een nieuw evenwicht zien te vinden. De overheid doet een moreel appel op de bevolking om de grenzen van wat acceptabel is bij zichzelf en in de omgeving te handhaven. Er wordt steeds meer een beroep gedaan op de individuele verantwoordelijkheid van burgers.

Als criteria voor indeling van criminaliteit wordt vaak gekeken naar geslacht en leeftijd. Jonge mannen zijn oververtegenwoordigd in de statistieken. Wel is een toename zichtbaar van meisjes en vrouwen die strafbare feiten plegen. Zij maken zich veelal schuldig aan kleine vermogenscriminaliteit, zoals fraude met uitkeringen en diefstal; geweldscriminaliteit kom je bij hen slechts in beperkte mate tegen.

Ook klasse en etniciteit zijn veelvuldig onderzocht, waar het gaat om kenmerken van daders. Verhoudingsgewijs hebben meer mensen uit lagere sociaaleconomische klassen en uit allochtone bevolkingsgroepen contact met justitie. Voor de oorzaken hiervan wordt in verschillende richtingen gewezen, zoals beeldvorming over wat anders en vreemd is, klassenjustitie, sociaalmaatschappelijke achterstanden en opvoedingsproblematiek bij bevolkingsgroepen die nog niet zo lang in Nederland zijn.

Kenmerken van justitiabelen

Justitiabelen zijn niet te herkennen aan uiterlijkheden, maar over algemene kenmerken van daders valt wel iets te zeggen. In de socialecontroletheorie – een van de theorieën die zich buigen over de achtergronden van crimineel gedrag – vraagt men zich niet af waarom sommige mensen de regels overtreden, maar waarom niet iedereen dat doet. Dit is weliswaar een zijpad, maar toch: denk eens na over de vraag waarom mensen zich eigenlijk aan de regels van de samenleving houden.

In de loop van de tijd zijn veel verschillende theorieën ontwikkeld over achtergronden en oorzaken van criminaliteit. We lopen deze kort even langs.

1 *Biologische invalshoeken*
Hierbij gaat men ervan uit dat bepaalde biologische factoren – geerfd of verworven door een bepaalde levenswijze of voeding – leiden tot misdadigheid. Rond 1900 had de Italiaanse legerarts Lombroso veel invloed met onderzoek naar de verschillen tussen misdadigers

en andere mensen. Hij was ervan overtuigd dat 'criminelen' andere lichamelijke kenmerken hadden, zoals een afwijkende schedelvorm, lichaamsbouw en gelaatstrekken (bijvoorbeeld een wijkende kin, flaporen en zware kaken). Er bestonden volgens hem dus 'geboren misdadigers'. Deze onderzoeksrichting kreeg veel kritiek (stigmatiserend!) en is niet verder uitgebouwd. De belangstelling voor biologisch onderzoek is momenteel echter weer groeiende, met name door ontdekkingen op het gebied van de erfelijkheid.

2   *Psychologische invalshoeken*
Psychologische theorieën zoeken de verklaring voor criminaliteit voornamelijk in persoonlijke kenmerken. Er is niet één overkoepelende psychologische theorie voor de verklaring van criminaliteit. Binnen de cognitieve psychologie wordt onderzoek gedaan naar denkprocessen en de morele ontwikkeling van mensen. Vanuit de gedragstheorie wordt veel onderzoek gedaan naar het aanleren en afleren van gedrag, dus ook van crimineel gedrag. Verschillende methoden voor de behandeling en begeleiding van delinquenten hebben een psychologische theorie als basis; een voorbeeld hiervan is het competentiemodel.

3   *Sociologische invalshoeken*
Sociologische verklaringen voor criminaliteit richten zich voornamelijk op de relatie tussen de sociaalmaatschappelijke positie van een delinquent en diens criminele gedrag. Denk aan onderzoek naar de relatie tussen de sociaaleconomische achtergrond van een delinquent en het gekozen type misdaad (hooligans of aandelenfraude bijvoorbeeld).

Tegenwoordig is het gebruikelijk om de verschillende invalshoeken te combineren: gedrag ontstaat door de wisselwerking tussen iemands aanleg en persoonlijkheid en invloeden uit de opvoeding en omgeving (de biopsychosociale benadering).

Feiten en cijfers

Bij het beoordelen van strafbare feiten speelt het leed van slachtoffers een belangrijke rol. De media hebben daarbij grote invloed op de vraag hoe criminaliteit wordt ervaren. Gewelddadige straatroof bijvoorbeeld krijgt veel aandacht en maakt mensen angstig, maar betekent dit dat deze vorm van criminaliteit ook vaak voorkomt? Bij handel met voorkennis op de beurs gaan miljoenen euro's om; dat doet geen pijn, maar is het in moreel

173

opzicht minder erg? Voordat we dieper ingaan op het werkterrein eerst een aantal feiten en cijfers.

Delicten x 1000	2007	2008
Geweldsdelicten	1157	1084
Seksuele delicten	201	162
Mishandeling	281	263
Bedreiging	675	659
Vermogensdelicten	1840	1718
Poging tot inbraak	194	168
Inbraak	104	80
Fietsdiefstal	763	691
Autodiefstal	22	21
Diefstal uit auto	232	243
Zakkenrollerij	181	163
- zonder geweld	157	144
- met geweld	25	19
Overige diefstal	492	477
Vandalismedelicten	2119	2148
Beschadiging/diefstal auto	1264	1321
Overige vernielingen	854	828
Doorrijden na aanrijding	209	241
Overige delicten	132	125
Delicten totaal	5325	5192

Bron: *Veiligheidsmonitor 2008* van het CBS (het gaat hier om zelfrapportage van daders)

Onthoud wel dat het aantal delicten hoger is dan het aantal aangiften, niet iedereen gaat immers naar de politie. Daarbij worden niet alle aangiften door de politie geregistreerd. En: niet alle geregistreerde delicten komen voor de rechter en dus in de officiële overzichten terecht.

6.3   Historisch overzicht

> 'Schrik niet, ik wreek geen quaat maar dwing tot goet. Straf is myn
> hant maar lieflyk myn gemoet.'
> Tekst van dichter P.C. Hooft boven de deur van het Spinhuis in Amsterdam

In 1596 werd in Amsterdam een nieuw soort gevangenis geopend: een Rasphuis voor mannen en een Spinhuis voor vrouwen. Deze huizen waren bedoeld als verbeterinstituten voor misdadigers en allerlei 'onmaatschappelijken' die de samenleving kwijt wilde. Boven de toegangspoort van het Rasphuis stond: 'Wilde beesten moet men temmen.'

De dagen bestonden uit harde arbeid, strenge tucht en slechte voeding. En als je niet wilde werken, werd je op water en brood gezet. Daarnaast waren verbanning, lijfstraf en doodstraf voorhanden als strafmiddelen. Het volk kon de gevangenen op feestdagen bespotten of etenswaren toestoppen, uit medelijden en tegen betaling.

Er was geen overkoepelend beleid. De plaatselijke overheden spraken recht en bepaalden of en hoe lang iemand vast moest zitten. Begin 1800 werd, onder druk van de Franse overheersers, een Wetboek van Strafrecht ingevoerd.

In de negentiende eeuw trokken inspecteurs langs de gevangenissen en rapporteerden over de erbarmelijke omstandigheden en het gebrek aan rechten van gevangenen. Strafhervormers gingen nadenken over het nut van straffen en over pedagogische mogelijkheden om gevangenen tot 'zedelijke verbetering' te brengen. In deze periode werd de volwassenenreclassering opgericht; pas anderhalve eeuw later ontstond er een aparte jeugdreclassering.

Vanaf 1853 werd in toenemende mate gekozen voor individuele opsluiting, vanuit de gedachte dat hierdoor de zedenverwildering en criminele besmetting zouden afnemen en gevangenen in isolatie eerder tot inkeer zouden komen.

Rond 1900 kwam er, onder invloed van de opkomende sociale wetenschappen en van hervormingsbewegingen, meer aandacht voor de misdadiger 'als mens'. Wat deze mens misdreven had, kon alleen worden begrepen door aandacht te schenken aan zijn innerlijk, aan biologische kenmerken en sociale omstandigheden.

In de Eerste Wereldoorlog steeg het aantal veroordeelden – vooral vanwege smokkel en overtreding van de distributiewetten – in Nederland met 400 procent; voor sociale wetenschappers een bewijs voor de stelling dat criminaliteit en sociaaleconomische omstandigheden samenhingen.

Eind jaren twintig werd het gevangenisregime uitgebreid met mogelijkheden voor onderwijs, lichamelijke oefeningen en zang. Voor jeugdigen kwamen er plannen voor heropvoeding, onderwijs en het leren van een vak.

Na de Tweede Wereldoorlog ontstond een grote hervormingsdrift en werd resocialisatie belangrijk. De sociaal ambtenaar deed zijn intrede, de voorloper van de sociaal werker. Deze diende de gevangene te begeleiden bij het (her)vinden van maatschappelijke aansluiting.

In de jaren tachtig was er sprake van economische teruggang. De populatie in gevangenissen veranderde en groeide, mede door een toename van ernstige criminaliteit en maatschappelijke onrust hierover: meer drugsverslaafden, meer buitenlanders en meer mensen bij wie door verbeterde diagnostiek psychische stoornissen werden vastgesteld. De resocialisatiegedachte werd verlaten en de nadruk kwam te liggen op detentie als straf én als beveiliging van de maatschappij.

In 1994 kwam de gevangenisnota *Werkzame detentie* uit, met een nieuwe benadering van het gevangenisregime: vrijheidsbeneming als centrale gedachte, een standaardregime (sober, maar humaan) en arbeid als belangrijkste bezigheid.

Het geloof in resocialisatie binnen de muren was danig afgenomen. Wel kwamen er nieuwe strafvormen: uitbreiding van voorwaardelijke straffen, vervroegde invrijheidsstelling, weekeinden naar huis, halfopen en open inrichtingen.

Tegenwoordig is er niet zonder meer sprake van één trend. Ontwikkelingen zijn breed gericht.

- De overheid maakt veel werk van het tijdig signaleren van risicojongeren en van behandeling en resocialisatie van jeugdige justitiabelen.
- Sinds 1995 krijgen alleen volwassen gedetineerden die gemotiveerd zijn de gelegenheid om een vak te leren en zich actief voor te bereiden op re-integratie. Gedetineerden die 'niet gemotiveerd' zijn ondergaan het standaardregime.
- Bij het terugdringen van recidive wordt steeds meer ingezet op effectieve, wetenschappelijk bewezen gedragsbeïnvloedende programma's voor daders met een gemiddelde tot hoge kans op terugval.
- Sinds enkele jaren zijn nauwe samenwerkingsverbanden ontstaan tussen gemeenten, politie, justitie en zorginstellingen, in zogenaamde Veiligheidshuizen, met als doel het tegengaan van overlast, huiselijk geweld en criminaliteit en het verhogen van de sociale veiligheid: korte lijnen, snelle reacties, met een integrale aanpak lopend van preventie tot nazorg.

- Sinds enkele jaren sturen instellingsdirecties massaal aan op agogische scholing van het personeel, dat in staat is de gedragsprogramma's adequaat uit te voeren.
- De rechtspositie van gedetineerden is verbeterd. Er is bijvoorbeeld een speciaal *Bajesboek* op de markt, met daarin alle rechten en mogelijkheden voor gedetineerden.
- Het slachtoffer heeft ook een gezicht gekregen. Een relatief nieuwe ontwikkeling hierin is het denken over het reeds genoemde 'herstelrecht'.

Een korte vooruitblik: in de toekomst zal veel nadruk blijven liggen op kostenbesparing en efficiëntie, bijvoorbeeld via vormen van elektronische bewaking binnen en buiten de muren. Veiligheid zal een grote rol blijven spelen: een harde aanpak van mensen die de samenleving veel geld kosten. Daarnaast is de verwachting dat nog meer geïnvesteerd zal worden in effectieve behandelmethoden.

Mick, 44 jaar, verslaafd, ex-delinquent

'Onwijs trots' is Mick (44) op zijn kamer. 'Kijk, hier heb ik mijn eigen badkamer en toilet,' toont hij. 'Hier heb ik voor het eerst in tien jaar weer op blote voeten gedoucht.'

De eenpersoonskamer is duidelijk met liefde ingericht en oogt geordend. Tot twee keer toe zegt Mick dat hij zich dankbaar voelt en schuldig tegelijk. 'Alsof ik dit niet verdiend heb. Als ik in de tram zit, voelt het alsof er met blokletters op mijn voorhoofd staat dat ik een junk ben en een bajesklant.' Samen met 26 andere langdurige drugsgebruikers en vijf alcoholisten heeft hij zijn plek gevonden in een voormalig verzorgingstehuis. Zijn gewelddadige verleden bezorgt hem nachtmerries. Al op zijn veertiende begon hij met heroïne, en hij was gelijk verkocht. 'Ik was een superactief vervelend pleurisjong en werd er rustig van.' Later stapte hij over op coke. Als de zucht naar cocaïne hem nu overvalt, kijkt hij naar een pasfoto van zichzelf, genomen in de gevangenis. Het fotootje toont 'die andere Mick', die voor zichzelf elke geweldsdaad rechtvaardigde door de schuld steevast op zijn slachtoffer te schuiven ('Had-ie zijn geld maar moeten afgeven'). Die Mick wil hij nooit meer zijn.

De 24 begeleiders doen er alles aan om de 33 bewoners – onder wie zeven vrouwen – het gevoel te geven dat zij hun gelijken zijn, aldus de teamleider. Alleen als er beslissingen moeten worden genomen, blijkt dat er verschil is in positie.

Met elke bewoner zijn afspraken gemaakt over wat van hem of haar verwacht mag worden. Wie die afspraken schendt, zijn taken niet uitvoert of niet luistert, loopt gerede kans op uithuiszetting. Wie geweld gebruikt, vliegt er meteen uit. 'Onze cliënten hebben nooit iets te verliezen gehad, maar nu wel. Ze weten: wie zijn kamer verliest, verliest alles.'

Bron: *de Volkskrant*, 30 maart 2009

6.4 De wereld van het strafrecht

De volgende wetten en regels over vrijheidsbeneming zijn in Nederland geldig.

1 De Nederlandse Grondwet stelt dat personen alleen door de rechterlijke macht van hun vrijheid mogen worden beroofd en alleen als dit uitdrukkelijk in de wet staat.

2 Het Wetboek van Strafrecht geeft een volledig overzicht van straffen en/of maatregelen die aan een dader kunnen worden opgelegd als bepaalde strafbare feiten wettig en overtuigend bewezen zijn.

3 Het Wetboek van Strafvordering bevat een aantal artikelen over de tenuitvoerlegging van vrijheidsbenemende sancties; bijvoorbeeld procedures voor bezwaar en beroep.

4 Dan zijn er nog aanvullende wetten met bepalingen over de rechten en plichten van gedetineerden, zoals tbs-gestelden en jeugdigen.

Nederlandse wetten dienen te passen binnen internationale verdragen als het Europese Verdrag tot Bescherming van de Rechten van de Mens.

Wat gebeurt er als iemand door de politie wordt opgepakt voor een geconstateerd of vermoed strafbaar feit? Allereerst komt de officier van justitie in het geweer: deze bepaalt of de verdachte in voorarrest wordt geplaatst, een boete of taakstraf wordt voorgesteld óf dat wordt gekozen voor vrijlating. Bij voorarrest (in een Huis van Bewaring) volgt binnen een bepaalde termijn voorgeleiding bij de rechter-commissaris. Deze bepaalt of het voorarrest wordt verlengd, bijvoorbeeld vanwege vluchtgevaar. Zo niet, dan kan de zaak ook worden geschorst onder voorwaarden. In dat geval wordt de reclassering erbij betrokken, die een plan opstelt om recidive tegen te gaan. De dader moet zich aan de voorwaarden houden, anders moet hij alsnog naar de rechter.

Als het wel tot een proces komt, volgt een rechterlijk vonnis: vrijspraak, ontslag van verdere rechtsvervolging, een veroordeling tot een taakstraf of geldboete of een gevangenisstraf. Bijkomende straffen kunnen zijn verbeurdverklaring van goederen of ontzegging van het rijbewijs.

Een gevangenisstraf heeft meerdere doelen:
- Vergelding: er zijn wetten en regels overtreden en de samenleving heeft recht op genoegdoening.
- Veiligheid: de gedetineerde vormt tijdens de strafperiode geen gevaar voor de samenleving.
- Recidivebestrijding: om herhaling te voorkomen wordt tijdens de strafperiode veelal een programma aangeboden – werk, opleiding, vaardigheidstraining – met als doel hogere resocialisatiekansen.

Ten slotte kan tbs worden opgelegd als iemand een ernstig misdrijf heeft gepleegd, maar daar door een psychiatrische ziekte of stoornis niet (geheel) verantwoordelijk voor gesteld kan worden. Bij gedeeltelijke verantwoordelijkheid wordt eerst een gevangenisstraf opgelegd, gevolgd door tbs. Nederland telt ongeveer 1.800 tbs-patiënten.

Tbs kent twee vormen:
- tbs met bevel tot verpleging: plaatsing en behandeling in een tbs-kliniek;
- tbs met voorwaarden: geen opname, maar wel worden door de rechter voorwaarden gesteld aan het gedrag, zoals geen alcohol of drugs gebruiken of een verplichte behandeling ondergaan. Na verloop van tijd volgt heronderzoek. De rechter kan dan besluiten dat het gevaar voor

de maatschappij voldoende is verminderd en dat vrijlating geoorloofd is, of juist dat verlenging nodig is. In de praktijk kan tbs dus levenslang duren. Op den duur wordt een patiënt dan overgeplaatst naar een *long-stay*-voorziening, een goed beveiligde, beschermende woonvorm.

Een van de kenmerken van het detentiewezen is dat de bevolking zeer gevarieerd is: er zitten mensen bij elkaar met geheel verschillende achtergronden en nationaliteiten en met uiteenlopende straffen en in verschillende fasen van hun straf. De beleving van het gepleegde delict is heel uiteenlopend: van diepe schaamte en spijt tot onverschilligheid of zelfs trots. Ook de beleving van de straf verschilt per persoon: de straf wordt gelaten ondergaan (het is nu eenmaal zo) of de gedetineerde ageert heftig (er wordt mij onrecht aangedaan). De straf kan echter ook leiden tot hevige emotionele ontreddering – opgesloten, afgesloten, buitengesloten.

Jeugdigen en het strafrecht

Jeugdcriminaliteit omvat alle strafbare gedragingen van jeugdigen. De belangrijkste ontwikkelingen van de laatste jaren zijn:
- De jeugdcriminaliteit krijgt een steeds gewelddadiger karakter;
- Jeugdcriminaliteit wordt voornamelijk gepleegd door jongens, maar het aandeel van meisjes neemt wel toe;
- Het aantal geregistreerde jeugdige veelplegers is sterk toegenomen; dit kan verband houden met de intensivering van de opsporing;
- In justitiële inrichtingen zijn jongeren met een allochtone achtergrond oververtegenwoordigd;
- Het gehele proces – verhoging van de pakkans, snellere doorlooptijd van proces, straf en eventuele behandeling, verplichtende nazorg – krijgt meer aandacht;
- De ontwikkeling en inzet van evidence based (wetenschappelijk bewezen) methoden voor diagnostiek en behandeling nemen snel in omvang toe.

Het jeugdstrafrecht heeft twee invalshoeken: straf en (her)opvoeding. Onder de twaalf jaar kunnen jeugdigen niet strafrechtelijk worden vervolgd. Voor hen is er in het kader van preventie een pedagogische maatregel, de STOP-reactie. De ouders worden hierbij geholpen met opvoedkundige vragen en problemen; het kind kan leren wat het fout heeft gedaan en krijgt de kans om zijn fout te herstellen.

Jongeren tussen twaalf en achttien jaar die door grensoverschrijdend gedrag in aanraking komen met de politie, kunnen worden doorverwezen naar HALT. Voor sommige delicten wordt dan geen proces-verbaal opgemaakt door de politie. De jongere moet bij HALT een korte tijd taken verrichten, maar krijgt geen strafblad.

Bij zwaardere delicten komt er wel een proces-verbaal, en dan bepaalt de officier van justitie of (bij nog zwaardere delicten) de kinderrechter wat er moet gebeuren. Een eerste optie is dat de jongere een werkstraf of leerstraf opgelegd krijgt, of een combinatie daarvan. Een werkstraf kan bijvoorbeeld bij de gemeente worden uitgevoerd of in een zorginstelling, afhankelijk van het delict. Een leerstraf is bijvoorbeeld een cursus sociale vaardigheden. Bij achterliggende problematiek is doorverwijzing naar Bureau Jeugdzorg of de Jeugd-GGZ mogelijk.

Bij een ernstig crimineel feit kan worden besloten tot voorlopige hechtenis, in afwachting van behandeling van de strafzaak door de kinderrechter. Bij veroordeling krijgt de jongere intensieve begeleiding door de jeugdreclassering, of hij gaat naar een justitiële jeugdinrichting (JJI) voor jongeren van twaalf tot achttien jaar – en in sommige gevallen iets ouder.

De jeugdreclassering helpt en begeleidt jongeren die verdacht worden van of veroordeeld zijn voor een strafbaar feit en/of wegens schoolverzuim. De jeugdige is verplicht de aanwijzingen van de reclasseringswerker op te volgen, bijvoorbeeld voor seksuele vorming. Doel is het voorkomen van recidive. Het netwerk van de jeugdige wordt betrokken bij de begeleiding.

In een relatief klein aantal gevallen wordt een jongere na het plegen van een gewelds- of zedendelict veroordeeld tot behandeling via de zogenoemde PIJ-maatregel (plaatsing in een justitiële inrichting). Dit gebeurt wanneer sprake is van een ontwikkelingsstoornis of een psychische aandoening. Dan volgt een behandeling van twee jaar, zo nodig met een verlenging tot maximaal zes jaar. In de behandelinrichting leert de jongere wat nodig is om weer in de maatschappij te gaan functioneren.

Een deel van de jongeren die voor de rechter komen, heeft ernstige opvoedings- en ontwikkelingsproblemen. Voor deze jongeren is een PIJmaatregel te zwaar. De kinderrechter neemt dan doorgaans het besluit dat zij niet verder strafrechtelijk worden vervolgd of slechts een lichte straf krijgen, en op basis van een civielrechtelijke maatregel worden geplaatst in een instelling voor gesloten jeugdzorg ('Jeugdzorg Plus'). Om straf- en civielrechtelijk geplaatste jongeren niet langer bij elkaar te plaatsen (hetgeen voorheen wel gebeurde en erg ongunstig was), zijn in de afgelopen jaren enkele justitiële jeugdinrichtingen omgebouwd tot civielrechtelijke instellingen voor gesloten jeugdzorg. Zij zijn van het ministerie van Justitie overgegaan naar VWS.

181

6.5 Waar kom je als sociaal werker justitiabelen tegen?

In het jeugd- en jongerenwerk kan de sociaal werker in aanraking komen met risicojongeren, die dicht tegen de criminele wereld aan zitten of er al in zijn beland. De aanpak om te voorkomen dat zij daadwerkelijk een 'criminele carrière' opbouwen, varieert van creatieve projecten om de talenten van jongeren in te zetten tot taak- of leerstraffen, afhankelijk van de situatie.

In het ambulante veld zijn veel instellingen – ten dele, naast andere taken – werkzaam voor justitie. Denk aan Bureau Jeugdzorg, dat een taak heeft in het begeleiden van risicojongeren en waar ook de Jeugdreclassering is gevestigd, en aan de Raad voor de Kinderbescherming, het Bureau Taakstraffen, gemeentelijke projecten voor overlastbestrijding en de justitiële verslavingszorg.

Er zijn justitiële instellingen waar jeugdigen en volwassenen verblijven die in voorarrest zitten (Huis van Bewaring) of een straf en/of behandeling moeten ondergaan (Opvanginrichting). De laatste jaren zijn speciale 'inrichtingen voor stelselmatige daders' geopend voor veelplegers. In een straf regime wordt getracht hen terug te brengen tot een geregeld leven zonder criminaliteit. Het afkicken van een eventuele verslaving is hiervan meestal een onderdeel. Een deel van deze stelselmatige daders, met name de mensen met een psychiatrische problematiek, stroomt vervolgens door naar een beschermende woonvorm.

Dan is er nog de volwassenenreclassering, met als taken advisering (diagnostiek en indicatie voor behandeling) van het Openbaar Ministerie, toezicht houden op het naleven van de voorwaarden die de rechter heeft opgelegd en uitvoering van werkstraffen, steeds binnen een gedwongen kader.

Het is belangrijk om te beseffen dat je als sociaal werker in de justitiele wereld je werkzaamheden áltijd verricht in het spanningsveld tussen recht en hulp. De regels van het strafrecht zijn uitgangspunt en dienen te worden gevolgd. Tegelijkertijd heb je de taak om hulp en ondersteuning te bieden aan de gestrafte persoon. De beslissingsruimte is dan ook klein: je hebt je aan de regels te houden, anders breng je jezelf en anderen in gevaar.

Vergeet niet dat het gedwongen kader nodig kan zijn om mensen de training of behandeling te geven die zij vrijwillig niet zouden accepteren.

6.6 Werken met justitiabelen

De CMV'er ontwikkelt educatieve, culturele en sociale activiteiten in de samenleving, vaak gekoppeld aan instellingen voor sociaal-cultureel werk, opbouwwerk of zelforganisaties.

Daarnaast gaat de CMV'er letterlijk de straat op om contact te leggen met jongeren (vindplaatsgericht werken). Hier ligt een preventieve taak: signaleren van misstanden en dreigende problematiek en doorverwijzen naar de juiste instantie. Maar het betreft ook activering van talenten en mogelijkheden, zodat risicojongeren een ander perspectief voorgeschoteld krijgen. CMV'ers werken ook bij maatjesprojecten voor ex-gedetineerden, sociale vaardigheidstrainingen of cursussen werk en vrije tijd, of op overstijgend niveau bij een gemeente, rondom het gemeentelijk jeugdbeleid.

Een belangrijk verschil met het werk van de SPH'er en de MWD'er is dat de CMV'er (bijna) altijd werkt met mensen die op vrijwillige basis deelnemen aan de programma's en daarbij niet gericht is op hulpverlening, maar op dienstverlening.

Iedere sociaal werker komt van tijd tot tijd voor dilemma's te staan, zo ook de CMV'er. Hoever ga je in je investering in een risicojongere (die jou in vertrouwen heeft verteld over de problematische situatie thuis) en waar geef je het over aan de wereld van de zorg (wat hij nu net niet wil)? Wanneer laat je de teugels vieren bij adolescenten die zich aan het ontplooien zijn en wanneer geef je de grenzen aan? Tot hoever volg je de beleidslijnen van de gemeente die de subsidie verleent en waar volg je een eigen koers en hoe verantwoord je dat?

De SPH'er werkt voornamelijk als begeleider in de directe woon- en leefomgeving van de cliënt, individueel en in groepsverband. Hij leeft letterlijk het dagelijks leven mee, van de ochtend tot de avond. Dat kan in de rol van pedagogisch medewerker zijn bij jeugdigen – waarbij naast de straf ook het opvoedingsaspect een grote rol speelt –, als penitentiair medewerker bij volwassen gedetineerden of als begeleider in een tbs-kliniek of in een nazorgvoorziening bij de voorbereiding op terugkeer naar de samenleving.

De SPH'er kan ook als ambulant werker aan de slag zijn: bij de begeleiding en training van (ex-)delinquenten die een steun in de rug nodig hebben rondom wonen, werken, leren of het opbouwen van een passend sociaal netwerk.

Dilemma's van de SPH'er liggen onder andere op het terrein van afstand en nabijheid: je leert de cliënten immers meestal goed kennen en ziet hen in allerlei omstandigheden. Ook worstel je af en toe met enerzijds consequent één lijn trekken voor iedereen en anderzijds de uitzondering voor die éne persoon die het echt even nodig heeft. En dan dreig je soms speelbal te worden van cliënten die al veel instellingen en hulpverleners hebben gezien. Hoe blijf je professioneel én persoonlijk?

De MWD'er heeft als kerntaak het aanpakken van problemen tussen individu en omgeving.

Daartoe kan hij – net als de SPH'er – als begeleider en toezichthouder werken bij Bureau HALT of bij een Jeugd Preventie Project of als ambulant werker.

Wanneer een jeugdige een strafbaar feit heeft gepleegd, kan de MWD'er van de Raad voor de Kinderbescherming en/of van Bureau Jeugdzorg worden ingeschakeld. Denk daarbij aan taken als het in kaart brengen van de situatie, het opmaken van een rapport, samenwerking met politie, scholen en jeugdinstellingen en de uitvoering van de jeugdreclassering. Een volgende taak is voor de MWD'er weggelegd bij de reclassering. In justitiële instellingen werkt hij als ITB'er of bij de behandeling en begeleiding in een tbs-kliniek.

Bij de politie werken MWD'ers bijvoorbeeld bij jeugd- en zedenzaken; denk aan onderzoek en rapportage, daderhulp, netwerkonderhoud – bijvoorbeeld met het Veiligheidshuis, een samenwerkingsverband tussen verschillende veiligheidspartners, gericht op een integrale, probleemgerichte aanpak van zorg- en risicojongeren.

Ten slotte kom je de MWD'er tegen bij de begeleiding van slachtoffers van misdrijven en bij activiteiten rondom het herstelrecht.

Het grote verschil met SPH is dat de contacten vaak meer individugericht en minder langdurig zijn en vallen binnen een strak vormgegeven traject.

De MWD'er moet een evenwicht vinden tussen de straf- en zorgaspecten in de cliëntbegeleiding, waarbij weerstand tegen de (veelal afgedwongen) contacten vaak een rol speelt. Hoe doe je dat op een manier die voor de cliënt begrijpelijk en acceptabel is? Je komt in aanraking met mensen uit allerlei culturen. Een vraag die je jezelf beslist zult stellen, is hoe je de balans vindt tussen het respecteren van de cultuur en levenswijze van de delinquent en het uitdragen van in Nederland geldende waarden en normen.

Attitude

CMV, SPH en MWD: het zijn drie verschillende beroepen met ieder hun eigen accent. Toch zijn er veel overeenkomsten in de werkuitvoering. We gaan kort op enkele belangrijke aspecten van het werk in.

*   *Het spanningsveld tussen straf en hulp*
    Juist binnen het justitiewezen merk je dat sociaal werk een 'normatief beroep' is: je komt in aanraking met wat wettelijk en volgens de fatsoensnormen wel en niet is toegestaan. In het eerste contact zul je daarom al heel helder moeten zijn over de mogelijkheden en grenzen van het contact.
*   *Alertheid en vertrouwen*
    Als sociaal werker moet je altijd alert zijn op mogelijke afwijkingen van de regels, op gedragsveranderingen van cliënten, onderhuidse spanningen of het 'gebruikt worden' om iets voor elkaar te krijgen. Immers: de cliënten zitten in een gedwongen kader en dit roept in veel gevallen weerstand op. Tegelijkertijd wordt van je verwacht dat je vertrouwen geeft aan de cliënten: vertrouwen dat een nieuw perspectief mogelijk is.
*   *De valkuilen van medelijden en afweer*
    Je komt in aanraking met delinquenten die soms een akelige start hebben gehad in het leven en een pijnlijk verleden hebben. Dit kan gevoelens van medelijden oproepen, vooral bij jeugdige delinquenten.

185

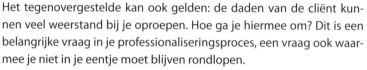

Het tegenovergestelde kan ook gelden: de daden van de cliënt kunnen veel weerstand bij je oproepen. Hoe ga je hiermee om? Dit is een belangrijke vraag in je professionaliseringsproces, een vraag ook waarmee je niet in je eentje moet blijven rondlopen.

- *Afstand en nabijheid*
  Vooral bij langdurige begeleidingscontacten komt de cliënt soms heel dichtbij: je weet veel over zijn achtergrond, misstappen en teleurstellingen. Tegelijkertijd wordt altijd van je gevraagd om afstand te houden tot de problemen van je cliënt en je daardoor niet te laten meeslepen. Dit wordt wel 'maximale nadering met professionele distantie' genoemd.
- *Onderscheid gedrag en persoon*
  De sociaal werker moet in staat zijn om de cliënt erop aan te spreken dat diens gedrag niet acceptabel is en tegelijkertijd het signaal uit te zenden dat de ander als persoon onvoorwaardelijk wordt geaccepteerd.

Voor alle sociaal werkers geldt dat zij niet op een eiland werken. De beleidskaders worden in hoofdlijnen bepaald door de landelijke politiek en vertaald naar provinciale en gemeentelijke omstandigheden. Binnen die kaders worden welzijns- en hulpverleningstrajecten uitgezet. Deze trajecten gaan over de grenzen van de instellingen heen en de sociaal werker werkt samen met zogenoemde ketenpartners, waarbij ieder verantwoordelijk is voor een deel van het traject. Dit vergt nauwkeurige afstemming.

Om een beeld te geven van de verschillende mogelijkheden in dit werkveld lichten we er enkele functies uit.

De talentcoach

De talentcoach is in het werken met risicojongeren gericht op het ontdekken, aanspreken en versterken van talenten. Doel is jeugdcriminaliteit te voorkomen of, in veel gevallen, de kans op recidive te verminderen.
Meestal vindt talentcoaching plaats binnen de vrijwillige context van hulp- en dienstverlening. Jongerenwerkers (cmv'ers) en jeugdhulpverleners (sph'ers en mwd'ers) die geschoold zijn in creatief-agogische methoden zijn als talentcoaches expert in het sociaal, cultureel en/of sportief activeren van risicojongeren. Zij dagen hen uit om deel te nemen aan zogenoemde talentprojecten (vaak in competitieverband), zodat de jon-

geren kunnen ontdekken waar ze goed in zijn en succeservaringen kunnen beleven. De psychologische effecten van succeservaringen worden gebruikt om jongeren te leiden naar scholing of arbeid.

Wanneer intensievere hulpverlening noodzakelijk blijkt, is samenwerking met collega's uit de jeugdzorg en 'Jeugdzorg Plus' van belang. Ook in dat geval blijft een talentgerichte benadering de focus (zie Kooijmans, 2009).

De pedagogisch medewerker c.q. penitentiair inrichtingswerker

In de dagelijkse woon- en leefsituatie worden gedetineerden begeleid door een pedagogisch medewerker oftewel PMW'er (bij jeugdigen) of een penitentiair inrichtingwerker, afgekort PIW'er (bij volwassenen). Jeugdigen die een gedwongen behandeling ondergaan en gedetineerden die soms jaren in de gevangenis verblijven hebben niet gekozen voor deze omgeving. Dit geeft vaak innerlijke spanning, die er plotseling uit kan komen. Het ene moment is er rust en het volgende moment kan de vlam in de pan slaan. Een ervaren begeleider weet een veilig en gestructureerd klimaat te scheppen, ziet spanning aankomen en weet op tijd een crisis te voorkomen. Maar als het toch zo ver komt, moet de begeleider de situatie kunnen hanteren en bijsturen.

Het ene moment gaat alle aandacht naar de individuele begeleiding en het volgende moment moet worden overgeschakeld op een groepsgerichte benadering – het liefst tegelijkertijd. De groepsstructuur, processen in de groep en onderlinge spanningen hebben immers hun weerslag op de individuele cliënt en bieden veel 'leermateriaal', bijvoorbeeld voor het versterken van sociale vaardigheden.

Een groot deel van het dagelijks leven in een justitiële instelling is gevangen in afspraken en regels. Vooral in de beginfase is het vaak moeilijk om te wennen aan al die regels: zijn die nu allemaal nodig? Ja, de regels zijn van groot belang voor de veiligheid van gedetineerden en personeel. De begeleider die toegeeflijk is, brengt zichzelf en de omgeving in gevaar, ook al lijkt dat op het eerste gezicht wel mee te vallen.

Ervaringen van een eerstejaars studente Social Work
Mijn kennismaking met de justitiële jeugdinrichting was confronterend. Ik wist dat ik als sociaal werker in opleiding in een gesloten inrichting terecht zou komen en toch deinsde ik heel even terug bij de eerste binnenkomst. Ik liep een andere wereld in. Niet zozeer een van enge boeven, zwaar gestoorden en andersoortige jeugdige justitiabelen. Maar vooral een van

hoge hekken, bewaking, detectors, controles, pasjes, piepers, sleutels en altijd gesloten deuren. Een vesting, afgesneden van de rest van de wereld. Toen ik er eenmaal werkte, was ik vrij snel gewend. De hoge hekken zie ik niet meer, de bewakers zijn mijn collega's geworden, detectors en controles gaan aan mij voorbij. Ik log in met mijn pasje, pak mijn pieper en sleutels en sluit elke deur, want alles staat in het teken van veiligheid. Die van mij, mijn collega's en de gedetineerden.

Nu ik er werk, heb ik kennisgemaakt met de wereld van 'enge boeven, zwaar gestoorden en andersoortige jeugdige justitiabelen'. Door met hen te praten, leer ik de jongeren steeds meer kennen en zie ik hun worstelingen, angsten, agressie, tekortkomingen, mogelijkheden, zwaktes, irritaties, krachten en vrolijkheid. Ik eet met hen, doe spelletjes, sport en kijk tv met hen, corrigeer, complimenteer en dol met hen en zet hen 's avonds om negen uur op hun kamer. Hoewel ik de hele dag alert ben geweest, besef ik dan pas goed dat ik in een instelling werk die afgesneden is van de wereld waar ik straks na mijn werk zelf weer naartoe kan gaan.

De reclasseringswerker

De reclasseringswerker adviseert en biedt toezicht en begeleiding aan mensen die verdacht worden van of veroordeeld zijn voor een strafbaar feit. Het begeleidingstraject ziet er als volgt uit.

- Diagnose- en adviesfase:
  - intake: aanmelding, inschrijving, informatieverzameling;
  - onderzoek (diagnostiek en indicatiestelling): in kaart brengen van risicofactoren en beschermende factoren voor het (opnieuw) plegen van het delict. Een risicofactor kan bijvoorbeeld verslaving zijn; een beschermende factor kan een stabiele thuissituatie zijn of een sterk sociaal netwerk. Na het onderzoek geeft de reclasseringswerker een advies en een indicatie over het vervolg: welke interventies, welke vorm van toezicht? Dit rapport gaat naar het Openbaar Ministerie of de rechter. Deze bepaalt het vonnis.
- Opstellen van een plan van aanpak: welke stappen worden gezet op het vlak van toezicht, gedragsbeïnvloeding en begeleiding en wat wordt van iedereen verwacht in het traject?
- Uitvoering van het plan: de vaste reclasseringswerker is aanspreekpunt en heeft als taken planning, controle op het nakomen van de verplichtingen door de cliënt, begeleiding bij deelname aan programma's,

regelzaken rondom werk, inkomen en wonen, probleemoplossing en onderhoud van het netwerk.
- Afsluiting en verantwoording: reguliere afsluiting als de cliënt alle stappen heeft doorlopen, of tussentijds als deze zich niet aan de afspraken houdt. De reclasseringswerker schrijft dan een voorstel voor een mogelijk vervolg.

Bij de (jeugd)reclassering werken ook itb'ers; zij zorgen voor intensieve begeleiding in de eigen omgeving van de harde kern van jeugdige veelplegers. Deze begeleiding is gericht op het verbeteren van het persoonlijk functioneren en kan worden ingezet als alternatief voor een vrijheidsstraf.

De ambulant werker

Een voorbeeld van ambulant werk is de begeleiding na detentie – zowel vrijwillig als gedwongen – bij een hoog risico op terugval en problemen met de maatschappelijke aansluiting.

De ambulant werker brengt eerst de mogelijkheden, vaardigheden en beperkingen én het recidivegevaar van de cliënt in kaart en bouwt zo mogelijk voort op informatie vanuit de vorige instelling. Dan wordt een traject van een aantal maanden uitgezet, met intensieve en persoonlijke begeleiding van de deelnemer in diens eigen omgeving. Waar mogelijk betrek je het netwerk bij de begeleiding. Denk daarvoor bij jeugdigen zowel aan de familie als aan (niet-criminele) vrienden en ook aan voorzieningen als school, werk en de woningbouwvereniging. Zo'n eerste uitgestoken hand kan net die vertrouwensbasis aan de jongere geven om samen door te willen gaan. Vaardigheden als koken, omgaan met geld en het leggen van sociale contacten worden geoefend. Ook de denkpatronen van de jongere worden onder de loep genomen; misschien zit hij vast in een repeterende, negatieve gedachtegang die het zoeken van nieuwe wegen belemmert. Ook bij volwassenen kan praktische hulp bij het vinden van huisvesting, een opleiding of baan noodzakelijk zijn.

Heel belangrijk in dit werk is dat je de voorgaande delicten weliswaar niet vergeet en gespitst blijft op een toename van risicogedrag en risico's in de omgeving (een nuchtere benadering dus), maar dat je vooral samen kijkt naar toekomstwensen en sterke kanten. Je bent niet bang om te confronteren en je moraliseert niet, maar legt de nadruk op de vraag wat er nodig om de situatie te veranderen in de gewenste richting.

Het competentiemodel

Veel methoden binnen de justitiële wereld richten zich op het aanleren van praktische en sociale vaardigheden of het veranderen van ongewenst gedrag in ander, prosociaal gedrag.

Deze methoden zijn vaak gebaseerd op psychologische theorieën over gedragsbeïnvloeding. Een voorbeeld is het competentiemodel. Dit wordt zowel ambulant als in instellingen aangeboden, individueel en in groepsverband – en ook bij andere doelgroepen, zoals mensen met verstandelijke beperkingen.

Hoe werkt het competentiemodel? Bij elke levensfase hoort een ontwikkelingsfase en moeten 'ontwikkelingstaken' worden uitgevoerd – bijvoorbeeld op het gebied van wonen, werk of zelfzorg – om goed door deze fase heen te komen. Die taken vereisen bepaalde vaardigheden. Als taken en vaardigheden in evenwicht zijn, spreken we van een competentie. Stagnatie treedt op als het niet lukt om de ontwikkelingstaken te volbrengen, bijvoorbeeld bij ernstige gedragsproblemen.

In de training worden de benodigde vaardigheden ingeoefend. Elke keer als bijvoorbeeld de jongere gewenst gedrag vertoont, volgt een beloning; dit kan een extra uurtje televisiekijken zijn of het recht om iets langer op de eigen kamer te verblijven. Getracht wordt om zo min mogelijk te straffen, omdat het ongewenste gedrag daardoor misschien wel (tijdelijk) stopt, maar daarmee nog niet zomaar het gewenste gedrag tevoorschijn komt. Bovendien kan er een negatief zelfbeeld door ontstaan. Ongewenst gedrag wordt daarom zo veel mogelijk genegeerd, vanuit de verwachting dat het dan verdwijnt.

Groepsgenoten worden vaak, in aanvulling op de begeleiders, ingezet als bekrachtigers van positief gedrag. Immers, van leeftijdsgenoten in dezelfde situatie neem je soms sneller iets aan als je zestien bent en van alles (niet) wilt.

Het competentiemodel is gebaseerd op de leertheorie (conditionering) en vraagt een consequente benadering door de begeleiding.

Methoden worden voortdurend aangepast en aangevuld. Binnen de justitiële jeugdinrichtingen wordt het competentiemodel in 2010 vervangen door 'Youturn', een methode die zich zowel richt op het aanleren van vaardigheden alsook op het leren omgaan met waarden en normen en het hanteren van moeilijke momenten in het leven.

6.7 Wat vraagt werken met justitiabelen van je en wat levert het op?

De wereld van justitie wordt gestuurd door wetten en regels, procedures en afspraken. Immers, de veiligheid, zowel van de cliënt als van de samenleving, speelt een belangrijke rol. Denk aan de jongere die door een problematische gezinssituatie van het juiste pad af is geraakt en nu in de wereld van de criminaliteit terecht dreigt te komen. Of aan de jongere die een zedenmisdrijf heeft gepleegd. Dan moet er worden ingegrepen. Maar wat is er precies aan de hand? Hiernaar moet eerst onderzoek worden gedaan, volgens vaste procedures. Dan volgt toetsing, bijvoorbeeld door de rechtbank. Enzovoort.

Onder het kopje 'attitude' is al aangegeven welke houdingsaspecten van belang zijn bij het werk in de justitiële hoek. Het werk vraagt vertrouwen en uithoudingsvermogen, en acceptatie van het feit dat de recidive hoog is, ondanks alle inspanningen.

Maar ook kun je soms het verschil maken tussen uitzichtloosheid en vertrouwen voor een gedetineerde die al veel mislukkingen heeft meegemaakt, door je uitstraling en je professionaliteit. Je weet dat je erger voorkomt door je consequente en stevige opstelling en doordat je weet over te brengen dat je wél blijft geloven in nieuwe perspectieven.

6.8 Besluit

In dit hoofdstuk heb je kennisgemaakt met de wereld van justitie. Je hebt gelezen over verschillende vormen van criminaliteit, over mogelijke achtergronden van crimineel gedrag, over wetten en straffen, over behandel- en begeleidingsmethoden en over de taken van de sociaal werker. Is je beeld van deze werksoort voldoende helder? Wil je misschien iets meer weten over de begeleiding van jeugdige justitiabelen? Heb je nog vragen over de aanpak van veelplegers? Trekt de wereld van de tbs je? Zie je jezelf werken in een omgeving die sterk beïnvloed wordt door politieke beslissingen, met veel dynamiek en soms spanning en agressie, waarin veiligheid en procedures een belangrijke rol spelen? Wellicht is het mogelijk om een bezoek aan een huis van bewaring te regelen of eens met een ervaren werker te praten.

Vragen en opdrachten

1 In dit hoofdstuk worden verschillende theorieën besproken over de achtergronden en oorzaken van crimineel gedrag. Welke theorie spreekt jou het meest aan en waarom?
2 Vergelijk de opvattingen van twee zeer uiteenlopende politieke partijen over criminaliteit, ga na welke opvatting jou het meest aanspreekt en onderbouw je mening met argumenten.
3 Volg één week de berichten in de media over criminaliteit en noteer in hoeverre berichten gebaseerd zijn op feitelijke informatie of op 'beleving'.
4 Zet op één A4'tje een portret op papier van een risicojongere (opvoeding, omgeving, gedrag). Sluit af met een voorstel om zijn gedrag in positieve richting om te buigen.
5 Verplaats je eens in een gedetineerde. Welke eigenschappen/welke benadering zou jij belangrijk vinden bij een sociaal werker en waarom?

Literatuur

Franke, H. (1996). *De macht van het lijden. Twee eeuwen gevangenisstraf in Nederland.* Amsterdam: Balans.

Jonge, G. de & H. Cremers (2008). *Bajesboek. Handboek gedetineerden.* Breda: Papieren Tijger.

Kooijmans, M. (2009). *Battle zonder knokken! Talentcoaching van risicojongeren.* Amsterdam: SWP.

Traas, M. (2006). *Aandacht of aanklacht: jeugdcriminaliteit in agogisch perspectief.* Baarn: HB.

Websites

- www.minjus.nl
- www.dji.nl
- www.wodc.nl
- www.postbus51.nl/rechtspraak-en-veiligheid

7

Ervaring is niet wat een mens overkomt, het is wat een mens doet met wat hem overkomt
Chronisch zieken en mensen met een lichamelijke beperking

Uit het dagboek van Sema, medewerker van het audiologisch centrum
Vanmorgen was ik bij de familie Van Dorp. Mevrouw Van Dorp was dolblij toen haar eerste kindje Kim geboren werd. Enkele dagen na de bevalling is bij de neonatale gehoorscreening ontdekt dat Kim doof is. Ze werd verwezen naar een audiologisch centrum. Er bestaat voor Kim op termijn de mogelijkheid van een operatie waarbij een kunstmatige cochlea wordt ingebracht. Tot die tijd moeten eventuele gehoorresten gestimuleerd worden door middel van een gehoorapparaat.
Ik ga mevrouw Van Dorp instructies geven hoe ze met de beperking van Kim om moet gaan. Omdat Kim prelinguaal doof is, moet haar taalontwikkeling extra aandacht krijgen. Samen met de logopedist maak ik een programma om de taalontwikkeling te stimuleren, ook als ze thuis is. Mevrouw Van Dorp moet verder leren hoe ze om moet gaan met het gehoorapparaat van Kim. Ook probeer ik haar te helpen bij de verwerking van de beperking van Kim.

7.1 Inleiding

In dit hoofdstuk willen we je enig inzicht geven in de situatie van chronisch zieken en mensen met een lichamelijke beperking. Een probleem hierbij is dat we te maken hebben met een zeer heterogene groep. Omdat het onmogelijk is om hier alle ziekten en beperkingen te behandelen, worden een paar ziekten en beperkingen besproken in de vorm van casussen. Mocht dit hoofdstuk je interesse voor deze doelgroep wekken, dan is het raadzaam je verder te verdiepen in ziekten en beperkingen via literatuurstudie of het internet.

Hoewel medisch jargon intimiderend kan werken op niet-medici, is het niet vermeden in dit hoofdstuk. Je krijgt er immers mee te maken. Zoek daarom de onbekende termen op in een boek of op het internet.

Wat leer je in dit hoofdstuk?

Na bestudering van dit hoofdstuk weet je meer over:

- aspecten van ziekte, te weten sickness, illness en disease;
- verschillende vormen van ziekteverloop;
- enkele chronische ziekten;
- aspecten van beperking, te weten stoornis, beperking en handicap;
- enkele motorische en zintuiglijke beperkingen en het verloop daarvan;
- verschillende manieren waarop men tegen ziekte of beperkingen aankijkt;
- welke handelingen jij mag uitvoeren in het contact met cliënten.

Waarover zet dit hoofdstuk je aan het denken?

Na bestudering van dit hoofdstuk besef je:

- wat de leefsituatie is van chronisch zieken;
- wat de leefsituatie is van mensen met een lichamelijke of zintuiglijke beperking;
- welke problemen mensen met een beperking tegenkomen;
- op welke wijze de cliënt en zijn omgeving de ziekte of beperking kunnen beleven;
- welke bijdrage jij als sociaal werker kunt leveren aan het welzijn van mensen met een ziekte of beperking.

7.2 De doelgroep: wat zijn chronisch zieken en mensen met een lichamelijke beperking?

Iedereen met een ziekte of een beperking is anders en dus is ook de manier waarop mensen met hun beperkingen omgaan per individu verschillend. In de praktijk kun je te maken krijgen met ziekten als diabetes, epilepsie, multiple sclerose, chronisch vermoeidheidssyndroom, groeistoornissen, de ziekte van Parkinson, de ziekte van Hodgkin, enzovoort. Beperkingen die je kunt tegenkomen zijn onder andere spierdystrofie, *spina bifida*, gehoorstoornissen en visuele stoornissen. Ken jij al deze aandoeningen? Weet je wat ze voor iemand betekenen?

Hoop is een ding met veren
Dat neerstrijkt in de ziel
Een melodie zingt zonder tekst
En nooit stopt met zijn lied

Bron: Emily Dickinson (1830-1886), vertaling Louise van Santen

Ziekte

Men onderscheidt drie aspecten van ziekte, te weten: *illness*, *sickness* en *disease*. Hierin is illness (klacht) het subjectieve ziektegevoel, sickness (kwaal) de wijze waarop men met de klacht omgaat en disease (ziekte) de meetbare stoornis van de organen, de diagnose die de arts stelt. Illness, sickness en disease hoeven niet altijd samen te gaan. In onze maatschappij wordt dikwijls een objectieve diagnose (disease) verlangd, bijvoorbeeld wanneer het gaat om toekenning van sociale voorzieningen. Bij sickness hoort ook de attributie, de wijze waarop men denkt over de oorsprong van een ziekte of een probleem. Deze attributie is sterk cultureel bepaald. Als je als hulpverlener de attributie van de ander niet respecteert, kun je hem weinig steun geven. Maar dat wil niet zeggen dat je het er altijd mee eens moet zijn!

Attributies

De vader van de zesjarige Fatima, die epilepsie heeft, vertelt: 'Mijn vrouw en ik proberen elkaar op te peppen. Onze troost is het geloof: we zien de ziekte van Fatima als een beproeving. Eerst dachten we dat Fatima geschrokken was van geesten, alsof ze bezeten is, dat komt voor in Marokko. Volgens de imam was dat niet het geval. Het is gewoon Gods wil. We zoeken niet meer naar de oorzaak, maar proberen haar leven te vergemakkelijken.'

Het belasting/belastbaarheidsmodel gaat ervan uit dat er bij gezonden een evenwicht is tussen de te dragen last en de kracht om die last te dragen. Ziekte zou dan mede ontstaan door een te grote draaglast, een te geringe draagkracht of beide. Het gaat hierbij vooral om fysieke aanslagen op het lichaam, maar ook psychische factoren spelen een rol. Hulpverlening kan dus zowel gericht zijn op het verminderen van de last (behandeling van de ziekte) als op het vergroten van de draagkracht. Bij dat laatste komt de sociaal werker in beeld.

Chronische ziekte

Chronische ziekte is een ziekte die niet te genezen is, maar wel verzacht kan worden. De *Notitie Chronischziekenbeleid* (1991) omschrijft chronische ziekte als volgt: 'Alle gebreken en afwijkingen van het normale, die een of meer van de volgende eigenschappen hebben: zij zijn permanent, leiden tot blijvende invaliditeit, worden veroorzaakt door onomkeerbare pathologische veranderingen, vergen speciale training, gericht op revalidatie en vereisen naar verwachting langdurige controle, observatie en zorg'.

Pijn

Ziekte kan gepaard gaan met pijn. Pijn is een complex fenomeen. Het schema geeft een overzicht van psychologische condities en reacties bij pijn. Dat wil natuurlijk niet zeggen dat pijn alleen maar 'tussen de oren' zit!

Psychologische condities en reacties bij pijn

Conditie	Reactie
Te weinig informatie	Angst en onzekerheid
Weinig controle over de pijn of de medicatie	Hulpeloosheid, angst en passiviteit
Isolatie	Angst, pijngedrag en depressie
Observatie van pijngedrag van anderen	Toename in pijngedrag

Bron: Birnie, 1992

197

Het ziekteverloop van chronische ziekten

Soms is een ziekte stationair, dat wil zeggen dat er weinig verandert. Wel kunnen er complicaties optreden. Een voorbeeld hiervan is *diabetes mellitus.*

Bij andere ziekten worden perioden waarin de ziekte opspeelt (recidieven) afgewisseld door klachtenvrije perioden (remissies). Dit is bijvoorbeeld het geval bij astma, reuma en epilepsie. De terugkeer van de klachten hangt als een 'zwaard van Damocles' boven iemands hoofd.

Bij een chronisch progressief verlopende ziekte nemen de klachten toe in de loop van de tijd. Soms is de ziekte dodelijk. Een voorbeeld van een chronisch progressieve ziekte is progressieve spierdystrofie.

Het zal duidelijk zijn dat het voor sociaal werkers van belang is iets te weten over de prognose van de ziekte van hun cliënt.

Chronisch zieke kinderen

> De dokter ziet hoe de moeder haar
> zakdoekje in haar handen knelt,
> Hij kijkt naar haar handen, naar
> het schort waar de mantel openvalt,
> dan weg naar de briefopener, papieren.
> Ze zegt: ik heb liever dat u het vertelt.

Bron: Rutger Kopland (1968), *Het orgeltje van yesterday*

Chronisch zieke kinderen nemen in de hulpverlening een aparte plaats in. Er zijn ongeveer 500.000 kinderen en jongeren met een chronische ziekte, van wie 120.000 tussen de twaalf en twintig jaar oud.

Naast lichamelijk ongemak heeft ziekte natuurlijk ook psychische gevolgen. Ziekte tast de autonomie van het kind aan; hij moet bijvoorbeeld worden gewassen, gevoed en op het toilet gezet. Ook zijn spel wordt beperkt door de ziekte of de behandeling.

De relatie met ouders, broertjes en zusjes verandert; het kind krijgt en vraagt meer aandacht en neemt een uitzonderingspositie in. Relaties met vriendjes worden minder of juist hechter. Soms raken chronisch zieke kinderen in een isolement als de omgeving niet goed met de ziekte kan omgaan.

Hoe het kind zijn ziekte beleeft, hangt af van zijn persoonlijkheid en de ontwikkelingsfase waarin hij verkeert. Ook de aard, ernst en duur van de ziekte zijn van invloed, naast eventuele eerdere ervaring met ziekte.

Ziekte kan gedragsproblemen tot gevolg hebben, zoals duimzuigen, nagelbijten en stotteren en problemen op school. Soms is het kind angstig bij het inslapen. Onzekerheid over het verloop van de ziekte en angst voor recidieven kunnen maken dat het kind passief reageert.

Toch heeft ziekte niet alleen nadelige gevolgen: ziek zijn kan een kind ook leren om een nare ervaring te integreren in zijn leven.

Stichting Sterrekind

Stichting Sterrekind biedt chronisch zieke kinderen een veilige interactieve ontmoetingsplaats op internet, waar zij kunnen chatten, mailen, gamen, films kijken, muziek luisteren of een website bouwen. De site biedt entertainment en educatie, maar wil vooral de sociale ontwikkeling van chronisch zieke kinderen stimuleren. Lotgenoten kunnen elkaar tips geven, zoals: hoe los jij het op om met je diabetes toch naar een zeilkamp te gaan? Zo worden kinderen weerbaarder en krijgen ze meer gevoel van eigenwaarde.

Thomas is dood en
we waren even groot
moet je weten.
Omdat ik mijn gymschoenen
ben vergeten,
mag ik de zijne aan
als we gymmen gaan.

Bron: Paul Warmerdam, 2001

Voor hulpverleners is het zwaar om geconfronteerd te worden met de dood van een kind. Jaarlijks sterven in Nederland ongeveer vierduizend kinderen, vooral rondom de geboorte. Daarna zijn ongevallen en kanker belangrijke doodsoorzaken bij kinderen.

Hieronder beschrijven we twee voorbeelden van chronische ziekte bij kinderen.

Hediye heeft diabetes

(Casus 1) Hediye Kara is negen jaar en heeft twee jongere broertjes: Cetin en Osman. Sinds twee maanden plast ze weer in bed. De opvoedingsondersteuning in het buurthuis zoekt de oorzaak in spanning rond het naderende sinterklaasfeest. Het advies is om haar voor het slapengaan niet meer te laten drinken en voor elke droge nacht een zonnetje te plakken. Hediye gaat voortdurend naar de kraan om te drinken. Als haar schoolprestaties achteruitgaan en ze over moeheid klaagt, gaan haar ouders met haar naar de huisarts. Deze constateert diabetes mellitus type 1 en schrijft het bedplassen toe aan de diabetes. In het ziekenhuis waar ik sinds kort werk als pedagogisch medewerker zie ik Hediye voor het eerst. Haar ouders zijn zeer ongerust. In een aantal gesprekken geef ik ze samen met Hediye informatie over diabetes mellitus. Daarnaast zijn er gesprekken met de ouders alleen en met de ouders en hun twee andere kinderen. Samen met de verpleegkundige geven we Hediye zelf informatie over haar ziekte en leren we haar prikken. Eerst op een knuffel, daarna op een sinaasappel en ten slotte leert ze zichzelf prikken. Ze krijgt een prikdiploma.

Diabetes mellitus
Diabetes mellitus is een stoornis in de suikerstofwisseling. Door een tekort aan het hormoon insuline wordt de suiker uit de voeding niet opgeslagen in de lever. Er zijn twee soorten diabetes. Bij type 1 is men afhankelijk van insuline-injecties. Type 2 wordt behandeld met een vermageringsdieet en/of tabletten en soms zijn insuline-injecties nodig.

Bron: Van Endt-Meijling, 2008

Symptomen van diabetes zijn moeheid, dorst, veel plassen, vermagering ondanks goede eetlust, duizeligheid, infecties en slechte wondgenezing. Complicaties op lange termijn zijn een verhoogd risico op een hartinfarct, cva, nierafwijkingen en blindheid. Hoe beter het bloedsuikergehalte geregeld is, hoe minder kans er is op complicaties.

Een streng suikerloos dieet is ongewenst; aanpassing van de insuline aan het dieet is beter dan het dieet aanpassen aan de hoeveelheid insuline. Het is zaak om te laveren tussen een te laag bloedsuiker- (hypo) en een te hoog bloedsuikergehalte (hyper). De symptomen zie je in de afbeelding.

Somatoforme klachten bij kinderen
Soms heeft een kind lichamelijke klachten waarvoor geen verklaring wordt gevonden. We spreken dan van somatoforme klachten, in de volksmond vaak psychosomatose genoemd. Hierbij is sprake van illness en sickness, maar ontbreekt de disease. Het gaat vaak om buikpijn.

Daan heeft een somatoforme klacht
(Casus 2) Daan van zes jaar klaagt al maanden over buikpijn. Ondanks herhaalde bezoeken aan de huisarts wordt geen oorzaak voor de pijn gevonden. Ten einde raad wordt Daan door de kinderarts ter observatie opgenomen. Na onderzoeken komt de kinderarts tot de conclusie dat Daan een somatoforme klacht heeft.

Onbegrepen buikpijn ontstaat vaak na een darmstoornis als gevolg van een voedingsfout of een infectie. Het kind heeft pijn en is prikkelbaar. Als de ouder rustig reageert, ontspant het kind en gaat de kramp eerder voorbij. Als de ouder ongerust reageert, kan dit de pijn doen verergeren en kan bij een nieuwe gebeurtenis de pijn terugkeren. De ouder vindt dat hij tekortschiet, omdat hij het kind niet kan troosten. Dat kan leiden tot irritatie en schuldgevoel jegens het kind, waardoor overbescherming kan ontstaan. Soms anticipeert de ouder op de pijn: 'We kunnen vast niet weg, want hij zal wel weer gaan huilen!' De pijn levert ook ziektewinst op in de vorm van extra aandacht.

De pijn is dus oorzaak en gevolg van een samenspel van factoren. Als de pijn vaak samenvalt met stressvolle situaties, wordt het kind geconditioneerd om met buikpijn op deze situaties te reageren. Als de buikpijn een dreigend conflict tussen ouders omzet in eendrachtige zorg voor het kind, kan ook dit de pijn bevorderen.

Met een Ferrari door je buik racen

Volgens een artikel in *Gastroenterology* is onverklaarbare buikpijn bij kinderen te bestrijden met hypnose. Hypnotherapie werd vergeleken met de gebruikelijke behandeling met pijnstillers en maagzuurremmers. Kinderen uit de hypnosegroep hadden een jaar na de therapie aanzienlijk minder klachten dan de controlegroep: 'We laten de kinderen ontspannen. Dan worden ze uitgenodigd zich voor te stellen hoe het er in de buik aan toe gaat en hoe ze hun buik kunnen vertellen hoe het anders moet. We sluiten aan bij de interesse van het kind. Een jongetje dat gek was op Ferrari's lieten we met een Ferrari door zijn darmen racen,' aldus A.M. Vlieger, die het onderzoek leidde. 'We accepteren al lang dat medicijnen een placebo-effect hebben. Dat effect is de kracht van de suggestie, van de geest. Wij doen niets anders dan die suggestie nog verder gebruiken' (Vlieger, 2007).

Aandachtspunten bij het werken met chronisch zieke kinderen:

- Het is voor de pedagogisch medewerker van belang iets te weten over de aard en de prognose van de ziekte van het kind.
- Als je een kind moet voorbereiden op een onderzoek, moet je op de hoogte zijn van een aantal onderzoeksmethoden.
- Enige medische kennis en inzicht in medische terminologie vergemakkelijken de communicatie binnen het team.
- Wees niet boos als het kind niet met je wil praten: 'Hoe kun jij mij nu helpen, heb jij soms ook chemo gehad?'
- Er is soms weinig aandacht voor broertjes en zusjes van het zieke kind. Toch zijn symptomen bij hen vaak een signaal dat het gezin de spanning niet aankan. Klachten bij broertjes en zusjes zijn: bedplassen, hoofdpijn, buikpijn of depressie. Soms zijn ze bezorgd over hun eigen gezondheid. Ze kunnen jaloers zijn op de aandacht die het zieke kind krijgt, maar voelen zich ook schuldig omdat zij gezond zijn.
- Ook tijdens ziekte is spel van belang; humor, creativiteit en relativeringsvermogen zijn belangrijk bij het omgaan met ziekte en ongemak.
- Ouders van kinderen die naar huis mogen maar nog veel zorg behoeven, hebben vaak het gevoel er alleen voor te staan. Een zorgcoördinator kan hier veel betekenen.

Chronisch zieke volwassenen

De diagnose chronische ziekte is vaak moeilijk te aanvaarden. Bij de verwerking spelen meerdere factoren een rol: het waarschijnlijke verloop van de ziekte, de verantwoordelijkheden van de patiënt, zijn emotionele en lichamelijke toestand en de communicatie met de arts. Een patiënt kan vaak niet alle medische informatie opnemen. Jij kunt helpen om vragen onder woorden te brengen en informatie te ordenen.

Niet iedereen vindt het prettig om over zijn ziekte te spreken. Hulpverleners interpreteren dat vaak als het niet goed verwerken van de ziekte. Die interpretatie is dikwijls onjuist: een patiënt vraagt zich soms af wat jonge, gezonde hulpverleners van ziekte weten. Je moet dit respecteren, maar je kunt laten merken open te staan voor een gesprek en bereid te zijn obstakels uit de weg te ruimen. Verwijs eventueel naar patiëntenverenigingen en instanties. Nadruk op het aanvaarden van de ziekte door de patiënt is niet altijd in diens voordeel. Het leidt wel tot een realistische kijk op de ziekte, maar ook tot fatalisme.

Houd rekening met ziektewinst en ziekteverlies: van ziektewinst is sprake als ziekte een vermindering van conflictspanning of angst oplevert. Secundaire ziektewinst is het voordeel dat ziekte oplevert in de sociale sfeer, zoals extra aandacht. Bijvoorbeeld: meneer Jansen kan wegens chronische reuma zijn huishouden niet meer doen. De ziektewinst kan zijn dat hij hulp en aandacht krijgt. Het ziekteverlies is dat hij zijn zelfstandigheid verliest.

Veel patiënten merken dat mensen hen ontlopen, vaak als gevolg van angst en onzekerheid. Jij kunt met de patiënt zoeken naar manieren waarop zij hun omgeving het best kunnen informeren.

Hartpatiënten kunnen bang zijn dat seks gevaar oplevert. Epileptici vrezen soms bij toenadering een insult te krijgen. De cliënt moet weten dat deze zaken bespreekbaar zijn. Hieronder worden twee voorbeelden besproken van chronische ziekte bij volwassenen.

Chantal heeft de ziekte van Hodgkin

(Casus 3) Chantal Willemsen (30 jaar) heeft al wekenlang zwellingen in haar hals. Ze schrijft dit toe aan een keelontsteking. Als ze ook nog last krijgt van moeheid en jeuk, gaat ze naar de huisarts. Uit bloedonderzoek blijkt dat ze de ziekte van Hodgkin heeft. Ze begint aan een chemokuur.

De ziekte van Hodgkin is kanker van het lymfestelsel, die vooral voorkomt tussen 20 en 45 jaar. Het is een pijnloze lymfeklierzwelling die vaak begint in het halsgebied. Andere symptomen zijn gewichtsverlies, nachtzweten, jeuk en koorts. De lymfeklierzwellingen kunnen pijnlijk zijn bij alcoholgebruik en vermoeidheid. De ziekte is vaak met chemotherapie goed te behandelen. Toch is het een zwaar traject voor de betrokkene, vol onzekerheid en lichamelijk ongemak.

Meneer Blauw heeft COPD

(Casus 4) Meneer Blauw (67 jaar) is een stevige roker. Vanaf zijn vijftigste heeft hij een rokershoest, vooral 's ochtends. Sinds vijf jaar is hij in toenemende mate benauwd. Nu heeft hij extra zuurstof nodig en maakt hij gebruik van een rolstoel. Hij heeft COPD.

COPD (chronic obstructive pulmonary diseases) is een longziekte waarbij de ademwegen vernauwd zijn door een chronisch ontstekingsproces. De ziekte komt vooral voor bij rokers en is moeilijk te behandelen. Bepalend voor de prognose is het feit of patiënt bereid is te stoppen met roken.

COPD begint als chronische bronchitis met hoesten, slijm opgeven, kortademigheid en piepen. Later kunnen deze klachten overgaan in emfyseem, waarbij de rek uit de longen verdwijnt, met benauwdheid, vermoeidheid en blauwe kleur (cyanose) tot gevolg. Slijm wordt moeilijk opgehoest. Op den duur komen patiënten in een rolstoel terecht en hebben ze extra zuurstof nodig.

Aandachtspunten bij het werken met chronisch zieke volwassenen:
- Het is voor de sociaal werker van belang iets te weten over de aard en de prognose van de ziekte van de cliënt.
- In een ziekenhuis werk je in een team van (para)medici en ben jij vaak de enige die niet medisch geschoold is. Medische basiskennis vergemakkelijkt de communicatie binnen het team.
- Het is zinvol om samen met de cliënt de ziektewinst en het ziekteverlies in kaart te brengen.
- Het is van belang oog te hebben voor de gevolgen van de ziekte voor de directe omgeving van de cliënt, zoals zijn partner en kinderen.

7.3 Historisch overzicht

De oudste instellingen die zich bezighielden met ziekenzorg waren de kloosters. Vanwege het groeiend aantal zieken waren de ziekenzaaltjes van de kloosters in de middeleeuwen niet meer toereikend. De stedelijke overheden of liefdadige burgers richtten toen speciale gasthuizen op. Deze gestichten gaven, behalve aan zieken en gehandicapten, vaak ook nog onderdak aan bejaarden, reizigers, bedevaartgangers en zwervers.

In de eerste gasthuizen werd een bedstede door twee of drie patiënten gedeeld. Daarbij werd niet op de aard van de ziekten gelet; men legde rustig een patiënt met zware dysenterie naast iemand met hevige koortsen. Het enige onderscheid dat werd gemaakt was tussen mannen en vrouwen, want de patiënten hadden niets anders aan dan een slaapmuts. Alle medische ingrepen vonden plaats op de ziekenzaal zelf, in het bijzijn van alle patiënten.

Buiten de gasthuizen was de zorg vooral een taak van gilden van de katholieke kerk. Na de reformatie nam de lokale overheid ook dit werk grotendeels over. In de gouden eeuw (de zeventiende eeuw) was de ziekenzorg in Nederland voor die tijd bijzonder goed geregeld.

In de negentiende eeuw werd voor het eerst onderscheid gemaakt tussen kortstondig zieken en chronisch zieken. De kortstondig zieken bleven in het gasthuis, de chronisch zieken, waartoe ook ouderen, 'gebrekkigen' en 'krankzinnigen' werden gerekend, werden in verschillende inrichtingen ondergebracht.

Ging het in die tijd nog voornamelijk om het zorgen voor een bed, verzorging en voedsel, met de komst van de moderne geneeskunde kwam de nadruk vooral op de medische behandeling te liggen. Ziekenhuizen, sanatoria en verzorgingsinstellingen werden in hoog tempo gemoderniseerd.

In de tweede helft van de twintigste eeuw verschuift deze nadruk weer.

Hulpverlening aan mensen met een beperking

Jaren	Gericht op	Accent op
1950	handicap	medische behandeling
1960	individu	leefsfeer
1970	gezin	integratie
Vanaf 1980	maatschappij	emancipatie

Het schema laat zien dat er een verschuiving op gang komt van de puur medische aanpak naar een hulpverlening die gericht is op het scheppen van mogelijkheden om mensen met een ziekte of beperking te emanciperen en hen in staat te stellen zo goed mogelijk deel te nemen aan de samenleving. Hoe deze hulpverlening in de huidige eeuw vorm heeft gekregen, bespreken we in de volgende paragrafen.

7.4 Beperkingen

Nederland kent ongeveer 1,1 miljoen mensen een beperking; 800.000 van hen hebben een motorische, 200.000 een auditieve en 100.000 een visuele beperking. We spreken liever van beperking in plaats van handicap. Van een handicap is volgens de WHO (Wereldgezondheidsorganisatie) namelijk pas sprake als het maatschappelijk functioneren belemmerd wordt. Zo bekeken hebben sociaal werkers een taak bij de preventie van handicaps! De WHO geeft de volgende indeling:

- een *stoornis* is een ziekte of afwijking die kan leiden tot een beperking;
- een *beperking* beperkt het persoonlijk functioneren en kan leiden tot een handicap;
- van een *handicap* is sprake als de beperking het maatschappelijk functioneren belemmert.

Motorische beperkingen

Hieronder volgen vier voorbeelden van motorische beperkingen, twee bij kinderen en twee bij volwassenen.

Jeroen heeft infantiele encefalopathie
(Casus 5) Jeroen is negen maanden. Bij zijn geboorte had hij zuurstofgebrek met als gevolg een spastische verlamming van de benen. De fysiotherapeut heeft de ouders instructie gegeven hoe ze zo met Jeroen kunnen omgaan dat de spasmen niet verergeren en er zo min mogelijk abnormale reflexen optreden.

Spastische verlammingen worden samengebracht onder de naam 'infantiele encefalopathie', een betere naam voor 'spastisch kind'. Het is een stationaire toestand, dat wil zeggen dat na enige tijd de toestand niet veel meer verbetert of verslechtert. De verlamming wordt gekenmerkt door een verhoogde spierspanning. Veel spierreflexen zijn versterkt, andere juist verlaagd of afwezig. Verder zijn er abnormale reflexen die de dagelijkse verrichtingen zoals aankleden of eten ernstig kunnen belemmeren.

Oorzaken kunnen zijn zuurstofgebrek bij de geboorte, meningitis, encefalitis, verhoogd bilirubinegehalte na de geboorte (geel zien) of schedeltrauma (ongeval).

De stoornis is dikwijls symmetrisch, bijvoorbeeld aan beide benen, maar kan ook halfzijdig zijn. De afwijkingen kunnen gepaard gaan met verstandelijke beperkingen of epilepsie, maar dit is vaak niet het geval.

Aandachtspunten bij het werken met mensen met spastische verlammingen:
- Probeer de zelfredzaamheid zo veel mogelijk te bevorderen.
- Een prikkelarme omgeving kan abnormale reflexen voorkomen, maar dat betekent niet dat de omgeving saai moet zijn!
- Heb aandacht voor de gevoelens van de ouders en hun directe omgeving: het hebben van een kind met een beperking kan voor hen zeer belastend zijn.
- Hulp bij het omgaan met instanties is vaak zeer welkom.
- Let op reacties van eventuele broertjes en zusjes; vaak worden zij vergeten.

Ik heb spierdystrofie

(Casus 6) Ik ben Sam en ik ben negen jaar. Ik heb spierdystrofie, en daarom kan ik niet sporten. Ik zit namelijk in een rolstoel. Elke nacht droom ik dat ik bij Feyenoord speel, want ik ben net als mijn broer Ben een Feyenoord-fan. Als ik droom kan ik goed sporten en vergeet ik dat ik dat eigenlijk niet kan. Ik droom dat ik voor Feyenoord speel in een team met Kuyt, Kalou en Drenthe en dat ik een doelpunt scoor!

Spierdystrofie is een progressieve spierziekte. Vroeger stierven patiëntjes op jonge leeftijd als gevolg van luchtweginfecties, tegenwoordig bereiken ze soms de middelbare leeftijd.

Aandachtspunten bij het werken met mensen met progressieve spierziekten:
- De levensverwachting van kinderen met spierdystrofie is beperkt.
- Vaak hebben de kinderen al vriendjes verloren aan dezelfde ziekte.
- Overbescherming en verwennen komen voor.

- Soms is fysiotherapie nodig bij het losmaken van slijm.
- Men zal soms eerder antibiotica geven bij luchtweginfecties.
- Ademhalingsoefeningen zijn van belang.
- Zorg voor voldoende spelmogelijkheden en recreatie voor deze kinderen.
- Wees op de hoogte van de bevoegdheden tot het uitvoeren van medisch handelen voor sociaal werkers.

Meneer Verhoef kreeg een herseninfarct

(Casus 7) Meneer Verhoef (59 jaar) is conciërge op een school. Op een dag voelt hij zich niet lekker en gaat hij even liggen. Als hij weer op wil staan, merkt hij dat hij zijn rechter lichaamshelft niet voelt. Zijn vrouw ziet dat zijn mond scheef hangt en dat hij moeite heeft met spreken. De huisarts constateert een CVA, waarschijnlijk een herseninfarct. Meneer Verhoef wordt opgenomen in het ziekenhuis. Later gaat hij naar de dagbehandeling van een revalidatiecentrum. Terugkeer naar zijn oude werk is niet mogelijk.

Een afsluiting van een hersenarterie of een hersenbloeding veroorzaakt schade in de motorische hersenschors. Het gevolg is een spastische verlamming. Een CVA in de linker hersenhelft bij rechtshandigen gaat vaak samen met afasie. De symptomen zijn afhankelijk van de schade, maar het gaat vaak om een halfzijdige verlamming (hemiplegie), met een buigstand van de arm en een strekstand van het been. Andere symptomen kunnen zijn: uitval van een deel van het gezichtsveld, cognitieve stoornissen, gevoelsstoornissen (pijn of uitval), ontremd gedrag zoals vloeken, schelden of seksuele ontremming, affectlabiliteit (Jantje lacht, Jantje huilt) en vervlakking van het gevoelsleven. Soms is er sprake van afasie (een spraakstoornis) of agnosie (het onvermogen zintuigprikkels te herkennen).

Aandachtspunten bij het werken met mensen met een CVA:
- Mensen in een rolstoel worden soms niet voor vol aangezien, er wordt meer over hen dan met hen gesproken.
- Stimuleer de zelfredzaamheid van de patiënt.
- Het is belangrijk de verlamde lichaamshelft in het bewegen te betrekken door aan die kant ook prikkels aan te bieden.
- Ondersteun de patiënt aan de gezonde kant, omdat de schouder van de verlamde kant gemakkelijk uit de kom raakt.

- Stimuleer de communicatie via een schrift, foto's of plaatjes. De logopedist kan hier een belangrijke functie hebben.
- Stel vragen die met ja of nee te beantwoorden zijn en kijk de ander goed aan. Als je niet begrijpt wat de afatische patiënt bedoelt, kun je in plaats van 'Wat zegt u?' beter vragen 'Bedoelt u...?'
- Vaak moet de woning aangepast worden.
- Een ergotherapeut kan hulpmiddelen adviseren, zoals bestek met een dik handvat, antislipplacemats en aanpassingen van de kleding.
- Heb oog voor de gevolgen van de ziekte voor de eventuele partner van de cliënt, ook op seksueel gebied.

Mevrouw Telle heeft de ziekte van Parkinson

(**Casus 8**) Mevrouw Telle (59 jaar) klaagt over toenemende pijnlijke stijfheid. Ze heeft moeite met eten omdat haar handen zo beven. Het was haar man opgevallen dat ze vooroverloopt en dat haar armen daarbij niet meer meebewegen. De huisarts verwijst haar naar de neuroloog. Deze vertelt mevrouw Telle dat zij waarschijnlijk de ziekte van Parkinson heeft.

De ziekte van Parkinson begint vaak rond het vijftigste jaar en heeft een chronisch progressief verloop met een combinatie van stijfheid en beweeglijkheid. Er is een verstarrende variant, die soms gepaard gaat met depressies.

De oorzaak is een tekort aan de neurotransmitter dopamine in de hersenen. Soms is er een aanwijsbare oorzaak, zoals een hersenontsteking, drugsgebruik of langdurig gebruik van psychofarmaca, maar vaak is de oorzaak onbekend.

Een eerste symptoom is het niet meebewegen van de armen bij het lopen. Er is bewegingsarmoede en er zijn tremoren. De motoriek is schokkerig, alsof je een tandrad in beweging brengt. Het handschrift is klein. Er is sprake van speekselvloed, een vette huid en weinig mimiek (masker). Soms is er een plotselinge doorbraak van de starheid, bijvoorbeeld bij een hevige emotie.

De behandeling is het toedienen van een stof die op dopamine lijkt, zoals L-dopa. Dit geeft bijwerkingen, zoals overbeweeglijkheid, ontremming en psychose.

Aandachtspunten bij het werken met mensen met de ziekte van Parkinson:

- Voorkom doorliggen of -zitten door het bewegen te stimuleren.
- Houd er rekening mee dat de patiënt moeilijk op gang komt en moeilijk kan stoppen met een beweging.
- Bij de algemene dagelijkse levensverrichtingen moet je rekening houden met het feit dat de patiënt gemakkelijk kan vallen. Verwijder daarom obstakels.
- Vaak moet de woning aangepast worden.
- Een ergotherapeut kan hulpmiddelen adviseren om het dagelijks leven te vergemakkelijken.
- De symptomen kunnen sterk wisselen, men kan daardoor ten onrechte de indruk krijgen dat de patiënt simuleert.
- Heb oog voor het verdriet dat een chronisch progressieve ziekte veroorzaakt bij de patiënt en zijn omgeving.
- Heb oog voor de gevolgen van de ziekte op seksueel gebied.
- Als de behandeling wordt gestaakt, kan depressie ontstaan.
- Het is zinvol dat je iets weet over de bevoegdheden tot het uitvoeren van medische handelingen door sociaal werkers.

Zintuiglijke beperkingen

Auditieve beperkingen
Nederland kent ongeveer 200.000 mensen met een auditieve beperking. Slechthorendheid/doofheid is tijdelijk of permanent, partieel of totaal, aangeboren of verkregen en heeft invloed op de motorische, cognitieve en sociale ontwikkeling. Er zijn te veel vormen van doofheid/slechthorendheid om hier te behandelen. In het dagboekfragment aan het begin van dit hoofdstuk wordt een voorbeeld gegeven.

Wat betekent het als je een auditieve beperking hebt?
- Bij gebrek aan auditieve stimuli komt de taalontwikkeling niet op gang als niet wordt ingegrepen.
- Omdat de gevoelige periode voor spraak op jonge leeftijd het grootst is, worden problemen met gehoor en spraak vroeg opgespoord.
- Er bestaan ook non-verbale communicatievormen, zoals lichaamstaal, Totale Communicatie en het Bliss-symbolensysteem.

Eind achttiende eeuw ontwikkelde de Franse priester Charles Michel de l'Epée een gebarensysteem, dat een revolutie betekende in de positie van doven en slechthorenden. Toch werd over het algemeen nog steeds verondersteld dat alleen via gesproken taal zinvolle communicatie mogelijk was. Gebarentaal werd primitief gevonden. Ook in ons land lag de nadruk op het oralisme; doven werden geacht uitsluitend via gesproken taal te communiceren.

In 1978 kwam gebarentaal opnieuw in de belangstelling toen het echtpaar Spradley verslag deed van de worsteling om te communiceren met hun doof geboren dochter. In Nederland wordt tegenwoordig vaak Totale Communicatie gebruikt om te communiceren met doven. Hierbij maakt men naast gebaren ook gebruik van vingerspelling, gesproken woord en mimiek. Via de Dovenraad is informatie verkrijgbaar over cursussen gebarentaal.

Een doof of slechthorend kind heeft extra hulp nodig bij de taalverwerving. Het leert niet vanzelf dat dingen ook gebeuren als het ze niet ziet en kan niet anticiperen op de komst van een ouder door bijvoorbeeld voetstappen op de trap. Dat kan angst opleveren.

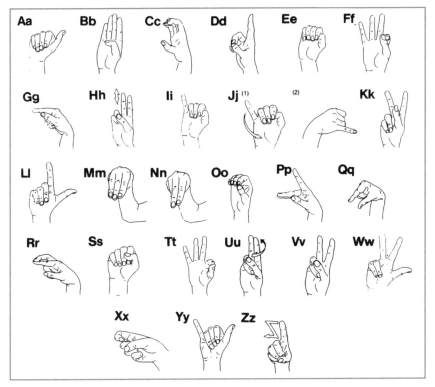

Bron: Van Endt-Meijling, 2008

Het tijdstip waarop men doof wordt, maakt veel uit. Prelinguaal doven zijn doof geboren of werden doof voordat de spraakontwikkeling op gang kwam. Postlinguaal doven werden doof nadat hun spraakontwikkeling al op gang was. Via logopedie kan de spraak verbeterd worden. Gehoorresten, hoe gering ook, worden gestimuleerd door hoortoestellen en ringleidingen.

Aandachtspunten bij het werken met mensen met auditieve beperkingen:
• Doorbreek het isolement door te blijven communiceren.
• Kijk de dove aan en zorg dat je lippen goed zichtbaar zijn; snorren en baarden bemoeilijken het spraakafzien.
• Het is voor het dove kind belangrijk zijn zelfstandigheid te bevorderen, wees niet bang hem kleine risico's te laten lopen. Laat hem zo veel mogelijk zelf zijn problemen oplossen en geef aan wat je van hem verwacht.
• Gebruik eenvoudige, korte, duidelijke zinnen, rekening houdend met het taalniveau. Probeer de emoties van de dove te verwoorden; daardoor gaat hij zichzelf beter begrijpen.
• Leer de dove te reageren op akoestische signalen die hij nog net kan waarnemen, zoals het slaan van een deur of voorbijgaand verkeer.
• Laat de dove veel lezen en stimuleer de taalontwikkeling met spelletjes.

Visuele beperkingen
In Nederland hebben ruim 100.000 mensen een visuele beperking. Een klein deel van hen is volledig blind, het merendeel is slechtziend.

Oorzaken kunnen zijn: erfelijke factoren zoals *retinitis pigmentosa*, problemen rond de geboorte, verwonding, vergiftiging, chronische ziekten als diabetes mellitus en nierziekten en tumoren in het netvlies. Multiple sclerose begint vaak met slecht zien. Ook vaatafwijkingen en hypertensie beïnvloeden het gezichtsvermogen.

Wat betekent het als je een visuele beperking hebt? Een goed gezichtsvermogen is van groot belang in de relatie tussen mens en omgeving. Als een baby niet goed ziet, zal zijn psychomotorische ontwikkeling stagneren. Hij zal begrippen als 'voor', 'achter', 'in' en 'op' niet goed interpreteren. Ook ontbreken de uitdaging tot beweging en de mogelijkheid tot imitatiegedrag.
    Blinden en slechtzienden worden dikwijls meteen als gehandicapt gezien en behandeld. Dit heeft als nadeel dat men hen veel uit handen wil nemen, waardoor afhankelijkheid op de loer ligt.

Aandachtspunten bij het werken met mensen met visuele beperkingen:
- Geef niet meer hulp dan nodig is, zorg voor zelfstandigheidstraining.
- Zorg voor een vaste opstelling van meubels en materialen en beperk onverwachte prikkels.
- Als je een blinde in het gesprek wilt betrekken, noem dan zijn naam.
- Als je iets aanreikt, zeg wat het is en tik er even op.
- Als je een blinde uitnodigt te gaan zitten, pak hem dan niet beet, maar zeg 'Ga zitten' en tik even op de stoel.
- Voorkom onverwachte aanrakingen; zelfs een aai kan een schrikreactie uitlokken.
- Betrek de blinde in wat er te zien is en verklaar onverwachte gebeurtenissen als het binnenkomen van mensen.
- Help de blinde zich toe te vertrouwen aan de ruimte.
- Stimuleer de psychomotorische ontwikkeling.
- Geef een reëel beeld over mogelijkheden en beroepskeuze.
- Dat blinden langer afhankelijk zijn dan hun ziende leeftijdgenoten, kan in de adolescentie problemen geven.
- De psychoseksuele ontwikkeling verdient aandacht. Voorlichting is nodig om irreële voorstellingen te voorkomen. Het leggen van contact is moeilijk als oogcontact en mimiek ontbreken.
- Stimuleer de cliënt om andere zintuigen te gebruiken bij het bepalen van zijn plaats in de ruimte. Stoklopen kan een hulpmiddel zijn.
- Zorg ervoor dat de slechtziende niet in het licht kijkt, dat belemmert het zien.

- Begeleiding van het gezin kan van belang zijn, evenals hometraining, speel- en oppashulp (praktische thuishulp).
- Braille is een systeem waarbij zes voelbare puntjes telkens in een andere samenstelling in papier worden gedrukt, waardoor met de vingertoppen gelezen kan worden.
- Er zijn veel andere hulpmiddelen voor slechtzienden: brillen, vergrootglazen, leesvensters, tv-loepen en sprekende computers. In sommige gebouwen zijn zogenoemde *talking signs* aangebracht, die via een ontvanger informatie verstrekken over de omgeving.

Er zijn te veel oorzaken van visuele stoornissen om hier te behandelen. We beperken ons hier daarom tot een voorbeeld.

Anna heeft retinitis pigmentosa
(Casus 9) Anna van Dam is een meisje van negen jaar. Ze heeft een zusje van drie jaar. Haar moeder merkt dat Anna in het donker steeds haar hand pakt, iets wat ze vroeger niet deed. Op school is het de leerkracht opgevallen dat ze onzeker is bij de gymles. Omdat in de familie retinitis pigmentosa voorkomt, gaat mevrouw Van Dam met Anna naar de huisarts. Na een verwijzing naar de oogarts komt slecht nieuws: Anna heeft retinitis pigmentosa en ook haar zusje moet gecontroleerd worden op de ziekte.

Retinitis pigmentosa komt op alle leeftijden voor en hoort bij bepaalde syndromen, zoals het syndroom van Usher. Een eerste symptoom is nachtblindheid: men gaat in de schemering onzeker lopen. Later ontstaat een ringvormige uitval van het gezichtsveld en ten slotte is alleen het centrale deel van het gezichtsveld nog intact.

Aandachtspunten bij het werken met chronisch zieken of mensen met de beperking:

Who can see anothers woe
And not be in sorrow too
Who can see anothers grief
And not seek for kind relief

Bron: William Blake (1757-1822)

▮ Braille-alfabet

LETTERS

a b c d e f g h i j k l m

n o p q r s t u v w x y z

BIJV.

d a g

SAMENTREKKINGSTEKENS

oe ch sch

VREEMDE TEKENS

y ö ô û ê à ç è é

LEESTEKENS

, ; : . ? ! () "openen "sluiten * &

klem-toon 'apostrof - cur-sief hoofd-letter permanente hoofdletter

CIJFERS   BIJVOORBEELD
(Ná een cijferteken staan de letters a t/m j voor cijfers)

cijferteken   o 4 8 6

Bron: Van Endt-Meijling, 2008

- Om te begrijpen wat iemand met een beperking kan en niet kan, moet je inzicht hebben in de motoriek en de stoornissen die kunnen voorkomen. Ditzelfde geldt voor zintuiglijke beperkingen en dat vereist studie.
- Hoe is de prognose van je cliënt? Is de ziekte stationair of chronisch progressief? Het is vaak moeilijk je te verplaatsen in het perspectief van mensen met een slechte prognose.
- Bij mensen met een zichtbare beperking wordt deze beperking vaak serieuzer genomen dan bij mensen met een beperking die niet zichtbaar is; de omgeving houdt daar dan vaak minder rekening mee.
- Belemmeringen wegnemen heeft te maken met maatschappelijke verantwoordelijkheid, zoals zorgen voor een goede toegankelijkheid van gebouwen.
- De arts houdt zich voornamelijk bezig met ziekte (disease) en een sociaal werker met de consequenties ervan (illness en sickness).
- Heb ook aandacht voor de invloed van ziekte of beperking op de omgeving van de cliënt.
- Een erfelijke ziekte is belastend. Hoe om te gaan met erfelijkheidsadvies?

7.5   Medische handelingen door hulpverleners

In de Wet op de beroepen in de individuele gezondheidszorg is uitoefening van de geneeskunst niet langer voorbehouden aan artsen. De wet kent voorbehouden handelingen: handelingen die, indien verricht door anderen dan daartoe deugdelijk opgeleide personen, risico's voor de patiënt kunnen opleveren.

Voorbehouden handelingen zijn:
- heelkundige handelingen die een geneeskundig doel dienen, waarbij de samenhang der lichaamsweefsels wordt verstoord en deze zich niet direct herstelt;
- verloskundige handelingen;
- handelingen waarbij met behulp van instrumenten in lichaamsholten wordt binnengedrongen, zoals katheterisatie van bloedvaten en bronchoscopie;
- injecties en puncties;
- narcose toedienen;
- gebruik van radioactieve stoffen en toestellen die straling uitzenden;
- soms het uitzuigen van de luchtwegen, het aan- en afsluiten van apparatuur, het verwisselen van de tracheacanule (buisje waardoor beademd wordt) en het handmatig beademen met een ballon.

Wie mag voorbehouden handelingen verrichten?
De arts bepaalt of de handeling verricht wordt en voert deze in principe uit. Soms kan een hulpverlener bekwaam geacht worden om in opdracht van de arts zonder toezicht voorbehouden handelingen uit te voeren. Hierbij moet de arts overtuigd zijn van de bekwaamheid van de beroepsbeoefenaar en dit schriftelijk vastleggen. Ook de beroepsbeoefenaar moet overtuigd zijn van zijn bekwaamheid met betrekking tot de handeling. Er moet de mogelijkheid zijn van toezicht op de uitvoering, het geven van aanwijzingen en tussenkomst door de arts waar dit noodzakelijk is.

Bekwaamheid kan verworven worden via theoretische en praktische instructie. De autorisatie van de arts geldt alleen voor de desbetreffende hulpverlener met betrekking tot een bepaalde cliënt en een bepaalde voorbehouden handeling.

7.6 Waar kom je als sociaal werker chronisch zieken en mensen met een lichamelijke beperking tegen?

Werkvelden waar je mensen met een chronische ziekte of beperking tegenkomt zijn:

SPH	Kinderafdeling van een ziekenhuis Kinderziekenhuis Revalidatiecentrum Dagactiviteitencentrum Taken: revalidatie, ondersteuning, bevorderen van de zelfstandigheid, emancipatie, werken, omgaan met je lichaam, seksualiteit, sociale contacten, beleving van ziekte of handicap, toekomst en relaties.
MWD	Ziekenhuis Revalidatiecentrum Doven- /blindeninstituut Gespecialiseerde gezinszorg Zorgloket (WMO, WVG, PGB, AWBZ, enzovoort) Reïntegratiebureaus Taken: zorgconsulent – omgeving ondersteunen; casemanager – omgeving betrekken in zorg; verlieskunde – omgaan met fysieke beperkingen; Indicatiestelling CWI – Wet sociale werkvoorziening; re-integratie op de arbeidsmarkt

CMV	Landelijke kennisnetwerken Dagactiviteitencentra
	Taken: training, voorlichting

SPH op een kinderafdeling van een ziekenhuis: de pedagogisch medewerker
De pedagogisch medewerker (PM) zorgt samen met artsen, verpleegkundigen en andere medewerkers zorg voor een zo gunstig mogelijk leefklimaat in het ziekenhuis voor kinderen en hun ouders. Hij werkt eraan mee:
- dat bestaande leefpatronen van kinderen zo veel mogelijk in stand worden gehouden, zoals belangrijke contacten, gewoonten, spel en onderwijs;
- dat specifieke ziekenhuisgebeurtenissen zo veel mogelijk worden afgestemd op de behoeften en belangen van het kind, zoals opnameprocedures, voorbereiding en begeleiding bij medische en verpleegkundige handelingen, structuur, dagindeling, enzovoort.

De PM heeft tot taak het kind zodanig te begeleiden:
- dat het de ziekenhuiservaring zo goed mogelijk verwerken kan,
- dat de ontwikkeling zo min mogelijk geschaad en zo veel mogelijk gecontinueerd wordt.

De PM legt en onderhoudt contacten met ouders van opgenomen kinderen. Voor het uitvoeren van bovengenoemde taken werkt hij samen met personeel uit andere disciplines, zoals artsen, verpleegkundigen, psychologen, pedagogen en maatschappelijk werkers.

De PM observeert het gedrag van het kind in de steeds wisselende situaties gedurende de ziekenhuisperiode, bijvoorbeeld: opname, spel, contact met de ouders en andere kinderen, medische behandelingen, enzovoort. Zijn taak met betrekking tot de optimale verwerking van de ziekenhuiservaringen omvat onder andere:
- het mede begeleiden van het kind bij opname en ontslag;
- het kind helpen de ziekenhuisopname te verwerken door in te gaan op zijn gevoelens en zo nodig zaken te verduidelijken en/of te corrigeren door gevoelens op te roepen en te relativeren door middel van verbaal en non-verbaal spelcontact;

De PM heeft ook een taak bij de voorbereiding op en de begeleiding bij medische en verpleegkundige handelingen. In overleg met arts, verpleegkundige en/of ouders wordt per situatie bekeken:
- wie het kind voorbereidt en/of begeleidt (zo mogelijk een voor het kind vertrouwde persoon);
- wanneer en wat aan het kind wordt verteld, afgestemd op ontwikkelingsniveau, karakter en ervaring van het kind.

De taak van de PM met betrekking tot het continueren van de ontwikkeling omvat:
- het aanbieden van spel- en handenarbeidmateriaal, afgestemd op ontwikkelingsniveau, leeftijd en lichamelijke toestand van het kind;
- het activeren en stimuleren van spel en andere activiteiten;
- het signaleren van ontwikkelingsachterstand en gedragsstoornissen.

Bij opname maakt de PM kennis met de ouders en bespreekt met hen het gedrag en de gewoonten van het kind. Door regelmatig terugkerend informeel contact met ouders kan de PM:
- de ouders informeren over het gedrag van het kind en dit zo nodig verduidelijken;
- zich een beeld vormen van hoe ouders en kind de ziekenhuissituatie verwerken;
- de ouders eventueel tot steun zijn.

De PM kan bij gesignaleerde gedragsproblemen zelf pedagogisch of psychologisch advies geven of contact opnemen met een arts, psycholoog of maatschappelijk werker om na te gaan wie op welke wijze de ouders van dienst kan zijn (Vereniging Pedagogisch Medewerkers in Ziekenhuizen).

MWD in ziekenhuis: ziekenhuismaatschappelijk werker
De maatschappelijk werker begeleidt en adviseert patiënten met emotionele of sociale problemen in het ziekenhuis. Hij begeleidt bij de acceptatie en verwerking van ziekte, zoekt naar oplossingen voor materiële gevolgen en overlegt met en verwijst zo nodig door naar anderen, zoals artsen en psychologen.

Mevrouw Hijma heeft kanker
Mijn naam is Carrie Hijma en ik ben 35 jaar. Ik lig in het ziekenhuis na een operatie wegens borstkanker en wacht op uitslagen. Ik denk dat ik bestraling en chemotherapie ga krijgen. Ik ben verdrietig en bang, ook doordat ik nog geen uitslagen heb gekregen. De arts en de verpleegkundigen hebben het druk, ik heb ze mijn zorgen niet voorgelegd. Gelukkig wijst een verpleegkundige mij op de mogelijkheid van contact met de ziekenhuismaatschappelijk werker.
Hij heeft gelukkig meer tijd. Ik vertel dat ik twee jaar geleden gescheiden ben en de zorg heb voor twee kinderen, Bas van negen jaar en Wilma van zes. Mijn moeder en mijn ex nemen bij toerbeurt de zorg voor de kinderen op zich, maar dat is geen goede oplossing: mijn moeders gezondheid is slecht en mijn ex heeft een drukke baan. Sinds een jaar werk ik als zelfstandige zonder personeel. Ik heb een webwinkel in kinderkleding, maar ben niet verzekerd tegen arbeidsongeschiktheid omdat de verzekering daartegen te duur is. De maatschappelijk werker neemt alle tijd en belooft uit te zoeken wat de mogelijkheden voor opvang binnen het gezin zijn en hoe het zit met de financiële kant van langdurig ziekteverzuim. We maken een afspraak voor een volgend gesprek. Het heeft me een beetje opgelucht.

MWD in een revalidatiecentrum
In revalidatiecentra worden mensen aan de gevolgen van een blijvend lichamelijk letsel of een functionele beperking behandeld. Een team van specialisten probeert te werken aan volledig herstel en genezing. Als iemand echter niet volledig of vrijwel niet kan herstellen, wordt geprobeerd hem te leren hoe hij zo goed mogelijk met zijn beperking kan omgaan. De maatschappelijk werker speelt een rol bij het begeleiden en adviseren

van patiënten met emotionele of sociale problemen in het revalidatiecentrum. Hij begeleidt bij de acceptatie en verwerking van de beperking en zoekt naar oplossingen voor materiële gevolgen van de opname. Hij overlegt met en verwijst (eventueel) door naar anderen, zoals artsen en psychologen.

CMV in een dagactiviteitencentrum
Een dagactiviteitencentrum biedt mensen die na een ziekte of als gevolg van een stoornis niet terug kunnen naar hun oude werk de gelegenheid tot een zinvolle dagbesteding. Hierbij wordt aangesloten bij de wensen en de mogelijkheden van de cliënt. Het kan gaan om zeer uiteenlopende werkvormen, van werken in een kaarsenmakerij tot het volgen van een computercursus.

7.7 Wat vraagt werken met chronisch zieken en mensen met een lichamelijke beperking van je en wat levert het op?

Ten aanzien van het werk met chronisch zieken en mensen met een beperking heeft de sociaal werker:
- geen medelijden, maar wel empathie;
- geen neiging om de cliënt dingen uit handen te nemen die deze zelf kan doen;
- voldoende medische kennis en kennis van het medisch jargon om in het team te functioneren;
- inzicht in gezondheidszorg;
- inzicht in de mogelijkheden en onmogelijkheden van het systeem voor zichzelf als professional.

De sociaal werker kan:
- bemiddelen tussen zowel functionarissen van het ziekenhuis of de instelling onderling als tussen de patiënt en zijn behandelaars;
- contact leggen met instellingen buiten het ziekenhuis, zoals thuiszorg, wijkverpleging, verpleegtehuizen, woningbouwverenigingen, enzovoort;
- de patiënt informeren en hem helpen de juiste vragen te stellen aan een arts;
- de arts zo nodig wijzen op misverstanden die tijdens een consult zijn opgetreden;
- de mens centraal stellen binnen een systeem dat vooral oog heeft voor het zieke deel van de patiënt;

- verband leggen tussen het hebben van een chronische ziekte of een beperking en emotionele, sociale, en economische aspecten hiervan;
- samen met de cliënt diens draaglast verkleinen en/of zijn draagkracht verhogen;
- muzische middelen hanteren om kinderen te helpen met hun beperking om te gaan;
- zorgen voor een balans tussen aandacht vragen en niet te veel aandacht krijgen;
- aandacht tonen voor het verdriet en de onmacht van het gezin en de omgeving;
- reacties van broertjes of zusjes van een patiëntje opmerken en hanteren;
- begrip opbrengen voor eventuele ongemotiveerdheid van cliënten met een slecht toekomstscenario.

Wat levert het op?
- Je hebt werk waarin je veel kunt betekenen voor mensen met een chronische ziekte of een beperking en hun naaste familie.
- Je krijgt inzicht in het werk binnen een intramurale voorziening, zoals een ziekenhuis of een instelling voor mensen met een beperking.
- Je werkt samen met (para)medici en toetst je werkwijze aan die van je collega's.
- Je krijgt inzicht in de gevolgen van een ziekte of beperking voor de cliënt en zijn omgeving (gezin, vrienden, werksituatie) en de mogelijkheden tot interventies ten gunste van het cliëntsysteem.

7.8 Besluit

Ik hoop dat dit hoofdstuk je aan het denken heeft gezet over de situatie van chronisch zieken en mensen met een lichamelijke beperking. Als je belangstelling voor een van deze werkvelden is gewekt, praat dan eens met een student die er stage heeft gelopen!

Vragen en opdrachten

1 Heb jij zelf te maken met ziekte of lichamelijke beperkingen? Zo ja, welke?
2 Zoek in paragraaf 7.6 twee organisaties of werkvelden die je interesse hebben. Ga na welke competenties hiervoor nodig zijn.
3 Als je gaat werken met chronisch zieken en mensen met een lichamelijke beperking is het van belang enig inzicht te hebben in ziekten en beperkingen. In het kader van dit hoofdstuk was het onmogelijk alle ziekten en beperkingen te behandelen. Zoek daarom zelf meer informatie. Maak gebruik van de aangegeven literatuur en websites.
4 Lees het dagboekfragment aan het begin van dit hoofdstuk en de casussen 1-9 nog eens. Zoek de moeilijke woorden in de tekst op en beantwoord de volgende vragen:
   • Wat zou je verder nog willen weten over de persoon uit de casus?
   • Wat kun jij als sociaal werker betekenen voor de persoon uit de casus?
   • Noem een aantal aandachtspunten waarmee je rekening moet houden.

Gebruik hierbij de volgende websites:
• Dagboekfragment: dovennieuws.punt.nl/
• Casus 1: www.diabetesvereniging.nl
• Casus 2: www.dokterdokter.nl
• Casus 3: www.gezondheidsplein.nl
• Casus 4: www.astmafonds.nl
• Casus 5: www.kenniscentrumcrossover.nl/handicap/lichamelijk/spasticiteit
• Casus 6: www.vsn.nl/spierziekten
• Casus 7: www.gezondheidsplein.nl/aandoeningen/17/Beroerte.html
• Casus 8: www.parkinson-vereniging.nl/
• Casus 9: www.retinanederland.org/

Literatuur

Birnie, D.J. (1992). *Predictie van chronische pijn en handicap. Medisch psychologisch onderzoek in een multidisciplinair revalidatie-polikliniek.* Proefschrift Universiteit Groningen.
Bruntink, R. (2007). *In het teken van leven. Zorgen voor het ongeneeslijk zieke kind.* Kampen: Ten Have.
Buurma, G. & K. Spaink (1999). *Aan hartstocht geen gebrek. Erotiek en lichaamsbeleving.* Amsterdam: De Brink.

Delfos, M. (2007). *Maartje de suikerheldin. Over Diabetes Mellitus, suikerziekte.* Amsterdam: Niño.

Dominick, A. (1999). *Zonder suiker. Memoires van een diabetespatiënte.* Amsterdam: Arena.

Dorrestein, R. (2005). *Heden ik.* Amsterdam: Contact.

Endt-Meijling, M. van (2002). Beter hulpverlenen met medische basiskennis, *SPH tijdschrift*, september.

Endt-Meijling, M. van (2008). *Medische kennis voor hulpverleners.* Bussum: Coutinho.

Feenstra, J. & B.M.E. Goderie (1985). Broertjes en zusjes van kinderen met kanker, *Tijdschrift voor Jeugdgezondheidszorg*, 17(4).

Krommehoek, E. (1990). *Morgen word ik beter en andere gedichten.* Oud Beijerland: Pediaboek.

Moelants, K. (2008). *Ademloos.* Amsterdam: Mistral.

Parsons, T. (1951). Illness and the role of the physician, a sociological perspective, *American Journal for Orthopsychiatry*, 21.

Pen als lotgenoot, ervaringen over het leven met een ziekte, de (2002). Amsterdam: SWP.

Stap, S. van der (2006). *Meisje met negen pruiken.* Amsterdam: Prometheus.

Vlieger, A.M. et al. (2007). Hypnotherapy for children with functional abdominal pain or irritable bowel syndrome: a randomized controlled trial, *Gastroenterology*, 133,1430-6.

Warmerdam, P. & A. Konings (2001). *Gedichten voor de dood in ons leven.* Oudewater: Finesse.

Websites

- www.aangeborenhartafwijking.nl
- www.astmafonds.nl
- www.brandwonden.nl
- www.crohn-colitis.nl/public
- www.diabetesvereniging.nl
- www.epilepsie.nl
- www.jadokterneedokter.nl
- www.jeugdreuma.nl
- www.kindenziekenhuis.nl
- www.medicijngebruik.nl
- www.ncfs.nl
- www.nierstichting.nl
- www.npcf.nl

- www.nvvp.net
- www.reumafonds.nl
- www.sugarkids.nl
- www.voedselweigering.nl
- www.vokk.nl

8

Ik bepaal het zelf wel!
Mensen met een verstandelijke beperking

Uit het dagboek van groepsbegeleidster Sanne

Morgen is het zover, dan gaan we op vakantie met zijn zessen: vier bewoners en twee begeleiders, van wie ik er één ben. Ik heb er erg veel zin in en vind het ook spannend, vooral vanwege Bas, een van de bewoners. De laatste tijd is Bas zo snel geïrriteerd! Om het minste of geringste krijg je een snauw van hem, smijt hij met deuren en laatst zette hij zo hard zijn glas op tafel dat het brak. De hechtingen zijn gisteren pas uit zijn hand gehaald.

Ik heb hierover met Bas gepraat, maar hij weet zelf ook niet goed hoe het komt. Het enige wat ík kan bedenken, is dat hij de laatste tijd veel op zijn bordje krijgt: hij maakt zich zorgen over zijn moeder die al een tijdje erg ziek is, hij is pas naar een nieuwe afdeling overgeplaatst op zijn werk en een week geleden is zijn portemonnee gestolen met geld én zijn pasjes erin. Het zit hem niet mee. Bas vindt het moeilijk om over zijn gevoel te praten; hij is niet zo goed met woorden.

Tja, en dan die vakantie. Hij vindt het allemaal hartstikke leuk, maar het bezorgt hem ook veel stress: al het geregel rond zijn gestolen portemonnee zo vlak voor de vakantie en stel dat er iets met zijn moeder gebeurt als hij in Spanje op het strand ligt?!

Ik vind de vakantie spannend, vooral vanwege Bas. Stel dat hij zo boos wordt als laatst, maar dan in een restaurant? Dan heb je de poppen aan het dansen! Soms is het toch al lastig om met een groep bewoners überhaupt een restaurant in te komen, zeker als het een wat duurdere tent is. Dan zijn ze bang dat onze bewoners raar gedrag gaan vertonen of zitten te kwijlen aan tafel. Alsof onze bewoners ook niet gewoon manieren hebben geleerd!

Veel mensen hebben sowieso soms vreemde ideeën over mensen met een verstandelijke beperking. Dat merk ik als ik vertel dat ik met hen werk. Dan denken ze dat ik de hele dag billen en snotneuzen aan het afvegen ben. Kom zeg, dat doen ze gewoon zelf, hoor. Of mensen zeggen: 'Werk je met mongooltjes? Die zijn altijd zó vrolijk!' Alsof die ook niet verschillende karakters hebben, net als iedereen: de een heeft een opgeruimd karakter, de ander is een chagrijn. En net als ieder ander gaan mijn bewoners gewoon werken, boodschappen doen en vrijen. Soms krijgen ze zelfs kinderen. En ze gaan op vakantie.

Ach, nu ik er zo over nadenk: als we Bas veel structuur en extra ondersteuning bieden, gaat het vast goed. Gaan we lekker op het strand liggen, op excursie en eten in een restaurant. Ik krijg er steeds meer zin in!

8.1   Inleiding

Kom je hem wel eens tegen in de supermarkt, die winkelbediende die toch wat anders dan normaal reageert als je vraagt waar de boter staat? Of die jongen die tegen iedereen die hij tegenkomt enthousiast 'Hallo!' zegt? Of misschien dat meisje dat in een rolstoel zit en nergens op reageert als haar begeleider tegen haar praat? Ze zijn allemaal anders, maar hebben één ding gemeen: ze hebben een verstandelijke beperking. Maar wanneer kun je eigenlijk spreken van 'een verstandelijke beperking'?

Wat leer je in dit hoofdstuk?

Na bestudering van dit hoofdstuk weet je meer over:
- de oorzaken van een verstandelijke beperking;
- de verschillende functioneringsniveaus;
- de ontwikkelingen in de zorg voor en ondersteuning van mensen met een verstandelijke beperking;
- verschillende werksettings en beroepen waar je met deze doelgroep te maken krijgt;
- een aantal methoden die gehanteerd worden in de ondersteuning van deze doelgroep;
- wat je kunt verwachten wanneer je als professional met deze doelgroep gaat werken.

Waarover zet dit hoofdstuk je aan het denken?

Na bestudering van dit hoofdstuk besef je:
- dat mensen met een verstandelijke beperking net zo goed als ieder ander deel uitmaken van de samenleving;
- dat jij als professional kunt bijdragen aan emancipatie, acceptatie en integratie van mensen met een verstandelijke beperking;
- het belang van het vinden van een balans tussen autonomie versus bescherming van mensen met een verstandelijke beperking;
- dat je op alle levensgebieden met deze doelgroep aan de slag kunt;
- dat het werken met deze doelgroep veel van je vraagt, maar nooit verveelt.

8.2 De doelgroep: wat zijn mensen met een verstandelijke beperking?

Er zijn verschillende oorzaken voor een verstandelijke beperking (Hermsen, Keukens & Van der Meer, 2007):

- *voor de zwangerschap* kunnen afwijkingen in het genetisch materiaal leiden tot een verstandelijke beperking van het kind. De erfelijke eigenschappen van ieder mens zijn vastgelegd in de genen en bepalen hoe hij groeit en zich ontwikkelt. Meestal zijn stoornissen in de genen erfelijk. Voorbeelden zijn: de stofwisselingsziekte PKU (phenylketonurie), het syndroom van Down en het Prader-Willi-syndroom;
- stoornissen *tijdens de zwangerschap* (prenataal):
  - exogene stoornissen: invloeden van buitenaf. Daarbij valt te denken aan infecties zoals rode hond en geslachtsziekten, röntgenstraling, medicijngebruik en gebruik van drugs, alcohol en tabak;
  - endogene stoornissen: invloeden vanuit de moeder zelf, bijvoorbeeld wanneer sprake is van zwangerschapsvergiftiging of een stofwisselingsziekte van de moeder;
- beschadigingen of problemen *bij de geboorte* van het kind (perinataal), bijvoorbeeld wanneer zuurstoftekort optreedt bij een te langdurige bevalling of als de navelstreng om de hals van baby zit;
- beschadigingen *na de geboorte* (postnataal), bijvoorbeeld bij een infectieziekte zoals hersenvliesontsteking, een ongeval waarbij hersenweefsel wordt beschadigd of bij zeer ernstige psychische en lichamelijke verwaarlozing van het jonge kind.

Je kunt eigenlijk niet spreken van dé verstandelijke beperkte mens, omdat de groep verstandelijk beperkten erg heterogeen is met uiteenlopende beperkingen en uiteenlopende mogelijkheden.

Er bestaan dan ook meerdere definities van 'een verstandelijke beperking'. De meest geaccepteerde definitie is die van de American Association on Intellectual and Developmental Disabilities (AAIDD, voorheen AAMR) en luidt als volgt: 'Een verstandelijke beperking is een beperking die wordt gekenmerkt door significante beperkingen, zowel in intellectueel functioneren als in adaptief gedrag, die dagelijks tot uitdrukking komen in vele sociale en praktische vaardigheden. Deze beperking ontstaat vóór de leeftijd van achttien jaar' (Borthwick-Duffy, 2002).

Intellectueel functioneren, ook wel 'intelligentie', zegt iets over hoe je leert, redeneert, problemen oplost, enzovoort. De intelligentie wordt doorgaans gemeten met een IQ-test. Bij een IQ-score rond de 70 of lager is er sprake van een verstandelijke beperking. De indeling in intelligentieniveaus is als volgt:

Niveau	IQ	Ontwikkelingsleeftijd
Zeer ernstige of diepe verstandelijke beperking	20 tot 25 of minder	1 / 1 ½ jaar
Ernstige verstandelijke beperking	20/25 tot 35/40	ca. 1 tot 2 jaar
Matige verstandelijke beperking	35/40 tot 50/55	ca. 2 tot 4 jaar
Lichte verstandelijke beperking	50/55 tot 70	ca. 4 tot 12 jaar
Zwakbegaafd	70/75 tot 85/90	ruim 12 jaar
Gemiddelde intelligentie	85/90 tot 115	
Bovengemiddelde intelligentie	115 tot 130	
Hoogbegaafd	130 en meer	

Let op: een IQ zegt alléén iets over de verstandelijke vermogens van iemand en niets over zijn functioneren op sociaal of lichamelijk gebied. De intelligentie is een verzameling van capaciteiten en bestaat ook uit sociale intelligentie, ruimtelijke intelligentie en verbale intelligentie. Bovendien is het IQ betrekkelijk: het IQ van iemand kan laag zijn, maar zijn sociale intelligentie hoog. Er is dan sprake van een disharmonisch ontwikkelingsprofiel.

Adaptief gedrag is gedrag waardoor je in staat bent om adequaat om te gaan met veranderingen in je omgeving.

Naast de intelligentie en het adaptief gedrag zijn de volgende punten medebepalend voor de mate van de beperking (Nijgh en Bogerd 2007):
• sociale rollen, interactie en participatie: iemand is meer beperkt wanneer sprake is van een beperking op sociaal gebied, als hij minder goed in staat is tot interactie met zijn omgeving en hij hierin onvoldoende participeert;
• gezondheid: gezondheidsproblemen of lichamelijke beperkingen in combinatie met een beperkte intelligentie zorgen voor extra problemen;
• context/omgeving: hoe minder de omgeving wordt begrepen door de persoon met een verstandelijke beperking, hoe groter de beperking. (Anderzijds: ondersteuning van de omgeving vermindert de beperking.)

8.3   Historisch overzicht

De laatste anderhalve eeuw hebben de zorg voor en de ondersteuning van mensen met een verstandelijke beperking een enorme ontwikkeling doorgemaakt, die nog steeds doorgaat.

Barmhartigheidsmodel
Vóór circa 1850 werden mensen met een verstandelijke beperking verstoten uit de samenleving en werden ze gezien als 'niet menselijk' en 'een gevaar voor de maatschappij'. Pas na 1850 kwam er aandacht van welgestelde burgers en de Kerk voor deze groep. Mensen met een verstandelijke beperking woonden thuis of in grote 'geneeskundige gestichten', ver buiten de bewoonde wereld, want de samenleving moest beschermd worden tegen hun onvoorspelbare gedrag (Mans, 2004). De verzorging was voornamelijk in handen van geestelijken. Er werd geen onderscheid gemaakt tussen mensen met psychiatrische problemen en mensen met een verstandelijke beperking, zij woonden allemaal in dezelfde gestichten. In de bossen en duinen vind je nog steeds terreinen met grote gebouwen, soms nog met hekken eromheen, die stammen uit die tijd.

De Tweede Wereldoorlog is een zwarte periode voor de verstandelijk beperkte mens: in totaal worden door de nazi's in Europa tussen 200.000 en 250.000 mensen met verstandelijke en lichamelijke beperkingen afgevoerd naar concentratiekampen en vermoord.

Medisch model
Rond 1945 krijgt de medische wereld steeds meer belangstelling voor mensen met een verstandelijke beperking, die nu 'zwakzinnigen' worden genoemd. Men maakt een onderscheid in niveaus: idioten, imbecielen en debielen. De humanitaire zorg wordt geleidelijk aan omgezet in klinische zorg, de geestelijken maken plaats voor verplegend personeel (z-verpleegkundigen). De inrichting wordt geleid door een geneesheer-directeur.

Men doet onderzoek naar de oorzaken en behandeling van zwakzinnigheid. De 'patiënten' worden verpleegd en verzorgd, er wordt geëxperimenteerd met medicatie om ongewenst gedrag te onderdrukken en er worden zelfs operaties uitgevoerd in een poging bepaalde handicaps op te heffen. In de inrichtingen heerst een strak regime en de medische staf beslist wat er gebeurt met de patiënten, die zelf weinig tot niets hebben in te brengen.

Ontwikkelingsmodel

Begin jaren zestig wint het pedagogisch of ontwikkelingsmodel terrein. Er wordt nu gesproken over 'geestelijk gehandicapten'. In de instellingen zet men steeds meer deskundig personeel in. Omdat ontdekt is dat verstandelijke beperkingen met een behandeling niet genezen kunnen worden, wordt ingezet op ontwikkeling. De nadruk komt minder op de beperkingen te liggen en verschuift meer naar de mogelijkheden. De z-verpleegkundigen maken plaats voor groepsleiders en activiteitenleiders en ook deskundigen uit andere disciplines worden ingezet om de ontwikkeling te bevorderen, zoals orthopedagogen en psychologen. Er komen onder andere dagcentra voor de opvang van kinderen (KDO's) en volwassenen (DVO's) en scholen voor speciaal onderwijs. Ook worden er Gezinsvervangende Tehuizen (GVT's) gebouwd buiten het terrein van de instellingen.

Integratiemodel

Vanuit Zweden wordt rond 1970 de normalisatiegedachte verspreid: verstandelijk beperkte mensen moet dezelfde kansen krijgen op een normaal leven in de maatschappij als ieder ander. Niet de deskundigen, maar de ouders zijn hun belangenbehartigers. In deze periode komt de ouderparticipatie op gang. Acceptatie en integratie van mensen met een verstandelijke beperking vormen het uitgangspunt.

De benaming 'geestelijk gehandicapt' verandert in 'verstandelijk beperkt'. Er komen kleinschalige woonvoorzieningen in 'gewone' woonwijken, tussen 'gewone' mensen.

Een aantal instellingen vindt een tussenstap nodig, daar vindt omgekeerde integratie plaats: 'gewone' mensen gaan wonen op het terrein van de instelling.

Burgerschapsmodel

Vanaf de jaren negentig verandert deze visie opnieuw. Mensen met een beperking worden nu gezien als volwaardig burger van de samenleving, met dezelfde rechten en plichten als ieder ander. De mens met de verstandelijke beperking zélf staat centraal, met zijn eigen behoeften en wensen. Deze zijn uitgangspunt in de bepaling van de mate en de vorm van ondersteuning en begeleiding. Ondersteuning gebeurt als het even kan in gewone voorzieningen in de samenleving.

Deze ontwikkeling heeft geleid tot introductie van vraaggestuurde ondersteuning. Vroeger stond de professionaliteit van de hulpverlener centraal en moest de verstandelijk beperkte mens het doen met de hem aangeboden zorg. Nu verplaatst de hulpverlener zich in de beleving van de verstandelijk beperkte mens en werkt op voet van gelijkwaardigheid met hem samen. De ondersteuning wordt aangestuurd door de verstandelijk beperkte mens zelf. Deze neemt zelf de beslissingen over welke zorg of ondersteuning hij nodig heeft. Hij voert de regie over zijn eigen leven, kan zich ontplooien, eigen keuzes maken en een gewaardeerde rol in de maatschappij vervullen. Uitgangspunt hierbij is dat hij, net als ieder ander, in de samenleving thuishoort en dat ondersteuning op maat geboden wordt. Deze vorm van ondersteuning wordt ook wel 'support' genoemd.

In de samenleving zijn ontwikkelingen gaande die van invloed zijn op de ondersteuning aan mensen met een verstandelijke beperking (Nijgh en Bogerd 2007):
- een sterke gerichtheid op individuele behoeften en wensen;
- cliënten worden meer consument, zijn kritischer en meer geneigd tot onderhandelen;
- een toename van het marktdenken: er wordt voorzien in de bestaande behoeften en er wordt zorg op maat geboden;
- meer verantwoordelijkheid op lagere niveaus: er is sprake van decentralisatie en flexibilisering en er wordt meer overgelaten aan lagere overheden. Het Persoonsgebonden Budget (PGB) is daar een goed voorbeeld van: de verantwoordelijkheid hiervoor ligt bij individuele personen die zorg inkopen;
- het beschikbaar komen van steeds meer technische hulpmiddelen. Dit biedt de mogelijkheid om de zorgverlening op een efficiëntere manier in te richten en geeft individuen de mogelijkheid meer zelfstandig te functioneren;
- vermaatschappelijking: in plaats van het onderbrengen van verstandelijk beperkte mensen in aparte instituten kijkt men of iemand toe kan met de dienstverlening die in de samenleving beschikbaar is voor alle burgers.

De stap na integratie is inclusie. Van inclusie is sprake wanneer mensen met een verstandelijke beperking volledig zijn ingebed in de samenleving met zo weinig mogelijk begeleiding vanuit een instelling en de overheid, maar wel met steun van het sociaal netwerk. Er is dan sprake van *community care*: niet alleen de mens met de verstandelijke beperking heeft verantwoordelijkheden, maar ook de gemeenschap waarin hij woont en opgenomen is. Community care gaat ervan uit dat de ondersteuning zo veel mogelijk geboden wordt door buren, vrienden en lokale organisaties.

De stap naar inclusie lijkt tot op heden moeilijk haalbaar. Horen mensen met een verstandelijke beperking er écht bij?

In een schema zien de ontwikkelingen er als volgt uit.

Van	Naar
patiënt / cliënt	volwaardig burger
ziekte / stoornis	beperking / mensen met mogelijkheden
verzorging / verpleging	ondersteuning
groepsbenadering	individuele benadering
de deskundige bepaalt	zelfbepaling m.b.v. sociaal netwerk
beheersend leiderschap	ondersteunend, coachend leiderschap
instituten (speciale omgeving)	gewone voorziening in de samenleving
aanbodgestuurd	vraaggestuurd
rigide zorg	flexibele ondersteuning
segregatie (buiten de samenleving)	integratie (in de samenleving)

8.4 Waar kom je als sociaal werker mensen met een verstandelijke beperking tegen?

Je weet nu welke ontwikkeling de zorg voor en ondersteuning van mensen met een verstandelijke beperking heeft doorgemaakt en hebt je wellicht een voorstelling kunnen maken van deze doelgroep. De vraag is: in welke settings kom je die als toekomstig beroepsbeoefenaar tegen? Deze vraag beantwoorden we aan de hand van een aantal levensgebieden waarin mensen met een verstandelijke beperking functioneren.

Wonen

Op het gebied van wonen is het beleid de laatste tien jaar verschoven van wonen in residentiële instellingen naar extramuralisering en kleinschalige woonvoorzieningen, waar mensen met een verstandelijke beperking zelfstandig of zo zelfstandig mogelijk wonen. Hieronder volgt een korte uiteenzetting van de meest voorkomende woonvoorzieningen.

Begeleid zelfstandige woonvoorziening
Deze is bedoeld voor mensen met een lichte verstandelijke beperking, die in staat zijn om zichzelf en hun woning te verzorgen en kleine problemen in het dagelijks leven op te lossen. Zij krijgen een beperkt aantal uren begeleiding per week, bijvoorbeeld bij het regelen van geldzaken, bood-

schappen doen of onderhouden van sociale contacten. Dit wordt *supported living* genoemd.

Een gezinsvervangend tehuis (GVT)

Dit is een woongemeenschap voor volwassenen (18+) die redelijk zelfstandig kunnen functioneren. Een GVT ligt meestal in een gewone woonwijk. De bewoners beschikken ieder over een eigen kamer en er is een gemeenschappelijke woonkamer waar gezamenlijke activiteiten plaatsvinden. De groepsgrootte varieert van zes tot acht bewoners. Zij worden ondersteund door een vaste groep begeleiders.

Kleinschalige woonprojecten

Sinds de introductie van het PGB zijn er naast het reguliere zorgaanbod allerlei vernieuwende woonvormen ontstaan. Ouders van kinderen met een verstandelijke beperking nemen zelf het initiatief een woonvoorziening te starten en kopen zorg en begeleiding in met een PGB. Een goed voorbeeld van een dergelijk initiatief zijn de zogenoemde Thomashuizen (www.thomashuizen.nl), waar gemiddeld acht bewoners wonen. Het huis wordt geleid door een zelfstandig ondernemer, die vlakbij of in het huis zelf woont en de bewoners 24-uurszorg biedt.

Residentiële instelling

Een residentiële instelling bevindt zich op een groot terrein waar diverse wooneenheden gesitueerd zijn. Er wordt 24-uurszorg geboden. De bewoners leven in groepen van gemiddeld acht bewoners en er is dag en nacht groepsleiding aanwezig. De bewoners hebben ieder een eigen kamer, maar hun leven vindt voornamelijk plaats in de gemeenschappelijke leefruimte.

Sociowoning

Een sociowoning bevindt zich meestal op het terrein van de instelling. Er wordt gewoond in groepen, de bewoners hebben meer leefruimte en zijn zelfstandiger dan bewoners van de instelling. Een sociowoning wordt ook wel 'beschermd wonen' genoemd.

Leren

Kinderen die functioneren op midden- en licht verstandelijk beperkt intelligentieniveau kunnen gebruikmaken van verschillende soorten onderwijs, die hier kort toegelicht worden.

Speciaal onderwijs (www.speciaalonderwijs.kennisnet.nl)
Een kind met een verstandelijke beperking kan terecht in het Speciaal Basisonderwijs (sbo). Kinderen die sbo volgen, hebben na het verlaten van de school dezelfde basiskennis als kinderen die op een gewone basisschool gezeten hebben, maar ze mogen daar wel langer over doen; uitlopen kan tot veertien jaar.

Een kind met meervoudige beperkingen kan terecht op een tyltylschool. Naast onderwijs wordt daar ook revalidatiezorg geboden.

Als het binnen de mogelijkheden van het kind ligt, kan het doorstromen naar het Voortgezet Speciaal Onderwijs (vso), waar het tot zijn twintigste jaar onderwijs kan volgen.

Inclusief onderwijs
Naast speciaal onderwijs bestaat er ook inclusief onderwijs, waarbij kinderen met een beperking binnen het reguliere onderwijs met behulp van het zogenoemde 'rugzakje' (een leerlinggebonden financiering) extra ondersteund worden. De kinderen functioneren in heterogene groepen en volgen hetzelfde programma als de normaal begaafde kinderen.

Werken

Met de verandering van de visie op mensen met een verstandelijke beperking is ook de visie veranderd op de arbeid die zij verrichten. De nadruk is komen te liggen op integratie in de reguliere arbeidsmarkt. Deze integratie vindt in verschillende vormen op steeds grotere schaal plaats.

Supported employment

Vaak is er sprake van betaald werk met ondersteuning op de open arbeidsmarkt. Dit wordt *supported employment* genoemd.

Sociale werkvoorziening (SW-bedrijf)

sw-bedrijven worden door Nederlandse gemeenten opgericht ter uitvoering van de Wet sociale werkvoorziening (wsw). Deze wet heeft één belangrijke doelstelling: het bieden van werk aan mensen die (nog) niet terechtkunnen op de gewone arbeidsmarkt. De sociale werkvoorziening is bedoeld voor mensen die normaal gesproken geen werk kunnen vinden op de reguliere arbeidsmarkt door een lichamelijke, psychische of verstandelijke beperking.

Op een sw-bedrijf is continue begeleiding aanwezig is en wordt aangepast werk verricht.

Dagactiviteitencentrum (DAC)

Op een DAC zijn verschillende afdelingen waar de deelnemers een zinvolle, op maat gesneden daginvulling geboden wordt. Dat kunnen afdelingen zijn waarbij middels activiteiten de ontwikkeling wordt gestimuleerd tot afdelingen waar productie in een aangepast tempo plaatsvindt.

In toenemende mate worden in dagactiviteitencentra leerwerkprojecten opgezet, waar deelnemers vaardigheden kunnen aanleren onder leiding van een begeleider ter voorbereiding op een (betaalde) baan in de maatschappij.

Bij de aangesloten leer-/werkbedrijven kunnen deelnemers ervaren hoe het is om in een bepaalde branche te werken, bijvoorbeeld in de horeca, de middenstand of het boerenbedrijf. Ze leren er onder andere hoe het is om iedere dag op tijd op je werk te moeten zijn, hoe je omgaat met collega's of hoe je klanten kunt helpen in een winkel.

Vrijetijdsbesteding

Op het gebied van vrijetijdsbesteding wordt een grote variëteit aangeboden. Binnen instellingen voor mensen met een verstandelijke beperking worden veel recreatieve activiteiten ontplooid op het gebied van muziek (de Jostiband!), toneel, sport en spel.

237

Buiten de instelling kan er sprake zijn van activiteiten die speciaal bedoeld zijn voor mensen met beperkingen of activiteiten die samen met normaal begaafde mensen ondernomen worden.

8.5 Werken met mensen met een verstandelijke beperking

Stel dat het je wel wat lijkt om met deze doelgroep te gaan werken. Aan welke beroepen moet je dan denken? Waar kun je dan zoal aan de slag?

De hulp- en dienstverlening vindt op verschillende levensgebieden plaats en is heel divers. Er is dan ook een overvloed aan beroepen en functies in de intramurale, semimurale en ambulante zorg en ondersteuning. In deze paragraaf worden er enkele nader beschreven.

De groepsbegeleider

Pieter wil zelfstandig wonen

Pieter woont in een instelling voor mensen met een verstandelijke beperking in een groep met acht medebewoners. Hij kan goed zelfstandig functioneren op het terrein van de instelling. Zo doet hij zelfstandig boodschappen, gaat hij naar het dagactiviteitencentrum en naar de gym en is hij lid van de plaatselijke wandelclub. Hij heeft een eigen computer en die is erg belangrijk voor hem.

Pieter heeft te kennen gegeven dat hij zelfstandig wil gaan wonen in het dorp en lijkt hier ook echt aan toe te zijn. Hiervoor moet hij nog wel een aantal dingen leren, zoals omgaan met geld en zelfstandig koken en wassen. Pieter gaat met zijn persoonlijk begeleider om de tafel zitten om een plan te maken.

Een groepsbegeleider verzorgt, begeleidt en ondersteunt op methodische wijze mensen met een verstandelijke beperking in hun dagelijkse leefomgeving met het doel hun welzijn te bevorderen. Dit kan de groepsbegeleider bijvoorbeeld doen in een woonvoorziening of op een DAC. 'Op methodische wijze' wil zeggen dat je methodisch handelt. Methodisch handelen heeft een aantal kenmerken. Je handelt:
- doelgericht: met een doel als leidraad;
- systematisch: in een logische volgorde;
- planmatig: volgens een van tevoren opgesteld plan;

- procesmatig: tijdens de uitvoering van je plannen evalueer je regelmatig of de wijze waarop je het doel wilt bereiken wel de goede is.

Een groepsbegeleider werkt altijd vraaggericht: de (hulp)vraag van de cliënt is uitgangspunt. Aan de hand van die vraag wordt een ondersteuningsplan opgesteld. Dit doet de groepsbegeleider in samenwerking met de cliënt zelf of met voor hem belangrijke anderen. Dit is afhankelijk van het functioneringsniveau van de cliënt. Vervolgens ondersteunt hij hem in het behalen van de doelen die in het ondersteuningsplan gesteld zijn.

Ondersteuningsplan, begeleidingsplan, hulpverleningsplan, zorgplan, activiteitenplan, behandelplan: in al deze benamingen is in grote lijnen dezelfde structuur te herkennen, maar in elk plan worden andere accenten gelegd.

Een gemiddeld ondersteuningsplan kent de volgende onderdelen.
- *Cliëntgegevens.* In dit deel wordt een beeld geschetst van de cliënt. Het zijn gegevens uit zijn verleden en over zijn huidige situatie. De informatie is bijvoorbeeld verkregen uit het intake- of kennismakingsgesprek, uit observaties, testen of psychologisch of lichamelijk onderzoek.
- *(Hulp)vraag* van de cliënt. Deze kan van psychosociale aard zijn (bijvoorbeeld: contacten maken), van psychische aard (beter leren concentreren), lichamelijke aard (arm weer goed gebruiken) of activiteitgericht (hobby oppakken).
- *Doelen.* De doelen vormen de richting waar naartoe gewerkt wordt en zijn de leidraad voor de begeleiding. De doelen zijn afgeleid van de (hulp)vraag van de cliënt. Er wordt een onderscheid gemaakt tussen:
  - algemeen doel/hoofddoel (het algemene doel is bijvoorbeeld dat de cliënt zelfstandig woont);
  - werkdoelen/subdoelen/specifieke doelen. Het algemene doel wordt uitgewerkt in concrete doelen en wordt geformuleerd volgens de SMART-methode (bijvoorbeeld: 'Ik kan binnen twee maanden aardappelen en groenten koken').
- *Plan van aanpak.* Hierin wordt omschreven hoe de doelen gerealiseerd gaan worden. Een hulpmiddel daarbij zijn de vijf w's: wie gaat wat, waar, wanneer, op welke manier doen. Dat laatste zegt iets over de methode die de begeleiders willen gaan gebruiken bij de begeleiding van de cliënt.
- *Evaluatie en bijstelling* van het ondersteuningsplan. Deze vindt zowel tussentijds als aan het eind plaats. Het product (is het doel behaald?) en het proces (op welke manier is het doel behaald?) worden geëvalueerd.

239

Een ondersteuningsplan moet je niet zien als een statisch geheel, maar als iets wat in beweging is. Regelmatig bekijk je of je met de cliënt nog op de goede weg bent of dat je misschien een stap terug moet doen en het plan bijgesteld moet worden.

De groepsbegeleider sluit bij de realisering van het ondersteuningsplan voortdurend aan bij de mogelijkheden, behoeften, achtergrond en cultuur van de cliënt. Hij stimuleert diens zelfstandigheid en zelfredzaamheid en zorgt ervoor dat die behouden dan wel vergroot worden. Hij draagt zorg voor een vertrouwde, veilige en ontwikkelingsstimulerende omgeving waarin de cliënt zijn doelen kan bereiken.

Een groepsbegeleider werkt in een multidisciplinair team. Hij kan goed samenwerken, maar in de dagelijkse praktijk wordt ook een grote mate van zelfstandigheid van hem verwacht. Hij onderhoudt zelfstandig contacten met het sociale netwerk van de cliënt en met andere disciplines binnen en buiten de organisatie.

Vaak worden in deze functies mbo'ers niveau 4 ingezet, maar wanneer het gaat om leidinggevende posities of wanneer sprake is van meer complexe problematiek, zoals bij mensen met (ernstige) meervoudige beperkingen of een lichte verstandelijke beperking (soms met een – ernstige – gedragsstoornis), worden hbo'ers ingeschakeld. Een groepsbegeleider heeft een opleiding hbo-SPH gevolgd.

De jobcoach

Joris werkt bij de bakker

Joris is twintig jaar en heeft een lichte verstandelijke beperking. Sinds een jaar werkt Joris bij bakkerij Valentijn. Bij de bakkerij worden broodproducten gemaakt van onbewerkte grondstoffen. Om goed te kunnen functioneren is het voor Joris belangrijk dat hij werkt in een klein team en dat er sprake is van een gestructureerde werkomgeving. Een jobcoach ondersteunde hem de eerste tijd op de werkvloer door van de verschillende producten die Joris vervaardigt werkschema's te maken met daarin een omschrijving van de ingrediënten en de bereidingswijze. Deze gebruikte Joris de eerste tijd ter ondersteuning van zijn geheugen, maar het mooie is dat door ervaring en routine hij de schema's inmiddels uit zijn hoofd kent! Nu krijgt hij een contract voor onbepaalde tijd. Bakker Karel gaf aan zoveel vertrouwen in de kwaliteiten en inzet van Joris te hebben dat hij er niet langer voor nodig had om tot dit besluit te komen. Dat was een mooi moment én reden voor gebak!

Een jobcoach helpt mensen met een arbeidsbeperking bij het vinden en behouden van een baan. Het gaat hier met name om mensen met een lichte verstandelijke beperking, vaak in combinatie met gedragsproblemen. Daarnaast begeleidt een jobcoach bijvoorbeeld ook mensen met niet-aangeboren hersenletsel, een aan autisme verwante contactstoornis of een fysieke beperking. Deze mensen hebben bijvoorbeeld een Wajong-uitkering, een uitkering voor jonge mensen met een beperking van het Uitvoeringsinstituut Werknemers Verzekeringen (uwv). Een jobcoach heeft vaak een hbo-sph of -mwd gevolgd.

Een jobcoach werkt volgens de methode 'supported employment', die bestaat uit verschillende onderdelen.

- Wanneer een werkzoekende kandidaat zich heeft aangemeld bij de organisatie waar de jobcoach werkt, volgt een assessment. Uitgangspunt hierin zijn de wensen en ideeën van de kandidaat en zijn sterke en zwakke punten in combinatie met de mogelijkheden voor betaald werk. Eventueel betrekt de jobcoach personen uit het sociale netwerk van de kandidaat hierbij. Vervolgens stelt hij een plan op dat ter goedkeuring naar het uwv wordt gestuurd.
- Na het assessment vindt de jobfinding plaats. Samen met de kandidaat gaat de jobcoach op zoek naar een passende baan, via advertenties, internet of uit het eigen netwerk van de kandidaat of jobcoach. Niet de functie-eisen van de werkgever zijn hierbij uitgangspunt, maar de mogelijkheden van de kandidaat.
- Indien nodig traint de jobcoach de kandidaat op het gebied van sociale vaardigheden, sollicitatie en presentatie en helpt hij hem bij het schrijven van een sollicitatiebrief.
- Als de baan is gevonden, maakt de jobcoach een jobanalyse. Hij kijkt onder andere naar het ruimtelijk inzicht, het taalbegrip en de fysieke belasting die voor de baan vereist zijn.
- De resultaten van het assessment en de jobanalyse vormen de basis voor de jobmatching, waarbij gekeken wordt of de kandidaat in staat is om onder begeleiding van de jobcoach uiteindelijk zelfstandig te functioneren in de betreffende baan.
- Wanneer de kandidaat aangenomen is, wordt een plan met haalbare doelen opgesteld. Bij dit plan en de uitvoering ervan worden ook de werkgever, de leidinggevende en collega's betrokken.
- De jobcoach werkt toe naar een voor alle partijen optimale werksituatie. Hij werkt een aantal keren mee om een goed beeld te krijgen van de kandidaat op de werkplek, adviseert onder meer over de communicatie, aanpassingen en (technische) hulpmiddelen en geeft inzicht

in het gedrag van de kandidaat. De jobcoach biedt begeleiding op de werkplek zolang dit nodig is. Doorgaans nemen de frequentie en intensiteit van de begeleiding in de loop van de tijd af.

Als jobcoach werk je veel zelfstandig. Je bent vaak op pad en hebt veel directe contacten met de kandidaten en werkgevers. Een deel van het werk bestaat uit rapporteren, bijvoorbeeld het opstellen en bijstellen van het plan voor de kandidaat en de verslaglegging voor het UWV. Natuurlijk maak je ook deel uit van een team. In wekelijkse teambesprekingen breng je verslag uit van je werkzaamheden, bespreek je moeilijkheden die je in je werk tegenkomt en ondersteun je elkaar waar nodig.

De casemanager

Maarten en Dorine zitten in de problemen

Maarten en Dorine hebben beiden een lichte verstandelijke beperking. Ze zijn twee jaar geleden getrouwd en hebben sinds twee maanden een zoon: Daan. Maarten drinkt veel. 'Veel te veel,' vindt Dorine: regelmatig kruipt Maarten 's nachts ladderzat in bed. 's Morgens gaat hij dan niet naar zijn werk, maar slaapt zijn roes uit. Nu is hem de wacht aangezegd door zijn werkgever: nog één keer en hij wordt ontslagen. Vervelend, want Maarten en Dorine hebben schulden, veel schulden. Zonder het inkomen van Maarten wordt het nog moeilijker om rond te komen.

En dan nu met Daan: het valt niet mee om hem goed te verzorgen. Verleden week moest hij opgenomen worden, omdat hij ondervoed bleek te zijn. In huis wordt het ook een steeds grotere puinhoop, want hoe doe je dat: een baby verzorgen én het huishouden doen? Maarten en Dorine zitten flink in de problemen.

De problematiek van mensen met een verstandelijke beperking wordt steeds complexer. Van complexe problematiek kan bijvoorbeeld sprake zijn bij ouders van kinderen met een verstandelijke en lichamelijke beperking waarbij sprake is van ziektes, operaties en medische controles.

Een toename van complexe problematiek is met name te wijten aan de verzelfstandiging van mensen met een verstandelijke beperking en het ontbreken van een sociaal vangnet. Zo is het voor jongeren met een verstandelijke beperking die zelfstandig wonen soms moeilijk om te voldoen aan de hoge eisen die de maatschappij aan hen stelt of om weerstand te bieden aan de verleidingen van die maatschappij (materiële zaken, drank, drugs).

Een leger van hulpverleners staat klaar om hulp te bieden: de huisarts, de fysiotherapeut, de medewerker van de arbodienst en de wijkverpleegkundige. Met zoveel mensen is het lastig voor de cliënt om niet te verdwalen in het woud van hulpverleners. Echter, de zorg op het gebied van gezondheid, wonen, welzijn enzovoort is verkokerd en gecategoriseerd: voor elk probleem is een ander loket met zijn eigen regels, werkwijze en taal (Lohuis, Schilperoort & Schout, 2008). Bij complexe problemen moet er veel overlegd worden tussen de verschillende hulpverleners, waarbij vaak ook nog eens verschillende belangen een rol spelen. Een goede samenwerking tussen hen is cruciaal, maar door genoemde verkokering niet altijd haalbaar. In dat geval wordt een casemanager ingeschakeld.

Een casemanager begeleidt het proces van het vinden van een juiste oplossing voor alle partijen. Hij lost de problemen van de cliënt niet op en neemt geen werk over, maar hij regelt dat de cliënt en anderen doen wat is afgesproken. Hij zorgt dat de hulpverlening rond een cliënt(systeem) die meerdere soorten hulp, zorg en ondersteuning nodig heeft op elkaar wordt afgestemd. Hij is als het ware de schakel tussen cliënt en hulpverleners. Soms ondersteunt hij de cliënt bij het verwoorden van diens wensen, doelen, problemen en de oplossingen daarvoor. Een casemanager heeft in de regel een hbo-MWD gevolgd.

Een casemanager werkt volgens de methodiek casemanagement. Er is een aantal voorwaarden om met casemanagement aan de slag te gaan (Bassant & De Roos, 2003):

- er is sprake van een complexe vraag naar zorg- hulp- of dienstverlening;
- de oplossing van de probleemsituatie kan alleen bereikt worden via een multidisciplinair aanbod van hulp;
- het hulpaanbod wordt goed op elkaar afgestemd;
- er is continuïteit in het aanbod;
- er is sprake van een langdurig samenhangend hulpverleningsaanbod.

De casemanager werkt in een aantal fasen. Na aanmelding van de cliënt geeft hij uitleg over de werkwijze, zijn rol en die van de cliënt. Als de cliënt hiermee akkoord gaat, vindt de volgende stap plaats: het assessment. In deze fase inventariseert de casemanager hulpvragen, mogelijkheden en wensen van de cliënt met behulp van het sociale netwerk en andere hulpverleners. Hij maakt een plan met daarin wie doet wat, wanneer, waar en op welke manier (de vijf w's) om te komen tot beantwoording van de hulpvragen en daarmee de gestelde doelen te bereiken. Dit is de fase van planning.

Daarna volgt de *linking*fase. De casemanager legt een verbinding/link tussen alle partijen die een bijdrage leveren aan de doelen die in het plan geformuleerd zijn.

In de fase van monitoring coördineert hij de uitvoering van het plan: doet iedereen wat hij moet doen, gaat dat goed, moet het anders, enzovoort.

Ten slotte evalueert de casemanager of de doelen behaald zijn en of het hulpverleningsproces op een voor iedere partij bevredigende manier is verlopen.

De activiteitenbegeleider

Joep schildert

Joep schildert al vanaf dat hij een klein jongetje is. Vanaf het moment dat hij zijn eerste verfkwast in zijn handen krijgt, wil hij niet meer tekenen met potlood of waskrijt, maar wil hij schilderen. Als hij groter wordt, volgt hij verschillende cursussen in het buurthuis. Schilderen met olieverf heeft zijn voorkeur en het moet gezegd worden: hij schildert prachtig. Sinds kort worden zijn schilderijen verkocht in een galerie die uitsluitend beeldend werk verkoopt van mensen met een verstandelijke beperking. Er zijn al drie werken van Joep verkocht en daar is hij erg trots op!

Een activiteitenbegeleider helpt mensen met een verstandelijke beperking om hun vrije tijd op een zinvolle en prettige manier te besteden. Hij ontwerpt en organiseert programma's en projecten die mensen uitdagen en in staat stellen deel te nemen aan het maatschappelijke en culturele leven (Sectorraad HSAO, 2008). Dat kan hij doen binnen verschillende sectoren. In de welzijnssector gaat het om het bevorderen van het samenleven van verschillende groepen mensen, het werken aan de emancipatie en positieverbetering van groepen in de samenleving. De activiteit wordt als middel ingezet om mensen met elkaar in contact te brengen. De activiteitenbegeleider organiseert de activiteiten bijvoorbeeld in het buurt- en opbouwwerk.

In de kunst- en cultuursector gaat het om het gebruik van kunst en cultuur om mensen bij elkaar te brengen of de kwaliteit van hun leefomgeving te vergroten. Er zijn veel projecten waarbij mensen met een verstandelijke beperking creatief bezig zijn, bijvoorbeeld door te schilderen of beeldhouwen.

In de recreatieve sector houd je je als activiteitenbegeleider bezig met het organiseren van festivals of vakanties. Veel mensen met een verstandelijke beperking hebben behoefte aan georganiseerde, gespecialiseerde vrijetijdsbesteding, omdat deelname aan reguliere clubs of activiteiten voor hen moeilijk is. De drempel daarvoor is vaak te hoog en zij kunnen er niet goed hun weg vinden. Belangrijkste doel bij dergelijke activiteiten is bijdragen aan plezier en gezelligheid voor de doelgroep. Het Gespecialiseerd Jeugd- en Volwassenenwerk (GJVW) is daar een goed voorbeeld van. Deze stichting organiseert activiteiten voor mensen met een verstandelijke en/of lichamelijke beperking voor vrije tijd en vakantie. Ontspanning en ontmoeting staan hierbij centraal (www.gjvw.nl).

Meestal werk je als activiteitenbegeleider in drie stappen: je maakt een doelgroepenanalyse, programmeert en begeleidt. Eerst onderzoek je met welke mensen je te maken hebt, wat hun achtergronden, behoeften en interesses zijn. Vervolgens ontwikkel je, als het kan samen met die mensen, een aantrekkelijk programma. In de meeste gevallen voer je dit ook uit, maar je organiseert niet altijd zelf. Soms ondersteun je mensen uit de doelgroep die zelf een activiteit organiseren en regel je de randvoorwaarden zoals faciliteiten, subsidies, huisvesting en dergelijke. Jij bent dan degene die ervoor zorgt dat alle onderdelen aanwezig zijn om het project mogelijk te maken.

Je werkt meestal met collega's en zorgt samen voor een soepel draaiende activiteit.

Een activiteitenbegeleider heeft een hbo-CMV of -SPH gevolgd.

De zorgconsulent

De zorg voor Jorine drukt zwaar op het gezin

Hans en Marjan hebben drie kinderen: Sem van zes, Jorine van vijf en Tom van drie jaar. Marjan voelde na de geboorte van Jorine instinctief dat er iets niet in orde was. Jorine was te stil, maakte weinig contact en ontwikkelde zich nauwelijks. Er werden een mentale achterstand en epilepsie geconstateerd. Jorine functioneert nu op het niveau van een baby van zes maanden.

De zorg voor Jorine drukt zwaar op het gezin. Jorine heeft dagelijks rond de tien epileptische aanvallen. Ze heeft vaak blauwe plekken en soms moet ze gehecht worden, omdat ze vervelend terechtkomt als ze een aanval heeft. Haar broertjes kunnen geen vriendjes mee naar huis nemen, want Jorine raakt in paniek van drukte om haar heen. Als er iets verandert in het normale dagritme raakt ze overstuur en begint ze te gillen. Er moet iets gebeuren, zo kan het niet langer.

Als zorgconsulent kun je bijvoorbeeld gaan werken bij een gemeente of bij MEE. MEE is een grote organisatie die overal in het land onafhankelijke, laagdrempelige cliëntondersteuning biedt aan alle mensen met een handicap, functiebeperking of chronische ziekte. In 2007 ondersteunde MEE zo'n 100.000 cliënten (www.meenederland.nl).

De zorgconsulent helpt de hulpvraag te verduidelijken: wat is de 'vraag achter de vraag' c.q. de werkelijk (hulp) vraag van de cliënt? Hij helpt de cliënt inzicht te krijgen in zichzelf en communiceert daarbij op het niveau van de cliënt. Dat betekent dat hij veel herhaalt, checkt of het begrepen is en indien nodig andere communicatiemogelijkheden inzet. Hij moet kennis hebben van de basisregelgeving en de sociale kaart.

De zorgconsulent van MEE werkt samen met andere organisaties om te zorgen voor zo vroeg mogelijke ondersteuning van ouders met een jong kind met een verstandelijke beperking. Dit wordt 'integrale vroeghulp' genoemd. De consulent geeft informatie en advies aan de ouders en stemt noodzakelijke hulpverlening, die vanuit verschillende organisaties geboden wordt, op elkaar af. De consulent treedt dan op als casemanager. De wensen en behoeften van de ouders staan altijd centraal. Door het tijdig inzetten van ondersteuning wordt voorkomen dat problemen onnodig verergeren of ontstaan. Het werk van de consulent heeft dus een preventieve werking.

Zijn werk heeft ook een signalerende werking. De consulent kijkt naar de situatie en de mogelijkheden van het kind, de ouders en het gezin. Hij kijkt wat er aan de hand is en of het gedrag van het kind wordt veroorzaakt door de beperking, door de opvoeding of wellicht door verwaarlozing. Hij moet durven confronteren en benoemen wat hij waarneemt, bijvoorbeeld in de opvoeding, bij het niet-nakomen van afspraken of een vies huis.

De ouders kunnen bij de consulent terecht met opvoedingsvragen, maar ook kan er sprake zijn van acceptatieproblematiek of rouwverwerking bij ouders als zij een kind krijgen met een verstandelijke beperking.

Een belangrijk deel van de doelgroep van MEE wordt gevormd door mensen met een lichte verstandelijke beperking die zelfstandig wonen. Zij doen vaak een beroep op de zorgconsulenten van MEE voor ondersteuning bij het zo zelfstandig mogelijk inrichten van hun leven. De zorgconsulent ondersteunt hen op alle terreinen van het dagelijks leven. Daarbij kun je denken aan het bieden van hulp bij het aanvragen van een aangepaste woning of een PGB, ondersteuning bij juridische problemen met bijvoorbeeld een ziektekostenverzekeraar of begeleiding bij persoonlijke problemen.

De cliënten van MEE kunnen naar een van de regiokantoren komen voor hulp, maar de consulent bezoekt ook mensen thuis. Het werk is erg gevarieerd en soms onvoorspelbaar. Een crisis heeft bijvoorbeeld altijd voorrang, maar dit kan wel je hele dagplanning in de war schoppen. Daar moet je wel mee om kunnen gaan. Verder heb je te maken met veel soorten problematiek en moet er ook nog vergaderd en overlegd worden. Een zorgconsulent heeft een hbo-MWD gevolgd.

Schematische weergave van verschillende typen hulp- en dienstverlening vanuit de profielen SPH, MWD en CMV.

	Wonen		Werken		Dagbesteding / vrije tijd	
Intramuraal (24-uurs zorg)	Residentiële instelling	*SPH*	DAC in instelling	*SPH*	DAC in instelling	*SPH*
Semimurale zorg	GVT	*SPH*			• DVO • KDC	*SPH*
Ambulante zorg	Begeleid wonen (volwassenen)	*SPH & MWD*	Begeleid werken	*SPH & MWD*	• Welzijn • Kunst- en cultuursector • Recreatie	*SPH & CMV*
	Begeleiding ouders van kinderen met een verstandelijke beperking	*MWD*				

8.6 Methoden

In de ondersteuning van mensen met een verstandelijke beperking wor-den veel methoden gehanteerd die hun zelfbeschikking zo veel mogelijk in stand houdt en bevordert. Zo wordt er veel gewerkt met het Eigen Ini-tiatief Model (EIM) en met de methode empowerment.

In deze paragraaf worden twee andere methoden beschreven die ook ge-bruikt worden in de begeleiding van mensen met een verstandelijke be-perking, namelijk Totale Communicatie en *Gentle Teaching*. Voor verdere verdieping wordt verwezen naar de literatuurlijst bij dit hoofdstuk.

Totale Communicatie

Goede communicatie is van groot belang. Wie niet kan communiceren, kan zijn wensen niet duidelijk maken. De kans bestaat daardoor dat – met de beste bedoelingen – beslissingen worden genomen voor mensen met een verstandelijke beperking waar zij helemaal niet achterstaan.

Om op een goede manier te communiceren, hebben mensen met een verstandelijke beperking vaak hulpmiddelen nodig. Naast de gesproken taal kan daarbij gedacht worden aan gebaren, pictogrammen en foto's. Al deze hulpmiddelen bij elkaar vallen onder de noemer Totale Communi-catie. Hierbij wordt bewust gebruikgemaakt van alle uitingsvormen van communicatie. Mensen met een verstandelijke beperking kunnen hier-mee laten weten wat zij (on)prettig, fijn of leuk vinden en krijgen zo grip op hun eigen leven. Door adequaat te communiceren, begrijp je elkaar bovendien eerder en is er dus minder ergernis.

Om elkaar goed te begrijpen, is het van belang om een eenduidig systeem te gebruiken waarmee ouders, begeleiding en mensen met een verstandelijke beperking zelf aan de slag kunnen. Om tot een goede communicatie te komen, ga je eerst op zoek naar de meest geschikte uitingsvorm. Voor welke vorm je kiest, hangt helemaal van de persoon af. Goede Totale Communicatie is maatwerk.

Onderstaand vind je een aantal voorbeelden van Totale Communicatie.

Verwijzers
Een voorbeeld van een verwijzer is een kussen of een beker, die respectievelijk de activiteiten slapen en drinken symboliseren. Een verwijzer is driedimensionaal en constant van vorm en wordt niet gebruikt als gebruiksvoorwerp. Wel kan het eerst een concreet voorwerp zijn dat na verloop van tijd abstracter wordt gemaakt. Je gebruikt bijvoorbeeld eerst een gewone eetlepel om duidelijk te maken dat de verstandelijk beperkte persoon moet eten. Later kun je dan een kleine speelgoedlepel gebruiken.
    De verwijzer kan gebruikt worden wanneer het gebruik van foto's of gebaren te hoog gegrepen is, of wanneer iemand in zijn uitingen door andere handicaps wordt beperkt, zoals een motorische of visuele beperking.

Gebaren
Gebaren zijn abstracter dan foto's en verwijzers. Ze worden gebruikt in combinatie met gesproken woorden. De mimiek die bij een gebaar hoort, is erg belangrijk. Als iemand het gebaar 'boos' met een glimlach op zijn gezicht maakt, dan kun je je afvragen of de boodschap overkomt. Ook is de beweging zelf belangrijk: het gebaar moet duidelijk en vaak herhaald worden, zodat het kan beklijven.

Pictogrammen
Een pictogram is een symbool of een eenvoudige afbeelding die de plaats inneemt van tekst. Een verkeersbord of een afbeelding van een mannetje of vrouwtje om het heren- of damestoilet aan te duiden zijn hier voorbeelden van.

Gentle Teaching

De methode Gentle Teaching (letterlijk: vriendelijk, liefdevol leren) wordt met name ingezet bij de behandeling van mensen met een verstandelijke beperking met ernstige gedragsproblemen. Het primaire doel van de methode is het ontwikkelen van *companionship* (kameraadschap) tussen de persoon met de verstandelijke beperking en de begeleider. Companionship is de relatie die gekenmerkt wordt door vier pijlers: zich veilig voelen, zich geliefd voelen, zich liefdevol kunnen uiten en zich met elkaar verbonden voelen (www.gentleteaching.nl).

Mensen die het gevoel van companionship niet ervaren, leven in een emotioneel isolement in een voor hen onveilige wereld. Ze hebben geen verbinding met andere mensen waar ze zich in hun ontwikkeling op kunnen richten en zijn genoodzaakt zelf een manier te vinden om dat hiaat op te vullen. Als dit dan gebeurt op een manier die de omgeving niet accepteert, leidt dat weer tot een verdere verwijdering en een dieper isolement, wat uiteindelijk resulteert in diverse vormen van moeilijk verstaanbaar gedrag, zoals agressie, automutilatie, vermijden van contacten, stereotiepe gedragingen, enzovoort.
  Met Gentle Teaching wordt een proces op gang gebracht waarin het isolement doorbroken wordt en de persoon leert om zich (weer) veilig en geliefd te voelen en companionship te ervaren.

De middelen van Gentle Teaching zijn de aanwezigheid van de begeleider, het oogcontact en de gelaatsuitdrukking, de woorden en de toon, de gebaren en aanrakingen. Daarbij gaat het niet alleen om de fysieke aanwezigheid en de lichaamshouding van de begeleider, maar ook om zijn emotionele aanwezigheid.
  Het oogcontact, de gelaatsuitdrukking, de stem, de woorden en de gebaren en aanrakingen moeten allemaal dezelfde intentie uitdrukken: het bieden van veiligheid en liefdevolle ondersteuning (Van de Siepkamp, 2005).

De cliënt heeft, zeker op voor hem moeilijke momenten, de onvoorwaardelijke en persoonlijke steun van de begeleider hard nodig. Ondanks de goede intenties krijgt hij die niet altijd. Dat wil niet zeggen dat we iets verkeerd doen, maar kan ook betekenen dat de cliënt onze intentie niet begrijpt of ervaart. De volgende zelfevaluatie is bedoeld om inzicht te krijgen in de kwaliteiten die we verder kunnen ontwikkelen of anders kunnen inzetten om de ander daadwerkelijk de noodzakelijke ondersteuning te kunnen geven. Je kunt deze zelfevaluatie invullen in relatie tot een specifieke cliënt of in relatie tot de groep cliënten die je begeleidt.

Onderzoek na het invullen van de lijst waarom sommige kwaliteiten die je bezit de ene keer wel en de andere keer moeilijk of in het geheel niet tot hun recht komen.

Hulp bieden

Altijd   1 ☐   2 ☐   3 ☐   4 ☐   5 ☐   Zelden of nooit

Als ik zie dat de cliënt iets moeilijk vindt of het ergens moeilijk mee heeft, bied ik mijn hulp aan op een manier die hij als ondersteunend en betrokken ervaart.

Bescherming bieden

Altijd   1 ☐   2 ☐   3 ☐   4 ☐   5 ☐   Zelden of nooit

Als de cliënt zich onzeker of bedreigd voelt of als hij ertoe neigt zichzelf schade toe te brengen, bied ik bescherming op een manier die hij als veilig en betrokken ervaart.

Onvoorwaardelijkheid

Altijd   1 ☐   2 ☐   3 ☐   4 ☐   5 ☐   Zelden of nooit

De cliënt ervaart dat mijn ondersteuning en betrokkenheid onvoorwaardelijk zijn. Dat wil zeggen dat ik dit volhoud ongeacht zijn gedrag.

Wederkerigheid

Altijd   1 ☐   2 ☐   3 ☐   4 ☐   5 ☐   Zelden of nooit

Tijdens het contact met de cliënt maak ik niet alleen mijn eigen positieve gevoelens ten opzichte van hem duidelijk, maar ontlok ik ook positieve gevoelens en gevoelsuitingen ten opzichte van mij.

Gelijkwaardigheid

Altijd   1 ☐   2 ☐   3 ☐   4 ☐   5 ☐   Zelden of nooit

Door mijn manier van werken en houding voelt de cliënt zich gelijkwaardig.

Betrokkenheid

Altijd   1 ☐   2 ☐   3 ☐   4 ☐   5 ☐   Zelden of nooit

De cliënt ervaart dat ik vanuit persoonlijke betrokkenheid met hem omga en hem probeer te ondersteunen.

Continuïteit van de interactie

Altijd   1 ☐   2 ☐   3 ☐   4 ☐   5 ☐   Zelden of nooit

Ik speel zo in op de eventuele stemmingswisselingen van de cliënt dat ik het contact niet hoef te verbreken als hij zich onprettig voelt en onrustig wordt.

Flexibiliteit

Altijd   1 □   2 □   3 □   4 □   5 □   Zelden of nooit

Ik pas mijn acties en houding aan aan wat de cliënt op het moment van het contact nodig heeft en aankan, zonder daarbij de perspectieven voor de langere termijn uit het oog te verliezen

Echtheid

Altijd   1 □   2 □   3 □   4 □   5 □   Zelden of nooit

Ik probeer bewust gevoelens van betrokkenheid en zorg voor de cliënt te ontwikkelen, waardoor mijn houding niet gespeeld, maar echt is.

Beeldvorming

Altijd   1 □   2 □   3 □   4 □   5 □   Zelden of nooit

Het beeld dat ik van de cliënt heb, is gebaseerd op hoe hij (voor mijn gevoel) zichzelf en zijn leven er-vaart en niet op hoe zijn gedrag door de omgeving ervaren wordt.

Wederzijds contact

Altijd   1 □   2 □   3 □   4 □   5 □   Zelden of nooit

Ik stem me in het contact af op de emoties van de cliënt en probeer vanuit zijn ervaringswereld het contact op te bouwen en te onderhouden. Ik deel ook mijn eigen gevoelens met de cliënt op een voor hem prettige manier

Afstemming

Altijd   1 □   2 □   3 □   4 □   5 □   Zelden of nooit

Ik stem me in het contact af op de emoties van de cliënt en probeer vanuit zijn ervaringswereld het contact op te bouwen en te onderhouden. Ik deel ook mijn eigen gevoelens met de cliënt op een voor hem prettige manier

Enthousiasme

Altijd   1 □   2 □   3 □   4 □   5 □   Zelden of nooit

Ik straal enthousiasme uit en breng vrolijkheid en speelsheid in de relatie, ook als ik serieuze onderwer-pen aan de orde stel. Ik verplaats me in de cliënt en bied hem perspectief. Als hij verdriet heeft, deel ik zijn verdriet, terwijl hij kan delen in mijn vreugde.

Omgaan met irritatie of boosheid

Altijd   1 □   2 □   3 □   4 □   5 □   Zelden of nooit

Als ik merk dat ik me erger of boos word om het gedrag van de cliënt, onderzoek ik waar deze emotie precies door veroorzaakt wordt. Ik onderzoek onder andere of het te maken kan hebben met irreële verwachtingen ten aanzien van wat de cliënt wel of niet kan, of dat het te maken heeft met mijn eigen gevoel van onmacht.

Stabiliteit brengen						
Altijd	1 ☐	2 ☐	3 ☐	4 ☐	5 ☐	Zelden of nooit

Als de cliënt onrustig is ga ik daar niet in mee, maar probeer ik bewust zelf rustig te blijven en rust uit te stralen. Als de cliënt erg lusteloos is, probeer ik bewust levendigheid te ontlokken.

Omgaan met onmacht						
Altijd	1 ☐	2 ☐	3 ☐	4 ☐	5 ☐	Zelden of nooit

Ik ben me ervan bewust wanneer ik onmacht ervaar om situaties te verbeteren. Ik kan die onmacht accepteren, waardoor deze zich niet uit in irritatie naar de cliënt, mezelf of omgevingsfactoren die ik als mogelijke oorzaak zie.

Begrenzen						
Altijd	1 ☐	2 ☐	3 ☐	4 ☐	5 ☐	Zelden of nooit

Als de cliënt zichzelf dreigt te verliezen in zijn onrust en daardoor anderen of zichzelf kan schaden, geef ik de grenzen aan. Ik doe dat op een manier die de cliënt zo min mogelijk als overheersend ervaart. Mijn intentie is niet het willen beheersen van het (eventuele) gedrag, maar het ondersteunen van de cliënt en het voorkomen dat iemand schade ondervindt.

Bron: www.gentleteaching.nl

8.7 Wat vraagt werken met mensen met een verstandelijke beperking van je en wat levert het op?

De in paragraaf 8.5 beschreven beroepen zijn slechts een kleine greep uit de mogelijkheden die het werk met deze doelgroep biedt. Ondersteuning vindt plaats op alle levensgebieden, aan mensen van verschillende leeftijden met verschillende niveaus van functioneren. Je kunt zowel intramuraal, semimuraal als ambulant werken. Kortom: mogelijkheden genoeg!

Misschien denk je erover om met deze doelgroep te gaan werken, maar vraag je je af: wat moet ik allemaal kunnen en weten om een professionele sociaal werker of dienstverlener te worden? En, niet onbelangrijk: wat krijg ik er eigenlijk voor terug?

Werken als professional
Je mag jezelf een professional noemen als je bekwaam bent in je beroep en specifieke kennis en vaardigheden adequaat inzet ten behoeve van de doelgroep. Als professional in de ondersteuning van mensen met een verstandelijke beperking ben je vooral een verlengstuk van belangrijke anderen in hun leven. Die belangrijke anderen zijn de natuurlijke bron-

nen van ondersteuning en de professional stemt zijn handelen op hen af (Flikweert & Kersten, 2007).

Een professional heeft kennis van de mens met een verstandelijke beperking, van de context waarin deze leeft en van methoden en technieken die ingezet worden om hem in die context te begeleiden en ondersteunen. Deze kennis vormt de basis van het handelen.

Belangrijke professionele vaardigheden zijn communiceren op het niveau van de mens met de verstandelijke beperking en écht luisteren naar hem en de mensen uit zijn sociale netwerk. Je moet in staat zijn om een balans te vinden tussen het bewaken van zijn autonomie enerzijds en hem beschermen anderzijds. Soms moet je creatief zijn in het bedenken van oplossingen. Je moet zelfstandig kunnen werken, maar ook goed kunnen samenwerken. Ten slotte is het belangrijk dat je vaardig bent in het bewaken van je eigen grenzen en die van de verstandelijk beperkte mens.

Een professionele houding kenmerkt zich door je kennis en vaardigheden, gecombineerd met je intuïtie en je persoonlijkheid. Je bejegent je cliënt respectvol, wil en kan je in hem verplaatsen, bent empathisch, aanvaardt en respecteert de cliënt, doet aan kritische zelfreflectie en wil zoeken naar de betekenis van gedrag.

Dilemma's
Als professional heb je in je werk met verstandelijk beperkten te maken met een aantal kernopgaven. Kernopgaven zijn keuzes en dilemma's die kenmerkend zijn voor het werk en die je voor moeilijke, soms bijna onmogelijke keuzes stellen. Van jou wordt verwacht dat je, in samenspraak met anderen, een afweging maakt om tot een goede keuze te komen. De volgende kernopgaven zijn van belang in het werken met deze doelgroep (VGN, 2009).

- Omgaan met (verschillende) normen en waarden van de cliënt, het cliëntsysteem, de organisatie en de eigen, professionele zienswijze, normen en waarden. Normen en waarden kunnen tegen elkaar indruisen of zelfs onverenigbaar lijken. Van jou wordt verwacht dat je je bewust bent van de invloed van je eigen waarden en normen en dat je komt tot een oplossing waarin iedereen zich zo goed mogelijk kan vinden.
- Vasthouden aan afspraken in het (begeleidings)plan versus flexibel omgaan met een veranderende cliëntvraag. Dat betekent dat je goed moet doorvragen of een vraag eenmalig of structureel is, en of een vraag echt van de cliënt komt of is ingefluisterd door anderen en of op grond hiervan het (begeleidings)plan veranderd moet worden.

- Begeleiden versus overnemen van taken en verantwoordelijkheden. Verwacht wordt onder meer dat je kijkt naar de draagkracht, de draaglast en het draagvlak van de verstandelijk beperkte mens als het gaat om taken en verantwoordelijkheden.
- Betrokkenheid versus distantie. Betrokkenheid is noodzakelijk, maar soms ben je zo betrokken bij de cliënt dat je over je eigen professionele grenzen gaat. Dit heeft een negatief effect op het ondersteuningsproces.
- Werkzaamheden zelf uitvoeren versus inschakelen van anderen. Je weet tot waar jouw taken en verantwoordelijkheden reiken en wanneer anderen deze van je moeten overnemen als de grenzen van je werkgebied of je kunnen worden overschreden. Je kunt dan bijvoorbeeld een andere discipline inschakelen binnen de organisatie waar je werkt.
- Individueel belang versus groepsbelang. De behoeften en vragen van de individuele mens zijn uitgangspunt. Wanneer die botsen met de behoeften van de groep waarin de cliënt leeft, zul je als professional hierin een goede afweging moeten maken.
- Belangen van de cliënt en de betrokkenen versus (financiële) mogelijkheden van de organisatie die hulp of ondersteuning biedt. Bij deze kernopgave gaat het erom dat je een goede afweging kunt maken tussen de wensen van de cliënt met de verstandelijke beperking en de mogelijkheden, beperkingen en uitgangspunten van de organisatie. Je moet in staat zijn om die afweging ook in complexe, niet-routinematige omstandigheden te maken.
- Bevorderen van de autonomie versus garanderen van de veiligheid. Bij het vergroten van de zelfstandigheid van de verstandelijk beperkte mens moet je kunnen inschatten wat wel en niet kan en welk risico wel of niet genomen kan worden. Ook in complexe situaties zul je deze grens moeten kunnen bewaken.
- Beroep doen op mensen die de cliënt ondersteunen versus inschakelen van professionele ondersteuning. Je zult moeten aftasten in hoeverre mensen uit het sociale netwerk van de verstandelijk beperkte mens in staat zijn een actieve rol op zich te nemen of dat professionele ondersteuning nodig is.
- Vraaggericht werken versus zelf invullen bij bemoeilijkte communicatie. Je werkt in voortdurende dialoog met de cliënt om helder te krijgen wat zijn vragen en behoeften zijn. Wanneer de communicatie wordt bemoeilijkt door bijkomende beperkingen, is het aan jou om zijn vragen en behoeften toch boven tafel te krijgen.

255

Het mag duidelijk zijn dat het werken als professional met deze doelgroep veel uitdagingen biedt. Je hebt niet alleen met de mens met de verstandelijke beperking te maken, maar werkt ook nauw samen met de mensen uit zijn directe omgeving en andere disciplines. Je bent als professional voortdurend op zoek naar balans. Dat houdt het werk spannend en afwisselend en het verveelt nooit!

8.8 Besluit

Nu je op de hoogte bent van veel verschillende aspecten van het werken met verstandelijk beperkte mensen, is het aan jou om een keuze te maken. Zie je jezelf als jobcoach of casemanager? Of zie je jezelf als groepsbegeleidster, net als Sanne, van wie aan het begin van dit hoofdstuk een dagboekfragment staat?

In het contact met de mensen met een verstandelijke beperking zet je jezelf in als middel om iets te bereiken. Dat betekent dat je voortdurend reflecteert op je persoonlijk functioneren en je beroepsmatig handelen. Reflectie betekent letterlijk 'weerspiegeling': je houdt jezelf als het ware een spiegel voor om zo stil te staan bij hoe je werkt, welke keuzes je daarbij maakt, welke vaardigheden je inzet en hoe dat voelt. Onderstaand vind je een aantal reflectieve vragen die je kunnen helpen bij je overweging om te kiezen voor het werken met deze doelgroep:
- op welke manier verplaats jij je in de belevingswereld van de cliënt?
- ben je in staat de waarden en normen van de cliënt voorrang te verlenen, ook als die indruisen tegen die van jou zelf?
- zie je het jezelf doen: enerzijds meebewegen met de cliënt en anderzijds hem confronteren als dat nodig is? Wat doe je dan?
- kun je jouw eigen grenzen en die van de cliënt bewaken? Op welke manier doe je dat?
- in hoeverre ben je in staat jezelf en de cliënt vragen te stellen, te concretiseren en door te vragen om erachter te komen wat die cliënt écht wil?
- wat lijkt je leuk en niet leuk aan het werken met mensen met een verstandelijke beperking?

- wat heb jij nog te leren als je met deze mensen gaat werken?
- wat kun jij van hen leren?

Meer informatie over verstandelijk beperkten is te vinden in de romans *Dier en engel* van Hannes Meinkema en *Is er hoop* van Renate Dorrestein. Er bestaat ook een prachtig fotoboek: *De Upside van Down. Een positieve kijk op het Downsyndroom* van Eva Snoijink. Geschikte studieboeken staan in de literatuurlijst aan het eind van dit hoofdstuk.

Uit het dagboek van groepsbegeleidster Sanne
De vakantie zit erop en het was superleuk! Tjonge, wat een energie hebben die bewoners van ons. We hebben veel gezien en gedaan en heerlijk genoten. Met Bas ging het gelukkig goed. We hebben zo veel mogelijk een vast dagritme aangehouden: 's morgens om 8.30 uur opstaan, vaste etenstijden en vaste bedtijden. Na het ontbijt bespraken we steevast met elkaar wat we die dag gingen doen, zodat hij wist wat er te gebeuren stond. Ik ben zijn vaste aanspreekpunt geweest in deze vakantie en halverwege de vakantie hebben we gebeld met zijn moeder. En verder? Verder hebben we veel ijs gegeten en veel geld uitgegeven – te veel!

Vragen en opdrachten

1 'De context/omgeving is medebepalend voor de mate van de beperking: hoe minder de omgeving wordt begrepen door de persoon met een verstandelijke beperking, hoe groter de beperking.' Als jij in contact komt met iemand met een verstandelijke beperking, in hoeverre doe jij dan écht moeite om die persoon te begrijpen? Wat zou je kunnen doen om die persoon (nog) beter te begrijpen?
2 Mensen met een verstandelijke beperking worden ook wel 'mensen met mogelijkheden' genoemd. Waar ligt voor jou de grens van wat mogelijk is ten aanzien van deelname aan de samenleving op het gebied van wonen en werken?
3 Bespreek met elkaar de volgende stelling: Iedereen heeft het recht om kinderen te krijgen, dus ook mensen met een verstandelijke beperking.
4 Stel dat jij als zorgconsulent wordt ingeschakeld in de casus 'de zorg voor Jorine drukt zwaar op het gezin'. Werk uit in een concreet plan hoe jij deze situatie aan zou pakken.

5 Wanneer je als professional aan het werk gaat, wordt van je verwacht dat je methodisch handelt. Onderzoek in hoeverre jij methodisch handelt ten aanzien van het maken van huiswerkopdrachten voor je studie.
   Beantwoord onderstaande vragen eerst individueel en bespreek de antwoorden daarna met medestudenten. Geef elkaar kritische feedback over de aanpak die ieder heeft.
   a Ga je bij het maken van huiswerkopdrachten (maak- en leeropdrachten) methodisch te werk? Illustreer dit met een voorbeeld.
   b Welke voornemens ter verbetering heb je? Formuleer een concreet werkdoel om de verbeteringen te realiseren.
   c Wanneer en met wie evalueer je of de wijze waarop je het doel wilt bereiken wel de goede is?
6 Als professional wordt van jou verwacht dat je je kunt verplaatsen in de ander. Verplaatsen in de ander doe je door goed te luisteren, te kijken, te letten op verbale en non-verbale uitingen, de sfeer te proeven, door te vragen, mee te leven, je eigen (voor)oordelen los te laten, enzovoort. Ben jij hiertoe in staat? Vinden de mensen uit jouw directe omgeving dat jij hiertoe in staat bent? Illustreer dit met een aantal voorbeelden.

Literatuur

Arensbergen, C. van & S. Liefhebber (2005). *Landelijk competentieprofiel beroepskrachten primair proces gehandicaptenzorg.* Utrecht: NIZW/Beroepsontwikkeling.

Bassant, J. & S. de Roos (red.) (2003). *Methoden voor sociaal-pedagogisch hulpverleners.* Bussum: Coutinho.

Borthwick-Duffy, S. et al. (2002). *User's Guide Mental Retardation: Definition, Classification and Systems of Supports.* Washington: AAIDD.

Coolen, G. (2009). *MEE-signaal. Trend- en signaleringsrapportage.* Utrecht: MEE Nederland.

Dorrestein, R. (2009). *Is er hoop.* Amsterdam: Contact.

Flikweert, D. & M. Kersten (2007). *De professionele gehandicaptenzorg. In dialoog werken aan kwaliteit van bestaan.* Utrecht: VGN.

Hermsen, P. et al. (2007). *Mensen met een verstandelijke beperking.* Twello: Van Tricht.

Lohuis, G. et al. (2008). *Van bemoeizorg naar groeizorg. Methodieken voor de OGGZ.* Groningen/Houten: Wolters-Noordhoff.

Mans, I. (2004). *Zin der zotheid. Vijf eeuwen cultuurgeschiedenis van zotten, onnozelen en zwakzinnigen.* Amsterdam: SWP.

Meinkema, H. (1996). *Dier en engel.* Amsterdam: Contact.

Nijgh, L. & A. Bogerd (2007). *Basisboek ondersteuning aan mensen met een verstandelijke beperking*. Soest: Nelissen.

Profilering sociaal-agogische opleidingen (2008). Amsterdam: SWP.

Schalock, R.L & A.Verdugo (2002). *Handbook on quality of life for human service practitioners*. Washington: AAIDD.

Sectorraad HSAO (2008). *Vele takken, één stam. Kader voor de hogere sociaal-agogische opleidingen*. Amsterdam: SWP.

Siepkamp, P. van de (2005). *Gentle Teaching. Een weg van hoop voor mensen met bijzondere kwetsbaarheden*. Soest: Nelissen.

Snoijink, E. (2008). *De Upside van Down. Een positieve kijk op het Downsyndroom*. Houten: Het Spectrum.

VGN (2009). *Beroepscompetentieprofiel voor professionals met een hogere functie (niveau D) in het primaire proces van de gehandicaptenzorg*. Utrecht: VGN.

Websites

- www.gentleteaching.nl
- www.gjvw.nl
- www.meenederland.nl
- www.speciaalonderwijs.kennisnet.nl
- www.thomashuizen.nl

9 Iedereen vraagt waar ik vandaan kom, en direct daarna wanneer ik weer terugga
Etnische groepen

Zo zijn onze manieren

Over de Hollandse goede manieren kunnen we kort zijn. Zelf geloven de cloggies dat hun manieren verfijnd zijn, maar een oplettende vreemdeling merkt daar op het eerste gezicht bar weinig van. Als u het gevoel hebt dat u vastzit in horkenland, bent u niet de enige. U hebt grote moeite met de scherpe tong en het gebrek aan subtiliteit, maar de cloggies zien dat als een bewijs van oprechtheid en rechtschapenheid omdat u precies weet waar u aan toe bent.

Bron: *The Undutchables*

In hun boek *The Undutchables* doen de Amerikaan Colin White en de Brit Laurie Boucke verslag van hun belevenissen met de *cloggies*, waarmee ze Nederlanders bedoelen. Zij vinden de Nederlander bot, en gruwen van de manier waarop ze de afwas doen: in een groezelig sopje, zonder de zeepresten af te spoelen. Dit gekoppeld aan het 'éne koekje bij de thee' schetst het beeld van de Nederlander als een botte, onhygiënische gierigaard. Maar weinig Nederlanders zullen zich hierin herkennen. Hetzelfde risico lopen we wanneer we etnische groepen gaan beschrijven in de Nederlandse samenleving. Misschien zullen maar weinig leden van deze groepen zichzelf herkennen, want wat voor groepen geldt, geldt niet altijd voor het individu. Ik hoop dat je met dit in het achterhoofd aan dit hoofdstuk zult beginnen!

9.1 Inleiding

Etniciteit is een sociaal-culturele identiteit die een groep mensen verbindt die zich identificeren met een gemeenschappelijk erfgoed, zoals nationaliteit, religie, taal, cultuur en geschiedenis. Het woord komt van het Grieks *ethnos* (volk).

Entre les murs

Entre les murs is een docudrama waarin Laurent Cantet een multiculturele middelbareschoolklas in een Parijse probleemwijk volgt. De docent ziet de problemen in zijn klas als gevolgen van persoonlijke verschillen en houdt geen rekening met cultuurverschillen. Dat blijkt bijvoorbeeld wanneer de Malinese Souleyman als egodocument een foto van zijn moeder inlevert – die zich zichtbaar tegen de foto verzet. Als dit egodocument in verband gebracht wordt met het in de klas veelgebruikt begrip 'respect', ziet de docent het als een blijk van respect voor hem als docent. Voor Souleyman is het echter in de eerste plaats een uiting van respectloosheid jegens zijn moeder. Aan het eind van de film lopen de problemen tussen klas en docent flink uit de hand.

Dé Hindoestaan

In een gastles aan een opleiding Sociaal Werk kreeg ik een casus voorgelegd waarin de Hindoestaanse meneer Ram na ontslag voor controle op de polikliniek kwam. Hij kreeg medicijnen tegen diabetes type 2. Omdat zijn bloedsuiker te hoog was, vermoedde de arts dat hij de medicijnen niet innam. Daarop werd een maatschappelijk werker ingeschakeld.
Ik vertelde over Hindoestanen in het algemeen, over therapietrouw en over het feit dat niet iedereen begrijpt dat sommige medicijnen langdurig moeten worden ingenomen. Heeft meneer Ram de uitleg wel begrepen?
Na afloop kreeg ik van een van de studenten de opmerking: 'Een leuk verhaal, maar nu weten we nóg niet hoe je dat bij een Hindoestaan moet aanpakken.' Mijn antwoord was een variatie op Máxima: 'Dé Hindoestaan bestaat niet.'

De opdracht een egodocument te maken in het kader 'Entre les murs' is een typisch westerse opdracht, waar Souleyman zich waarschijnlijk geen raad mee weet. Hij zet het respect voor zijn moeder opzij om te voldoen aan de opdracht van zijn docent.

Hoe voorkomen we dit soort situaties? Moeten we dan voor elke migrantengroep een eigen methodiek ontwikkelen? Het kader 'Dé Hindoestaan' geeft aan dat dat niet wenselijk is. Abraham Maslow zei eens: 'Als je alleen een hamer hebt, bestaat de neiging elk probleem als een spijker te zien.' Het is dus de kunst om met kennis over andere culturen in het achterhoofd oog te blijven houden voor de individualiteit van een cliënt.

Aandachtspunten bij het werken met mensen uit andere culturen:
- Om welke cultuur gaat het? Heb je enig inzicht in die cultuur?
- Leven in twee culturen is niet altijd gemakkelijk. Hoe gaan mensen om met hun dubbele culturele identiteit?
- In de westerse wereld wordt vaak expliciet gecommuniceerd, mensen uit andere culturen vinden dat vaak bot. Zij communiceren implicieter. De communicatie staat dan meer in het teken van de relatie.
- Houd rekening met begrippen als 'eer', 'trots' en 'respect'.
- In westerse culturen ligt de nadruk op het individu, terwijl in veel niet-westerse culturen het individu vooral gezien wordt als lid van een groep. Deze wij-cultuur staat soms haaks op de individualisering binnen de westerse samenleving.
- In veel niet-westerse culturen is de scheiding tussen ingroep en uitgroep sterker dan in de westerse cultuur.
- Vaak is er sprake van een onderwijsachterstand, door taalproblemen of bij een laag opleidingsniveau van de ouders of van de migrant zelf.
- Voor veel migranten is het vinden van een stageplaats of baan niet eenvoudig.
- Migranten zijn nauwelijks vertegenwoordigd in patiëntenorganisaties, cliëntenraden of belangenorganisaties. Mogelijk hebben zij onvoldoende kennis van organisaties en hun rechten en plichten als cliënt. Wat de oorzaak ook is, een goede zorg is alleen te garanderen als cliënten weten wat ze kunnen verwachten en wat er van hen verwacht wordt.

Wat leer je in dit hoofdstuk?
Na bestudering van dit hoofdstuk weet je meer over:
- cultuurverschillen en de invloed daarvan op de communicatie;
- verschillende etnische groepen, zoals arbeidsmigranten, mensen afkomstig uit onze voormalige koloniën, vluchtelingen en asielzoekers, woonwagenbewoners en andere rondtrekkende bevolkingsgroepen zoals Roma en Sinti;
- de problematiek die je bij bovenstaande groepen kunt tegenkomen;
- het feit dat werken met mensen uit andere culturen soms een andere attitude vereist.

Waarover zet dit hoofdstuk je aan het denken?
Na bestudering van dit hoofdstuk besef je:
- dat overal sprake is van diversiteit en niet alleen bij etnische groepen;
- dat veel migranten in een slechte sociale en financiële situatie verkeren;
- dat westerse methodieken niet altijd toereikend zijn bij het werken met etnische groepen.

263

9.2   De doelgroep: wat zijn etnische groepen?

'Twee zielen wonen in mijn borst.'

Bron: Goethe (1749-1832), *Faust*

Als sociaal werker kom je in aanraking met mensen uit verschillende etnische groepen: arbeidsmigranten, mensen afkomstig uit onze voormalige koloniën, vluchtelingen, asielzoekers, woonwagenbewoners (reizigers) en Sinti en Roma (zigeuners). Om met deze groepen te kunnen werken, moet je op de hoogte zijn van hun achtergronden: waarom zijn zij of hun familie naar Nederland gekomen, wat is hun cultuur, wat is hun positie in de Nederlandse maatschappij en wat zijn de problemen waar ze tegenaan lopen? Ook moet je rekening houden met mogelijk andere wijzen van communicatie.

Cultuurtypen en communicatie

'Het is aldus met de meesten van ons: wij zijn wat andere mensen zeggen dat wij zijn. Wij kennen onszelf voornamelijk van horen zeggen.'

Bron: Eric Hoffer (1902-1983)

Eigenlijk is bij elk contact sprake van cultuurverschil, zelfs bij mensen met in grote trekken dezelfde culturele achtergrond. Niet iedereen is immers op dezelfde wijze gesocialiseerd! De tabellen hieronder zijn onder andere gebaseerd op het werk van David Pinto. Ze geven een stramien waarin mensen niet zomaar te plaatsen zijn. Wel kunnen ze een aanzet zijn om mensen beter te begrijpen. Dus niet: 'Zo zijn ze dus!', maar: 'Misschien speelt dat cultuurelement een rol.' Daarbij moet je steeds oog hebben voor ieders individuele eigenschappen. Als een Afrikaan te laat komt, ben je wellicht geneigd dat toe te schrijven aan de losse omgang met afspraken in bepaalde delen van Afrika. Maar misschien was zijn wekker wel kapot! Velen zullen zich soms in de linkerkant van de figuur hieronder herkennen en soms in de rechterkant. Ga eens na hoe dat bij jou is.

Cultuurtypen

Fijnmazige cultuur (wij-cultuur)	Grofmazige cultuur (ik-cultuur)
Komt vooral voor in pre-industriële gebieden.	Komt vooral voor in westerse culturen.
Het 'ik' is ondergeschikt aan de groep.	Het 'ik' is zelfstandig.
Rolpatronen zijn belangrijk.	Rolpatronen worden niet gewaardeerd.
Bij falen overheerst de schaamte.	Bij falen overheerst het schuldgevoel.
De groepseer staat voorop. Respect is belangrijk.	Persoonlijk succes is belangrijker dan groepseer.
Vrouwen zijn de zwakke schakel in de groepseer.	Vrouwen kunnen zich zelfstandig ontplooien.
Duidelijke scheiding mannen- en vrouwenwereld.	Geen scheiding tussen mannen- en vrouwenwereld.
Eetcultuur.	Drankcultuur.
Hulpverlening op basis van uitwisseling van diensten en goederen binnen de ingroep.	Hulpverlening geprofessionaliseerd. Je hoeft niets terug te doen.
Wat je niet ziet, is er niet.	Feiten zijn feiten.
Sociaal wenselijke antwoorden.	Slechtnieuwsgesprek.
Sociale controle.	Controle door derden.

Vormen van communicatie

Impliciete communicatie	Expliciete communicatie
Komt vooral voor in pre-industriële gebieden.	Komt vooral voor in westerse culturen.
De communicatie zegt iets over de relatie die je met de ander hebt. Eerlijkheid heeft met eer te maken.	De communicatie vindt plaats op inhoudsniveau. Eerlijkheid heeft te maken met de werkelijkheid.
De vorm is belangrijker dan de inhoud.	De inhoud is belangrijker dan de vorm.

Bij impliciete communicatie kunnen we dus niet altijd uitgaan van de letterlijke inhoud. Om het gezegde te begrijpen moeten we kennis hebben van de spreker, de groep waartoe hij behoort en de context waarin

gesproken wordt. Impliciete communicatie maakt vaak gebruik van metaforen: 'Een goede vader geeft zijn zoon laarzen en vleugels': je moet je
kind geborgenheid geven (laarzen), maar ook de kans om zich te ontplooien (vleugels).

Impliciete communicatie komt niet alleen voor in niet-westerse culturen. Ook het Nederlands kent metaforen die anderstaligen voor raadsels
stellen: 'We zullen dat varkentje wel eens wassen' of 'Ik wil met u in zee
gaan.' Impliciete codes zijn gemakkelijker te begrijpen als men communiceert met cultuurgenoten.

Arbeidsmigranten

'Wij blijven hier in Nederland, dit nieuwe bittere vaderland'

Bron: Papatya Nalbantoğlu (1981)

Migranten zijn mensen die over landsgrenzen trekken om zich voor langer dan een jaar elders te vestigen. Vanuit het perspectief van het ontvan-
gende land is een migrant een 'immigrant', gezien vanuit het herkomst-
land is hij een 'emigrant'.

Er zijn verschillende categorieën migranten: asielmigranten, arbeidsmigranten, renteniers, studenten, huwelijksmigranten en gezinshereni-
gers. Migranten uit EU-landen hebben een betere rechtspositie dan migranten uit niet-EU-landen.

Geschiedenis
Nederland heeft een lange geschiedenis van immigratie. Met name vanaf het einde van de zestiende eeuw kwamen hier vluchtelingen naartoe:
protestanten uit de Zuidelijke Nederlanden, Joden uit Spanje en Portu-
gal en hugenoten uit Frankrijk. Duitsers en Scandinaviërs kwamen op
zoek naar werk. In de negentiende en het begin van de twintigste eeuw
kwamen arbeidsmigranten vooral uit buurlanden: Duitse marskramers
werden grondleggers van warenhuizen als de Winkel van Sinkel, C&A en
V&D. Er waren buitenlanders in dienst van het Nederlandse koloniale leger en Belgische arbeiders legden Nederlandse wegen en dijken aan. Me-
nig gezin had een Duitse dienstbode, Italianen werkten als muzikant, ijs-
bereider of terrazzowerker en uit Polen en Slovenië kwamen mijnwerkers
naar ons land.

Vanwege het tekort aan laaggeschoolde arbeidskrachten halverwege
de vorige eeuw begon men met het aantrekken van nog meer buitenland-
se werknemers: aanvankelijk uit Spanje en Italië, later vooral uit Turkije

en Marokko. Veel Spanjaarden en Italianen keerden terug naar hun vaderland, terwijl bij Turken en Marokkanen vaak sprake was van een meer permanente migratie en zij vaak hun gezin lieten overkomen. De laatste tijd groeit de arbeidsmigratie uit voormalige Oostbloklanden, bijvoorbeeld uit Polen.

Waar waren we zonder migranten?
Kennis van de Nederlandse migratiegeschiedenis en de betekenis daarvan voor de Nederlandse samenleving en cultuur is geen gemeengoed. In de debatten over nieuwkomers in de Nederlandse samenleving wordt vaak de indruk gewekt dat migratie in deze omvang een volstrekt nieuw verschijnsel is. Slechts een enkeling weet dat Nederland in 1914 een miljoen Belgische vluchtelingen herbergde. Nog minder mensen weten dat rond 1600 bijna een derde van de Amsterdamse bevolking in Duitsland was geboren. Zonder die migranten had de bloeitijd van de Nederlandse Republiek er heel anders uitgezien.
Bron: www.migranteninnederland.nl

Aandachtspunten bij het werken met Turkse en Marokkaanse migranten:
- Wederzijds onbegrip kan conflicten tussen groepen in de samenleving veroorzaken.
- De religieuze traditie waarin men is opgegroeid, is vaak bepalend voor hoe men in de Nederlandse samenleving staat.
- Het is niet eenvoudig te onderscheiden of een bepaald gedrag met iemands culturele of godsdienstige achtergrond samenhangt of een individuele basis heeft.
- Bij het binnengaan van een woning is het vaak gebruikelijk de schoenen uit te doen.
- De Turkse gemeenschap heeft soms moeite met minderheidsgroepen uit het eigen land, zoals Koerden en Alevieten.
- De man is vaak degene die het gezin in de buitenwereld vertegenwoordigt.
- In huis is de vrouw verantwoordelijk, tenzij een vreemde het huis betreedt.
- Als kinderen te westers zijn in de ogen van hun ouders, kan dit generatieconflicten opleveren.
- Vrouwen en meisjes vertegenwoordigen vaak de eer van de familie. Als zij zich slecht gedragen in de ogen van de ingroep, kunnen ze uitgestoten worden en soms zelfs vermoord worden (eerwraak).

- Veel arbeidsmigranten menen dat ze in huis verantwoordelijk zijn voor het gedrag van hun kinderen, maar dat buiten de sociale controle en de politie moeten zorgen dat hun kinderen zich goed gedragen.
- Er komen gearrangeerde huwelijken voor.
- Een directe manier van communicatie kan als bot ervaren worden.
- Communicatie heeft vaak met 'eer' te maken. Een leugentje om bestwil kan dan dienen om de relatie goed te houden.

Aandachtspunten bij het werken met migranten uit de voormalige Oostbloklanden:
- Oost-Europese arbeidsmigranten hebben soms te maken met malafide uitzendbureaus.
- Soms wordt men in kleine, maar dure woonruimte gehuisvest.
- Vaak worden deze migranten als concurrenten op de arbeidsmarkt gezien.

Migranten uit de voormalige koloniën

'Nederland was voor mij een sprookjesland waar alles mogelijk was.'

Hier gaat het om mensen afkomstig uit het voormalig Nederlands-Indië, Suriname en de Antillen.

Migranten uit voormalig Nederlands-Indië
Indische Nederlanders kwamen na de Tweede Wereldoorlog naar ons land. Zij waren vaak afkomstig uit relaties tussen Nederlandse kolonialen en Indonesische vrouwen. Ook kwamen hier Javanen, Balinezen, Indo-Chinezen en Molukkers, ieder met hun eigen cultuur, naartoe. Er wonen in Nederland circa 406.947 Indische Nederlanders en 50.000 Molukkers. De meeste Molukkers kwamen in 1951, toen het KNIL opgenomen werd in het Indonesische leger. De Molukkers werden in kampen opgevangen en hoopten ooit terug te keren zodra de republiek der Vrije Molukken zou worden uitgeroepen. Op 17 augustus 2009 verklaarde de nieuwe president van de Molukse regering in ballingschap John Wattilete bereid te zijn af te zien van het streven naar een eigen staat. Hij ziet meer in een vorm van autonomie, naar het voorbeeld van Atjeh.

Aandachtspunten bij het werken met migranten uit voormalig Nederlands-Indië:

- De meesten van hen zijn volledig geïntegreerd in de samenleving.
- Ouderen hebben vaak een verleden in Japanse interneringskampen. Velen strijden nog voor erkenning hiervan.
- De opvang van de Indische Nederlanders gebeurde niet altijd met respect. Een vrouw vertelt: 'Ik moest stamppot leren maken en mijn kinderen moesten opnieuw gedoopt worden.'

Migranten uit Suriname

Een groot deel van de 329.430 Surinamers in ons land kwam als rijksgenoot en heeft dus de Nederlandse nationaliteit. Na de onafhankelijkheid in 1975 kwamen Surinamers om politieke of economische redenen naar Nederland, sinds 1980 is alleen familiehereniging mogelijk. Nederlandse Surinamers weerspiegelen de multiculturele samenleving van Suriname. Indianen vormen de oorspronkelijke bevolking, creolen zijn nakomelingen van Afrikaanse slaven en boslandcreolen stammen af van gevluchte slaven. Na afschaffing van de slavernij (1863) werden contractarbeiders uit India, China en het toenmalig Nederlands-Indië geworven. Nakomelingen van contractarbeiders uit India zijn de Hindoestanen en daarnaast zijn er Surinaamse Chinezen en Javanen. Elke groep heeft zijn eigen cultuur en religie.

Aandachtspunten bij het werken met migranten uit Suriname:

- Surinamers vormen een groep met een zeer uiteenlopende culturele en religieuze achtergrond.
- Surinamers worden vaak aangezien voor crimineel. Uit onderzoek van John Schuster (1999) blijkt dat, hoewel de Surinaamse bevolkingsgroep grotendeels bestaat uit jonge mannen, ze niet crimineler is dan andere bevolkingsgroepen.
- Naast christendom, islam en hindoeïsme kan de wintireligie een rol spelen.

Migranten van de Antillen

Van de 130.538 Antilianen en Arubanen in ons land komen de meesten van Curaçao. Aanvankelijk kwamen ze voor studie en ze bleven daarna vaak in Nederland. In de jaren zestig ontstond op de Antillen werkloosheid, doordat de olieraffinaderijen Shell en Exxon minder mensen nodig hadden. Omdat ze een Nederlands paspoort hebben, zochten velen werk in Nederland. Niet alle Antilliaanse jongeren doen het goed in ons land. Ze zijn vaak laagopgeleid en zorgen in de grote steden soms voor overlast.

Aandachtspunten bij het werken met migranten van de Antillen en Aruba:

- Gezinsverbanden zijn op de Antillen zeer hecht. Doordat veel jonge-ren hier weinig familie hebben, kunnen ze ontworteld raken.
- Er is relatief veel criminaliteit onder jonge mannen.
- Men voelt zich vaak gediscrimineerd.

Vluchtelingen en asielzoekers

'Iedereen vraagt waar ik vandaan kom, en direct daarna wanneer ik weer terugga.'

Volgens de Vreemdelingenwet is een vluchteling iemand die uit gegron-de angst voor vervolging wegens ras, godsdienst, nationaliteit, politieke overtuiging of het behoren tot een bepaalde sociale groep zich buiten het land bevindt waarvan hij de nationaliteit bezit, en die de bescherming van dat land niet kan of uit angst niet wil inroepen. Asielzoekers zijn mensen die om uiteenlopende redenen hun land hebben verlaten om elders asiel aan te vragen. Het gaat om mensen met verschillende soorten statussen. Dat schept onduidelijkheid.

Wereldwijd zijn ongeveer 19 miljoen mensen op de vlucht. Het aantal vluchtelingen in Nederland wordt op 140.000 geschat. Waar ze vandaan komen, wordt vooral bepaald door oorlogs- en crisissituaties. De mees-ten kwamen de afgelopen jaren uit Irak, Iran, Afghanistan, Oost-Europa,

Somalië, Soedan, Sierra Leone en Angola. Een aparte groep vormen de zogenoemde ama's. Deze alleenstaande minderjarige asielzoekers komen vaak uit de Hoorn van Afrika (Ethiopië, Eritrea) en China.

Aantal asielzoekers in 2008

Totaal aantal asielzoekers in 2008	13.400
Irakezen	38%
Somaliërs	29%
Chinezen	4%
Afghanen	3%
Iraniërs	2%
Diverse andere landen	24%

Een eerste ervaring met de doelgroep

(Casus 1) Als beginnend MWD'er begeleid ik een Chinese ama. De slangenkoppen (mensensmokkelaars) brachten haar naar Moskou, en over die tijd wil ze alleen kwijt dat ze zwanger werd. Als zwangere zestienjarige kwam ze in Nederland en werd opgevangen in een KWE. De verloskundige liet haar bij haar thuis bevallen. Ook kreeg ze steun van landgenootjes in dezelfde situatie. Ik help haar bij het invullen van formulieren en contacten met instanties. Ik vind het vervelend dat ik steeds cadeaus van haar krijg: van Chinese taartjes tot dure parfums en kleding. Ook al zeg ik dat ik dat niet mag aannemen, ze blijft ermee doorgaan.

De verzuchting over cadeaus in casus 1 is herkenbaar en heeft wellicht te maken met de achtergrond van de besproken ama. In veel landen is hulpverlening niet geprofessionaliseerd en berust op het uitwisselen van diensten en goederen. Bovendien is het in China weliswaar verboden, maar niet ongebruikelijk om in ruil voor een voorkeursbehandeling een envelop met geld te overhandigen.

Haile laat het breed hangen

(**Casus 2**) Haile vluchtte uit Ethiopië naar Nederland, omdat hij als Eritre-er door Ethiopië dreigde uitgezet te worden. Hij zou in het leger moeten vechten tegen zijn voormalige landgenoten in de oorlog van 1992.

Zodra hij een paspoort heeft en het voor hem veilig is, gaat Haile zijn (inmiddels gedeporteerde) familie in Eritrea opzoeken. Hij heeft gespaard en zich in de schulden gestoken om voor iedereen cadeaus te kunnen kopen. Bij terugkomst is hij teleurgesteld: de mensen verwachtten zoveel van hem. Allerlei familie, vrienden en kennissen kwamen hem kippen brengen, in de hoop geld van hem te krijgen. 'Op het laatst vluchtte ik al als ik iemand met een kip in de tas zag.' Hij zegt voorlopig niet weer naar zijn familie te gaan.

Haile in casus 2 is niet de enige: veel migranten werken de hoge verwachtingen van hun familie zelf in de hand. Als zij naar het land van herkomst gaan, willen ze niet de indruk wekken het in Nederland 'niet gemaakt te hebben'. Door op te scheppen over hun positie en het geven van dure cadeaus proberen zij hun status te verbeteren. De familie weet niet dat veel vluchtelingen hier op het randje van de armoede leven.

Aandachtspunten bij het werken met asielzoekers:
- Het leven in twee culturen is niet gemakkelijk.
- Vluchtelingen hebben vaak traumatische ervaringen opgedaan tijdens hun vlucht en de periode die daaraan voorafging.
- Let op psychische problematiek als gevolg van heimwee en angst voor uitzetting.
- De hulpverlening in de opvang is onvrijwillig.
- De procedures zijn vaak ondoorzichtig.
- In een AZC moet men samenleven met mensen uit allerlei windstreken, vaak zelfs op één kamer. Dat geeft spanningen.
- Veel asielzoekers klagen over gebrek aan privacy.
- De onmogelijkheid om het eigen leven vorm te geven en keuzes te maken, kan psychische problemen veroorzaken.
- Asielzoekers die nog geen beschikking hebben of in de illegaliteit zijn gegaan, mogen niet werken of studeren. Dat kan ze depressief en passief maken.
- Asielzoekers zijn vaak hoogopgeleid en behoorden tot de gegoede burgerij. Ze hebben vaak alles achtergelaten of verkocht om hun vlucht te kunnen betalen.
- Vluchtelingen hebben vaak moeite met het vinden van stages of betaald werk.

- De integratie verloopt niet altijd gemakkelijk, vooral ouderen hebben moeite met het leren van het Nederlands.
- Er zijn vaak huisvestingsproblemen.
- Vrouwen uit de Hoorn van Afrika en het gebied onder de Sahara zijn vaak besneden. Meisjes worden soms op vakantie in het land van herkomst onder druk van de familie besneden.

Gevlucht uit Iran

(Casus 3) Ik kom uit Iran. Mijn vrouw Kadidja kan de situatie niet meer aan. Ze krijgt medicijnen tegen depressie. Mijn zoon Hassan is vier jaar. Hij spreekt het Farsi slecht, maar zijn Nederlands is ook niet goed. Ik kan zelf geen kleren voor hem kopen. Waarom mag ik geen geld verdienen? Het is vernederend om zakgeld te krijgen. In het centrum ontmoet mijn zoon allerlei mensen, sommigen drinken, anderen zijn agressief of gebruiken drugs. Hoe moet hij opgroeien?

Sociaal werkers zorgen voor ontspanning, er zijn avonden waarop gezongen of gedanst wordt. Ook organiseren zij avonden waar telkens een andere groep een maaltijd verzorgt uit het land van herkomst. Anderen geven informatie over de asielprocedure, maar ze hebben daar geen enkele invloed op. Ik wacht op een status, maar het kan nog jaren duren!

Reizigers (woonwagenbewoners)

'Het huis is prachtig, maar ik woon liever in een verrotte woonwagen.'

Nederland kent ongeveer dertigduizend bewoners van woonwagens of stacaravans in speciaal daartoe aangewezen centra. Deze centra worden 'kampen' genoemd, hiervan is de negatieve term 'kampers' afkomstig. Zelf noemen deze mensen zich 'reizigers', als tegenhanger van de 'burgers' (Nederlanders die in een huis wonen). De woonwagenbewoners zijn vaak nakomelingen van landarbeiders, kleine boeren en turfarbeiders die in de Industriële Revolutie rond 1850 werkloos werden en gingen rondtrekken op zoek naar werk als bijvoorbeeld handelsreiziger, stoelenmatter, scharenslijper of musicus. Woonwagenbewoners zijn vaak rooms-katholiek en de verering van Maria speelt in hun cultuur een belangrijke rol.

Geschiedenis

De Woonwagenwet van 1918 gaf reizigers het recht zich te vestigen op daarvoor bestemde plaatsen, mits ze geen strafblad hadden. Ook werd vastgelegd aan welke eisen een woonwagen moest voldoen. Hoewel de wet bedoeld was om het wonen in woonwagens te ontmoedigen, groeide het aantal woonwagenbewoners.

In 1968 moest een tweede Woonwagenwet een eind maken aan de achterstandspositie van de trekkende bevolking. Het rondtrekken werd verboden en er werden centra opgericht op afgelegen plekken. Ze waren voorzien van gas, elektra, riolering, recreatieve mogelijkheden en gezondheidszorg, maar werden vaak met een sloot omringd. De verhouding met de 'burgers' is vaak matig. 'Kampers' zijn in de ogen van de overige bevolking asociale criminelen, 'burgers' zijn in de ogen van de woonwagenbewoners burgermannetjes met oogkleppen op.

Huidige situatie
In 1999 werd de Woonwagenwet afgeschaft. Tegenwoordig is geen vergunning meer nodig om in een woonwagen te wonen en zijn gemeenten verantwoordelijk voor de woonwagencentra. Al na een jaar werd in het Besluit Beheer Sociale Huursector (BBSH) vastgelegd dat de woningcorporaties beheer, onderhoud en verhuur van woonwagens moesten regelen. Toch is het vaak onduidelijk wie nu eigenlijk verantwoordelijk is. Bekende voormalige woonwagenbewoners zijn Frans Bauer, Grad Damen en Rafael van der Vaart.

'Ik blijf zitten waar ik zit'
(Casus 4) Als maatschappelijk werker moet ik de bewoners van een woonwagenkamp voorbereiden op het sluiten van de locatie. Er zijn verschillende keren wietplantages ontmanteld op het kamp. Bovendien wil de gemeente het terrein voor nieuwbouw gebruiken. Veel bewoners zijn al vertrokken, maar een kleine groep wil niet weg en gruwt van het wonen in een benauwd stenen huis.
Bij het eerste bezoek zijn de bewoners vijandig: 'Voor alle minderheden wordt gezorgd, maar wij zijn altijd het zwarte schaap. Dat enkelen het verpesten voor de rest is toch niet onze schuld? Wij blijven zitten waar we zitten. Ze begrijpen niet dat we bij elkaar willen blijven. Waarom laten ze ons niet met rust?'
Ik besteed veel tijd aan kennismaking en het winnen van vertrouwen. Ik wil vanaf het eerste bezoek duidelijk maken dat ik eerlijk tegenover ze zal zijn. Ik leg de nadruk op het probleem en niet op personen. Ik leg alle afspraken vast op papier en geef dat ook aan de betrokkenen, zodat ze weten waar ze aan toe zijn.

Aandachtspunten bij het werken met reizigers:

- Als je een woonwagen binnengaat, is het beleefd om je schoenen uit te doen.
- Er is wantrouwen tussen instanties en woonwagenbewoners, maar ook tussen 'reizigers' en 'burgers'. Burgers zien woonwagenbewoners vaak als criminelen, terwijl de woonwagenbewoners de instanties vaak zien als bemoeials die hun levensstijl willen veranderen.
- Woonwagenbewoners wonen graag in groot familieverband. Doordat de kampen werden opgesplitst, werden families gescheiden.
- Omdat er minder standplaatsen zijn, is er voor jongeren vaak geen plek meer op de centra.
- Woonwagenbewoners worden vaak verward met zigeuners. In tegenstelling tot zigeuners hebben woonwagenbewoners meestal een Nederlandse achtergrond. Hun geschiedenis gaat terug tot circa 1850, in tegenstelling tot de eeuwenlange geschiedenis van de Roma en Sinti.

Roma en Sinti (zigeuners)

'Toen God de eerste zigeuner schiep
Speelde Gabriël de gitaar.
Daarom, als een zigeuner speelt
Dan luistert God ernaar.'

Bron: Werumeus Buning (1891-1958)

Roma en Sinti zijn nomadische volken die oorspronkelijk uit India kwamen. Het woord 'zigeuner' heeft vaak een negatieve bijklank en wordt door hen als discriminerend ervaren. Wereldwijd leven ongeveer tien miljoen Roma en Sinti, voornamelijk in Oost-Europa. In Nederland wonen er enkele duizenden, vooral in de zuidelijke provincies. Ze zijn opgedeeld in stammen, gebaseerd op de plek waar ze leven, hun gewoontes en hun taal. De meesten spreken Romanesj, een taal die lijkt op het Hindi dat in India gesproken wordt.

Vroeger woonden ze in tenten en huifkarren die door paarden werden getrokken. Deze werden later vervangen door woonwagens of caravans, getrokken door een auto. De wagens zijn vanbinnen en vanbuiten meestal blinkend schoon.

Roma en Sinti zijn erg religieus. Ze zijn katholiek, behoren tot een orthodoxe Kerk of de islam. Toch hielden ze ook hun eigen gewoontes en gebruiken vast en dragen zij vaak amuletten ter bescherming tegen het kwaad.

275

Roma en Sinti hebben een grote muzikale traditie; bekend is de legendarische Sinti-gitarist Django Reinhardt.

Aantallen Roma en Sinti in Nederland (2008)

Gemeente	Huishoudens	Personen
Amsterdam	51	400
Lelystad	50	300
Utrecht	54	400
Nieuwegein	50	400
Ede	28	168
Oldenzaal	14	50
Enschede	100	400
Den Bosch	35	150
Tilburg	40	200
Berkel-Enschot	6	30
Breda	10	50
Gilze-Rijen	8	42
Capelle a/d IJssel	17	90
Spijkenisse	30	150
Totaal	**463**	**2.830**

Bron: www.forum.nl

Waar komen ze vandaan?

Op een dag verdeelde God de aarde over de mensen. Maar de man die de zigeuners vertegenwoordigde, had zich achter Gods rug verstopt en kreeg dus geen land voor zijn volk. Daarom gingen de zigeuners zwerven over de aarde.

Rond het jaar 500 v.Chr. vroeg een Perzische koning aan India of dat land hem geen mensen kon leveren om hem te vermaken. Zo kwamen de zigeuners als muzikanten en acrobaten naar Perzië. Ze namen vee en koren mee, maar na een jaar was de voorraad op. Toen ze de koning om eten vroegen, werden ze weggestuurd. Sindsdien trekken ze zwervend rond. Er is een lied dat eindigt met de regel dat de zigeuners ooit terug zullen keren naar de oevers van de Indus.

Gewoonten

Roma en Sinti eten geen paardenvlees, omdat ze veel aan het paard te danken hebben.

Katholieke Roma en Sinti ondernemen jaarlijks een bedevaart naar Saintes Marie de la Mer in Zuid-Frankrijk. Op 24 en 25 mei herdenken ze daar de heilige Sara, de zwarte dienstmaagd van Maria.

Vroeger werden stervenden naar het open veld gedragen. Als iemand toch in de wagen stierf moest de wagen verbrand worden, want anders zou de geest in de woonwagen blijven. Bij het graf zong men klaagliederen die ter plekke werden bedacht.

Vrouwen dragen een wijde broek of rok, veel sieraden en om het hoofd een kleurige doek. Roma en Sinti zeggen dat een vrouw minstens tien kleuren in haar rok moet dragen.

Vooral oude vrouwen hebben verstand van kruidengeneeskunde.

Geschiedenis

Rond 1700 kwamen de eerste Roma en Sinti naar ons land. Aanvankelijk werden ze met open armen ontvangen, later werd men bang voor hen omdat ze over toverkrachten zouden beschikken. Velen van hen waren paardenhandelaar, mandenvlechter, muzikant, smid, waarzegger, jongleur of goochelaar. Soms moesten ze bedelen.

In de Tweede Wereldoorlog zijn ongeveer 400.000 Roma en Sinti door de nazi's vermoord. Uit Nederland verdwenen er 211, slechts 31 van hen overleefden de vervolging. Bekend is het Nederlandse Sinti-meisje Settela Steinbach. Zij werd gefilmd in de trein op weg naar een concentratiekamp: een meisje met hoofddoek dat tussen de deuren van een vertrekkende goederenwagon naar de camera kijkt.

Aandachtspunten bij het werken met Roma en Sinti:

- Als je een woonwagen binnengaat, is het beleefd om je schoenen uit te doen.
- De uitgebreide familie heeft grote invloed, vooral het stamhoofd.
- Er heerst een matriarchaat, dat wil zeggen dat het vooral oude vrouwen (*poeri dai*) zijn die de zaken regelen. Hou daar rekening mee als je afspraken wilt maken. Als er een cadeautje meegebracht wordt, wordt dit aan de poeri dai overhandigd.
- Bij ziekte wordt vaak gebruikgemaakt van kruidenmiddeltjes van de poeri dai.
- Zigeuners laten de burgergemeenschap niet gemakkelijk toe: woorden uit de Sinti-taal mogen bijvoorbeeld niet naar buiten komen.

277

- Er is een taboe op het tonen van foto's of ander beeldmateriaal van overledenen.
- Niet alle kinderen gaan naar school.
- Maak de Sinti of Roma van meet af aan duidelijk dat je uitgaat van een goede afloop en veronderstelt dat hij goede bedoelingen heeft.
- Spits de aandacht toe op het probleem, niet op de persoon.
- Sinti en Roma waarderen het zeer als je eerlijk bent.
- Leg afspraken vast op papier en geef dit ook aan de betrokkene.

9.3 Historisch overzicht

In de zestiende eeuw ving Nederland ongeveer 150.000 Belgen en 75.000 Franse hugenoten op. Toen was één op veertig inwoners een vluchteling; tegenwoordig is dat één op vijfhonderd. Begin twintigste eeuw vluchtten veel mensen voor de Eerste Wereldoorlog: meer dan een miljoen van deze vluchtelingen werden in het neutrale Nederland opgenomen. Daarnaast zorgden de Russische Revolutie en de val van het Ottomaanse Rijk voor een vluchtelingenstroom naar ons land. Voor en tijdens de Tweede Wereldoorlog vluchtten velen voor de nazi's. Ook het Arabisch-Israëlisch conflict, de kolonisatie en dekolonisatie in Afrika, dictaturen in Latijns-Amerika, het Sovjetbewind in Oost-Europa en de Vietnamoorlog veroorzaakten vluchtelingenstromen.

9.4 Werken met vluchtelingen en asielzoekers

In je werk als sociaal werker krijg je in alle situaties met etnische groepen te maken. Er zijn ook organisaties waarin specifiek met deze doelgroep gewerkt wordt. In personeelsadvertenties hebben de volgende organisaties naar SPH'ers, MWD'ers en CMV'ers gevraagd.

Waar kom je als sociaal werker etnische groepen tegen?

SPH	• AZC's (asielzoekerscentra);
	• Vluchtelingenwerk;
	• Projecten ten behoeve van woonwagenbewoners;
	• Projecten ten behoeve van Roma en Sinti;
	• Stichting Nidos.

MWD	• Stichting Nidos; • Vluchtelingenwerk; • AZC's (asielzoekerscentra); • Begeleidingsprojecten voor ama's (alleenstaande minderjarige asielzoekers); • Vrouwencentra; • Veemdelingen Informatie Punt.
CMV	• Wijkcentra; • Buurtpreventie; • Opvoedingsondersteuning; • Basiseducatie; • Leefbaarheidsprojecten woonwagenlocaties; • Trajectbegeleiding; • Inburgering nieuwkomers; • Re-integratie oudkomers; • Bevordering cultuurparticipatie; • Zelfhulporganisaties; • Maatjesprojecten; • Opbouwwerk; • Wijkparticipatie, wijkverbetering; • Belangengroeperingen.

Werken in een AZC (SPH)

Als SPH'er in een AZC ben je betrokken bij het agogisch werk in de groepsopvang met als doel het zorgen voor ontspanning. Daarnaast breng je bewoners met elkaar in contact, neem je onderlinge vooroordelen weg en laat je mensen kennismaken met de Nederlandse cultuur. Je werkt samen met anderen, zoals technisch en medisch personeel en maatschappelijk werkers.

Wat zijn je werkzaamheden als SPH'er in een AZC?
• Je bedenkt en hanteert muzisch-agogische werkvormen die bij een bepaalde cultuur aanslaan, zoals muziek, sport, dans, poëzie en eten.
• Je bedenkt en hanteert werkvormen die de bewoners in contact brengen met de Nederlandse cultuur.
• Je signaleert spanningen en knelpunten en adviseert over maatregelen om spanningen en knelpunten te voorkomen.

Bij de stichting Nidos (SPH)

Nidos is een onafhankelijke (gezins)voogdijinstelling voor ama's. Als professional stel je met respect voor de culturele achtergrond van de jongere en vanuit betrokkenheid en met specifieke deskundigheid het belang van de jongere centraal. Ook voer je de regie over zijn ontwikkeling naar zelfstandigheid.

279

Wat zijn je werkzaamheden als SPH'er bij Nidos?
- Je bent als voogd verantwoordelijk voor de begeleiding van alleen-staande minderjarige asielzoekers en vluchtelingen.
- Je schept voorwaarden met betrekking tot opvang, opvoeding en ont-wikkeling van de jongere en diens functioneren in Nederland of in het land van herkomst.
- Je ontwikkelt een netwerk ten behoeve van de jongere en houdt toe-zicht op de opvoedingsrelaties.

In een AZC (MWD)

In een AZC werken maatschappelijk werkers samen met andere hulp-verleners, zoals technisch en medisch personeel en agogisch werkers (SPH'ers).

Wat zijn je werkzaamheden als MWD'er in een AZC?
- Je begeleidt en adviseert de bewoners in geval van terugkeer naar het eigen land of bij de integratie in Nederland.
- Je geeft informatie over wettelijke uitvoeringsregelingen.
- Je stelt een trajectdossier van bewoners samen.
- Je levert een bijdrage aan het ontwikkelen van specialistische pro-gramma's voor bewoners, gericht op integratie in Nederland of terug-keer naar het eigen land.
- Je signaleert spanningen en knelpunten en adviseert over maatregelen om deze te voorkomen.
- Je onderhoudt contact met medewerkers van andere instellingen, bij-voorbeeld justitie, gemeente, huisvestingsorganisaties, politie en zorg- en welzijnsinstellingen.

Projecten voor woonwagenbewoners (SPH)

Je wilt de maatschappelijke deelname van woonwagenbewoners verster-ken. Je ondersteunt bewonersgroepen en geeft hulp, individuele dienst-verlening, informatie en advies. Je neemt deel aan samenwerkingsverban-den en netwerken, en bevordert zo de belangen van de doelgroep. Doel is een brug te slaan tussen de woonwagenbewoners en de omringende samenleving, zodat ze gebruik gaan maken van voorzieningen en op een gelijkwaardige manier samen kunnen leven met hun omgeving. Tevens bevorder je de mogelijkheden op de arbeidsmarkt voor deze groepen.

Wat zijn je werkzaamheden als sph'er voor woonwagenbewoners?
- Je begeleidt woonwagenbewoners bij deelname aan de cursussen.
- Je ondersteunt woonwagenvrouwen bij het organiseren van uitstapjes.
- Je ondersteunt bewonersorganisaties bij renovatie en aanleg van woonwagenlocaties.
- Je volgt en signaleert relevante ontwikkelingen in de doelgroep.
- Je bevordert de leefbaarheid op de locaties.
- Je signaleert problemen van kinderen op school en draagt bij aan het oplossen ervan.
- Je begeleidt mensen op weg naar een betaalde baan.

In het opbouwwerk (CMV)

Als cmv'er ben je erop gericht om mensen zelf verantwoordelijkheid te laten nemen voor hun woon- en leefsituatie. Dit doe je door het professioneel ondersteunen van belangenbehartiging en zelforganisatie. Dit kan binnen het reguliere opbouwwerk, maar ook binnen het 'categoriaal opbouwwerk', gericht op specifieke groepen. Een voorbeeld van het laatste is een project met migranten. Het werk kan ook plaatsvinden op basis van een specifiek maatschappelijk probleem, zoals veiligheid.

Wat zijn je werkzaamheden als cmv'er in het opbouwwerk voor etnische groepen?
- Je stelt de wijkbewoners centraal en denkt vanuit bewonersinitiatieven.
- Je stelt je in op het ontwikkelingstempo van migranten.
- Je zorgt voor inspraak en medezeggenschap voor deze groep.
- Je maakt gebruik van bestaande sociale verbanden.
- Je stimuleert de zelfredzaamheid en zelforganisatie door een combinatie van categoriale voorzieningen en intercategoriale samenwerking.
- Je vraagt van migranten zich aan te passen aan de werkwijzen en procedures van instellingen en instanties. Maar dat geldt ook andersom!
- Je besteedt aandacht aan communicatie en beleid.
- Je pakt verschijnselen aan zoals jeugdbendes, drugsoverlast of radicale politieke groeperingen. Veiligheid is een voorwaarde voor ongedwongen ontmoeting van wijkbewoners.

In een maatjesproject voor migrantenvrouwen (CMV)

Veel gemeenten hebben maatjesprojecten opgezet voor uiteenlopende doelgroepen. Hier gaat het om maatjesprojecten voor migrantenvrouwen en zijn maatjes vrijwilligers die migrantenvrouwen wegwijs maken in de Nederlandse maatschappij. Verder wil het project de vrouwen helpen hun

281

capaciteiten en zelfredzaamheid te vergroten. Ook het in contact komen met de Nederlandse cultuur is van belang, evenals het vergroten van de taalkennis.

Wat zijn je werkzaamheden als cmv'er bij een maatjesproject voor migrantenvrouwen?
- Je zorgt voor werving en toerusting van de maatjes.
- Je zorgt voor werving van participerende migrantenvrouwen.
- Je begeleidt vrijwilligsters die aan het maatjesproject willen meewerken.
- Je zorgt voor deskundigheidsbevordering van de maatjes, bijvoorbeeld een cursus interculturele communicatie, omgaan met anderstaligen en andere relevante onderwerpen.
- Je organiseert bijeenkomsten waar de maatjes ervaringen kunnen uitwisselen.

In het werk met vluchtelingen en asielzoekers krijg je als sociaal werker te maken met verschillende statussen en documenten:

A-status
> Deze status is gebaseerd op het vluchtelingenverdrag uit de Vreemdelingenwet. Het geeft de vluchteling dezelfde rechten en plichten als elke Nederlander.

Ama's
> Alleenstaande minderjarige asielzoekers zijn vluchtelingen tot achttien jaar die zonder ouders in Nederland verblijven. Zij wonen in opvangcentra of met lotgenoten samen in KWE's (kleine wooneenheden).

B-document
> Dit is een bewijs van de A-status.

VTV: Vergunning tot verblijf
> Bij een VTV is geen sprake van gegronde angst voor vervolging in de zin van het Vluchtelingenverdrag. Toch wordt men toegelaten als terugsturen onmenselijk is. De VTV geldt een jaar en kan vier keer met een jaar worden verlengd. Als uitzetting dan nog inhumaan is, wordt een definitieve vergunning afgegeven. Een VTV is hetzelfde als de C-status.

C-status
> De status van mensen met een VTV.

Generaal pardon

Dit is een regeling waarbij migranten die geruime tijd al dan niet illegaal in Nederland verblijven een eerder geweigerde verblijfsvergun-
ning alsnog krijgen. De officiële naam van de regeling uit 2007 luidt:
Regeling Afwikkeling Nalatenschap Oude Vreemdelingenwet.

VVTV: Voorwaardelijke Vergunning tot Verblijf

Deze vergunning is voor asielzoekers die niet teruggestuurd kunnen
worden gezien de (oorlogs)situatie in het land van herkomst. De VVTV
is een jaar geldig en kan twee keer een jaar worden verlengd. Als het
land van herkomst dan nog niet veilig is, wordt een vtv verstrekt.

RVA: Regeling Verstrekkingen Asielzoekers

Hierin zijn rechten en plichten van de asielzoeker opgenomen. De regeling omvat onder andere de financiële toelage en de ziektekosten-
verzekering.

9.5 Wat vraagt werken met etnische groepen van je en wat levert het op?

Het werken met etnische groepen vraagt grotendeels dezelfde competentie als het werken met andere groepen. Toch zijn er attitudeaspecten die
extra van belang kunnen zijn in het werk. Je zult ontdekken dat gangbare
methodieken in het sociaal werk vaak afgestemd zijn op 'witte midden-
klassers' en niet altijd geschikt zijn voor het werken met mensen uit andere culturen.

Het werken met etnische groepen vraagt:
- het besef dat de toenemende culturele diversiteit een grotere culturele
  sensitiviteit vraagt van sociaal werkers;
- dat je geen ongerechtvaardigd onderscheid maakt op grond van etniciteit;
- verdieping in de culturele achtergrond en de waarden en normen van
  de cliënt;
- respect voor mensen die anders gesocialiseerd zijn dan jijzelf en voor
  andere waarden en normen. Soms zul je inzien dat niet alles wat bij
  een cultuur hoort per definitie goed is! Dat geldt voor de eigen cultuur, maar ook voor andere culturen. Denk bijvoorbeeld aan genitale
  verminking bij vrouwen uit Afrika of de positie van vrouwen in sommige migrantengezinnen;
- creativiteit en flexibiliteit;

- het vermogen om mensen te motiveren, begeleiden en activeren. Hierbij kun je soms gebruikmaken van muzisch-agogische middelen;
- aanpassing aan bepaalde gewoonten, zoals het uittrekken van de schoenen voordat je een woonwagen of een woning binnengaat;
- Het is handig een begroetingswoordje te leren in de taal van de cliënt. Dat breekt soms het ijs!

Begroetingswoordjes

Turks	Merhaba (Welkom)
Marokkaans	Merhaba (Welkom)
Surinaams (Sranantongo)	Fa a waka? (Hoe gaat het?)
Antillen (Papiamentu)	Bon bini (Welkom)
Roma (taal van veel Balkanlanden)	Zdravo (heilwens)

Dilemma's in het werk met etnische groepen
De beroepscode geeft aan hoe je zou moeten omgaan met dilemma's in het werk. Daarbij zijn onderstaande vragen, ontleend aan het concept Beroepscode voor Sociaalagogische Werkers (www.phorza.nl), een hulpmiddel.

- Wat is de situatie, wat is het morele aspect in dit dilemma en voor wie?
- Welke handelingsmogelijkheden heb je als beroepsbeoefenaar in deze situatie?
- Welke waarden/principes spelen voor jou een rol in deze situatie?
- Wat zijn de voor- en nadelen van deze handelingsmogelijkheden voor de betrokkenen?
- Wat is voor jou de rangorde in waarden/principes in deze situatie en wat zijn de positieve en negatieve gevolgen? (Wat weegt het zwaarst?)
- Stel dat je zelf in de situatie van de cliënt zou verkeren, hoe zou je dan willen dat er gehandeld zou worden? (Wat gij niet wilt dat u geschiedt, doe dat ook een ander niet!)
- Zou je andere cliënten op dezelfde wijze behandelen (principe van gelijkheid)?

Blijf van mijn lijf

'Het staat echt nergens in de Koran en de gevolgen voor je lichaam kunnen verschrikkelijk zijn. De pijn die mijn moeder had bij bevallingen, is niet normaal,' zegt Fatma. 'Ik vertel het ook aan anderen. Nu nog de mannen. Ik weet dat veel jongens en mannen liever trouwen met een besneden meisje. Ook in Nederland.'

Het Europese Parlement stemde in maart 2009 over een rapport van de Vrouwencommissie dat pleit voor een hardere aanpak van vrouwenbesnijdenis in de EU-landen. Genitale verminking is verboden in de Europese Unie, maar lang niet alle lidstaten zetten zich actief in om het te bestrijden.

Bron: IS, Internationale Samenwerking, maart 2009

Het werken met etnische groepen levert je veel op.

- Het is een uitdaging, omdat de cliënten vaak heel anders gesocialiseerd zijn dan jijzelf. Hier kun je van leren!
- Je ontmoet interessante mensen, afkomstig uit de hele wereld.
- Je leert hoe je mensen uit andere culturen motiveert, begeleidt en activeert.
- Je krijgt respect voor waarden en normen van andere culturen en gaat daardoor meer reflecteren op je eigen waarden en normen.
- Als je een goed contact hebt opgebouwd, zul je veel gastvrijheid en hartelijkheid ontvangen van de doelgroep.
- Je leert samen met anderen te werken en je werkwijze te toetsen aan die van je collega's.

9.6 Besluit

Ik hoop dat dit hoofdstuk je aan het denken heeft gezet over de positie van etnische groepen in de samenleving. Misschien heb je belangstelling opgevat voor een van de werkvelden waar je deze doelgroep kunt tegenkomen. Praat eens met een student die stage heeft gelopen in een van de besproken werkvelden! Zoek eventuele verdere informatie in de literatuur of op de websites die worden genoemd aan het einde van dit hoofdstuk.

Vragen en opdrachten

1 Bekijk de tabellen *Cultuurtypen* en *Vormen van communicatie* in 9.2. Waar voel jij je het meeste thuis, in een wij-cultuur of een ik-cultuur? En communiceer jij impliciet of meer expliciet? Geef aan wat dat voor jou betekent in het contact met mensen aan de andere kant van de tabel.

2 Heb jij zelf te maken met diversiteit in de klas of op stage? Wat zijn je ervaringen daarmee?

3 Behoor jij zelf tot een etnische groep? Wat zijn jouw ervaringen in de klas of op stage?

4 Zoek in de verschillende paragrafen welke eigenschappen je voor het werken met etnische groepen zou moeten hebben.

5 Zoek in paragraaf 9.4 drie organisaties of werkvelden die je interesse hebben.

6 Lees casus 1. Zoek de termen die je niet kent op in dit hoofdstuk. Hoe zou jij omgaan met een cliënt die je cadeaus geeft?

7 Lees casus 2. Zoek de termen die je niet kent op in dit hoofdstuk. Hoe zou jij omgaan met het probleem van Haile?

8 Zou jij de mensen uit casus 3 als sociaal werker kunnen begeleiden? Wat wil je nog weten om die vraag te kunnen beantwoorden?

9 Niet alle etnische groepen kunnen in dit hoofdstuk aan de orde komen. Mocht je belangstelling hebben voor een specifieke groep, zoek hierover dan informatie op het internet of vraag ernaar bij ervaringsdeskundigen op dit gebied.

Literatuur

Literatuur van buitenlanders over Nederland

Kaldenbach, Hans (1998). *Doe maar gewoon, 99 tips voor het omgaan met Nederlanders*. Amsterdam: Prometheus.

Kooten, K. van (1992). *Zwemmen met droog haar*. Amsterdam: De Bezige Bij.

Nasr, M. (1986). *De Nederlandse samenleving door een Marokkaanse loep*. Hilversum: Mohammed Nasr.

Vuijsje, H. & J. van der Lans (1999). *Typisch Nederlands*. Amsterdam: Pandora Pockets.

White, C. & L. Boucke (2005). *The Undutchables*. Amsterdam: Nijgh & van Ditmar.

Literatuur over transculturele communicatie

Azghari, Y. (2005). *Cultuurbepaalde communicatie, waarden en belangen van passieve en actieve culturen.* Barneveld: Nelissen.

Claes, M. & M. Gerritsen (2002). *Culturele waarden en communicatie in internationaal perspectief.* Bussum: Coutinho

Eppink, A. (1986). *Cultuurverschillen en communicatie.* Alphen a/d Rijn: Samson.

Hampden-Turner, C. & F. Trompenaars (2000). *Building Cross-Cultural Competence, How to create wealth from conflicting values.* New York: John Wiley.

Hofstede, G. (1993). *Allemaal andersdenkenden, omgaan met cultuurverschillen,* Amsterdam: Contact.

Pinto, D. (2002). *Interculturele communicatie: driestappenmethode voor het doeltreffend overbruggen en managen van cultuurverschillen.* Houten: Bohn, Stafleu van Loghum.

Literatuur over arbeidsmigranten

Endt-Meijling, M. van (2003). *Met Nieuwe ogen, werkboek voor de ontwikkeling van een transculturele attitude.* Bussum: Coutinho.

Endt-Meijling, M. van (2006). *Rituelen en gewoonten, geboorte, ziekte en dood in de multiculturele samenleving.* Bussum: Coutinho.

Nalbantoğlu, P. (1981). *Aysel en anderen. Turkse vrouwen in Nederland.* Amsterdam: Feministische Uitgeverij Sara.

Werf, S. van der (2007). *Allochtonen in de multiculturele samenleving.* Bussum: Coutinho.

Literatuur over mensen, afkomstig uit onze voormalige koloniën

Bos, R.P. (2008). *Antillianen, crimineel of gewoon anders? Leerboek voor professionals.* Zutphen: Walburg Pers.

Derveld, F.E.R. & H. Noordergraaf (1988). *Winti religie, een Afro-Amerikaanse godsdienst in Nederland.* Amersfoort/Leuven: De Horstink.

Gortzak, W. (2003). *Nederland – Suriname, de herkansing.* Amsterdam: Metz & Schilt.

Groningen, W. van (2007). *Momenten uit Molukse levens: verhalen.* Utrecht: Landelijk Steunpunt Educatie Molukkers.

Leerdam, J. (2008). *De Antillen en ik.* Amsterdam: Meulenhoff.

Schuster, J. (1999). *Poortwachter over immigratie. Het debat over immigratie in het naoorlogse Groot-Brittannië en Nederland.* Amsterdam: Het Spinhuis.

Schuster, J. (2001). De komst van nog meer rijksgenoten vervult mij met zorg. De Nederlandse overheid en de naoorlogse immigratie van Surinamers, oso, *Tijdschrift voor Surinaamse Taal, Letterkunde en Geschiedenis*, 20(1), 23-35.

Smeets, H. & F. Steijlen (2006). *In Nederland gebleven. De geschiedenis van Molukkers 1951-2006*. Amsterdam: Bert Bakker.

Literatuur over woonwagenbewoners en Roma en Sinti

Cottaar, A. (1996). *Kooplui, kermisklanten en andere woonwagenbewoners. Groepsvorming en beleid 1870-1945*. Amsterdam: Aksant.

Cottaar, A., L. Lucassen & W. Willems (1995). *Mensen van de reis. Woonwagenbewoners en zigeuners in Nederland 1868-1995*. Zwolle: Het Spinhuis.

Gerritsen, W. (2008). *De integratie van Woonwagenbewoners en zigeuners in de burgermaatschappij*. www.stichtingpas.nl

Khonraad, S. (2000). *Woonwagenbewoners. Burgers in de risicomaatschappij*. Utrecht: Universiteit Utrecht.

Vos, F. (2008). *Blauwe haren, zwarte ogen. De Romacultuur van binnenuit*. Amsterdam: Meulenhoff.

Literatuur over vluchtelingen

Baars, B. van (2005). *Vrije vogel: de voor- en doormethode toegepast in een preventieproject voor asielzoekers*. Utrecht: Pharos.

Hendriks, M. (1995). *Maatschappelijk werk en vluchtelingen. Stilstaan bij de praktijk*. Utrecht: Pharos.

Rohlofs, H., M. Groenenberg & C. Blom (1999). *Vluchtelingen in de GGZ. Handboek voor de hulpverlening*. Utrecht: Pharos.

Santini, I. & C. Marsal Roig (1999). *De deur van de hoop. Integrale multidimensionele groepstherapie voor vluchtelingen*. Utrecht: Pharos.

Shell, P., M. Hendriks & H. van Tienhoven (2005). *Gezond blijven door onderlinge steun. Methodiek voor het opzetten van steungroepen van asielzoekers en vluchtelingen*. Utrecht: Pharos.

Veer, G. van der (1988). *Politieke vluchtelingen. Psychische problemen en de gevolgen van onderdrukking en ballingschap*. Nijkerk: Intro.

Veer, G. van der (1998), *Hulpverlening aan vluchtelingen. Psychische problemen en de gevolgen van traumatisering en ontworteling*. Baarn: Intro.

Veer, G. van der (1998). *Gevluchte adolescenten. Ontwikkeling, begeleiding en hulpverlening*. Utrecht: Pharos.

Vloeberghs, E. & E. Bloemen (2005). *Uit lijfsbehoud. Lichaamsgericht werken met vluchtelingen in de GGZ*. Utrecht: Pharos.

Websites

- www.forum.nl
- www.iisg.nl/hbm
- www.iot.nl
- www.lowm-maluku.nl
- www.ocan.nl
- www.roma-emancipatie.org
- www.sioweb.nl
- www.smnnet.nl
- www.suara-indo.com
- www.vluchtelingenorganisaties.nl

Register

Over de auteurs

John Bassant was als docent methodiek verbonden aan de opleiding SPH en aan de Voortgezette Opleiding IW van de Hogeschool van Amsterdam. Hij heeft zich in die functie ook beziggehouden met de ontwikkeling van SPH en het vakgebied methodiek, zowel op hogeschool- als op landelijk niveau. Bassant heeft als auteur en redacteur meegewerkt aan *Methoden voor sociaal-pedagogisch hulpverleners* (2003) en als redacteur aan *Handboek Rehabilitatie* (2008). Verder publiceerde hij artikelen in het *Tijdschrift SPH*, het tegenwoordige *Sozio*.

Marianne Bassant-Hensen is redacteur van het *Tijdschrift voor Rehabilitatie en Herstel voor mensen met psychische beperkingen*. Zij was projectleider Begeleid leren en coördinator van de BGE-opleiding van het ROC Zadkine in Rotterdam.

Wouter van Eekhout is jarenlang werkzaam geweest als hulpverlener en manager in de jeugdhulpverlening en verslavingszorg in Haarlem, Amsterdam en Den Haag. Tegenwoordig heeft hij een eigen praktijk als coach en supervisor en is hij als docent en supervisor verbonden aan de opleiding Social Work van de Hogeschool Inholland. Van Eekhout heeft als auteur meegewerkt aan *De stille kracht van leiderschap, een Indisch perspectief* (2008).

Martha van Endt-Meijling studeerde geneeskunde. Ze specialiseerde zich in de sociale geneeskunde, tak jeugdgezondheidszorg. Ze was werkzaam op consultatiebureaus voor zuigelingen en kleuters en hield speciale spreekuren voor migranten. Daarnaast was ze werkzaam aan de Universiteit Nijmegen in het kader van het postacademisch onderwijs. Ook werkte ze als docent medische vakken en transculturele hulpverlening aan hogeschool Windesheim. De laatste jaren publiceert ze op het gebied van transculturele hulpverlening en geeft ze workshops rond dit onderwerp.

Ineke Heemskerk is werkzaam als docent bij de Academie voor Sociale Studies Breda en als onderzoeker bij het Expertisecentrum Veiligheid, lectoraat Reclassering en Veiligheidsbeleid van Avans Hogeschool. Haar aandachtsgebieden zijn vermaatschappelijking, rehabilitatie, empowerment en herstel van maatschappelijke rollen.

Peter Herzberg was van 1974 tot 2009 docent psychologie en psychopathologie binnen het sociaal-agogisch onderwijs aan de Eindhovense Sociale Academie De Dommel, later Fontys Hogeschool Sociale Studies (opleidingen SPH, MWD en CMV). Van 1999 tot 2007 was hij tevens docent psychologie bij de propedeuse Toegepaste Psychologie, inmiddels opgegaan in de hbo-opleiding Toegepaste Psychologie. Herzberg was betrokken bij de methodiekontwikkeling binnen de verslavingszorg in Oost-Brabant.

Thea van Kempen is docent bij de leergang Social Work van Avans Hogeschool in Breda en onderzoeker bij het aan de leergang verbonden lectoraat Veiligheid. Ze heeft zich altijd beziggehouden met doelgroepen die maatschappelijk uitgesloten zijn of dreigen te worden. Van Kempen richt zich in het bijzonder op de sector maatschappelijke opvang, en heeft ook ervaring in het (randgroep)jongerenwerk, de jeugdhulpverlening en de jeugdreclassering.

Anita Pfauth is als docent en supervisor verbonden aan de opleidingen MWD en SPH van de Hogeschool Leiden. Ze ontwikkelt onderwijs over mensen met een verstandelijke beperking en is medeoprichter van de kennisgroep Licht Verstandelijk Beperkten (LVB). Pfauth heeft ook jaren gewerkt als trainer en supervisor in de VGZ en verslavingszorg.

Gerrit Wolfswinkel was van 1990 tot 2007 als docent verbonden aan Hogeschool De Horst / Hogeschool Utrecht. Hij was daar onder meer verantwoordelijk voor het vakgebied Organisatie & Beleid, Beroepsontwikkeling van het Maatschappelijk Werk en was actief op het gebied van internationalisering. Wolfswinkel had binnen de hogeschool als speciaal aandachtsgebied ouder worden en ouderenwerk en organiseerde rond dit thema studiedagen en keuzeprogramma's. Hij schreef samen met Dirk Oostelaar het leerboek *Ouderen in de samenleving* (2003).